CRUZANDO LA LÍNEA

LOS | IMPERDIBLES

OTROS LIBROS DEL AUTOR
EN DUOMO:

La hora de la araña

Vías cruzadas

La Tienda

JAMES PATTERSON

CRUZANDO LA LÍNEA

Traducción de Josep Escarré

DUOMO EDICIONES
Barcelona, 2019

Título original: *Cross The line*

Primera edición: noviembre de 2019

Duomo ediciones es un sello de Antonio Vallardi Editore S.u.r.l.
Av. de la Riera de Cassoles, 20. 3.º B. Barcelona, 08012 (España)
www.duomoediciones.com

Gruppo Editoriale Mauri Spagnol S.p.A.
www.maurispagnol.it

ISBN: 978-84-17761-45-5
Código IBIC: FA
DL B 19.320-2019

Diseño de interiores:
Agustí Estruga

Composición:
Grafime

Impresión:
Grafica Veneta S.p.A. di Trebaseleghe (PD)

Impreso en Italia

Prólogo

MUERTE EN ROCK CREEK

UNO

CAMBIABA DE IDENTIDAD, como muchos guerreros antes de la batalla. En noches como esa, se llamaba a sí mismo Mercury.

Vestido de negro desde el casco con visera hasta las botas con punta de acero, Mercury avanzó con la moto hasta un enorme rododendro por Rock Creek Parkway, al sur de la calle Calver. Sentado a horcajadas en la moto parada, sacó un minirradar láser portátil del Ejército de los Estados Unidos. Lo usó con todos los vehículos que pasaban, comprobando su velocidad.

Setenta y dos kilómetros y medio por hora exactamente. Setenta y uno. Sesenta y siete y medio. Pura rutina. Cifras legales. Aburridas.

Mercury esperaba ver una cifra más inusual y excesiva en la pantalla. Tenía buenas razones para creer que aparecería una exorbitada antes de que terminara esa noche. Sin duda alguna, estaba en el lugar correcto para registrarla.

Construida en la década de 1920, Rock Creek Parkway había sido diseñada para conservar la pintoresca belleza natural de la zona. La sinuosa carretera de cuatro carriles iba desde el Lincoln Memorial, en el norte, atravesando parques, jardines y bosques. Tenía cuatro kilómetros doscientos metros y se dividía en Northwest D. C.: Beach Drive, la bifurcación de la derecha, en dirección noreste, se adentraba en el parque, mientras la vía principal continuaba por la izquierda y recuperaba la dirección noroeste hasta llegar al cruce con la calle Calver.

Sesenta y nueve kilómetros por hora, según la pantalla del radar. Setenta y cinco y medio. Setenta y dos y medio.

Estas cifras no eran sorprendentes. La carretera figuraba en el Registro Nacional de Lugares Históricos de los Estados Unidos, y el Servicio de Parques Nacionales se ocupaba de su mantenimiento; tenía un límite de velocidad de setenta y dos kilómetros y medio por hora.

Sin embargo, su serpenteante trazado era lo más parecido a un circuito de un Grand Prix que se podía encontrar en el distrito de Columbia y alrededores. Largas curvas en forma de S, chicanes, algunos cambios de altitud, rectas que discurrían junto al cauce del arroyo... Tenía de todo, y casi el doble de longitud que el circuito del mítico Grand Prix de Watkins Glen, en Nueva York.

«Solo eso ya la convierte en un objetivo –pensó Mercury–. Solo por eso, alguien lo intentará. Si no esta noche, mañana, o pasado mañana».

Había leído un artículo en el *Washington Post* según el cual cualquier noche había muchas posibilidades de que algún niño rico o algún capullo ya entrado en años que chupaba de la teta federal sacara su Porsche nuevo o su potente BMW y tomara Rock Creek. O quizás algún joven de las afueras que le había birlado el Audi a su viejo o incluso alguna madre de familia de mediana edad.

Parecía haber todo tipo de gente obsesionada con esa carretera. «Un intento cada tres noches», pensó Mercury. Pero esa noche las posibilidades eran incluso superiores a la media.

Unos días atrás, una crisis presupuestaria había bloqueado al Gobierno de los Estados Unidos. Todos los fondos para la aplicación de la Ley de Parques habían sido congelados. No se pagaban los salarios. Los guardabosques habían sido enviados a sus casas por razones de seguridad. Nadie vigilaba salvo él.

Pasaron las horas. Aunque el tráfico se había reducido a un goteo, Mercury apuntó con el radar, consultó el veredicto y esperó. A las tres menos cuarto de la madrugada, medio dormido, estaba pensando que debía dejarlo cuando oyó el rugido de un motor doblando por Beach Drive.

Accionada por ese ruido, su mano derecha puso en marcha la moto. Con la izquierda, apuntó con el radar en dirección al rugido, que se convirtió en un lastimero zumbido de furia que avanzaba directamente hacia él.

En el instante en que vio los faros, pulsó el botón.

Ciento dieciséis kilómetros por hora.

Tiró el radar sobre el rododendro. Ya volvería más tarde a recogerlo.

El Maserati pasó a toda velocidad junto a él.

Mercury dio gas y soltó el embrague. Dejó atrás el rododendro, salió a toda velocidad del terraplén y se incorporó con un humeante chillido a la calzada, a menos de cien metros del deportivo italiano.

DOS

EL MASERATI ERA NUEVO, elegante, de color negro; «un Quattroporte», pensó Mercury a juzgar por lo que había visto del coche cuando pasó rugiendo junto a él, y probablemente un S Q4.

Mercury estudiaba los vehículos lujosos como ese. Un Maserati Quattroporte S Q4 tiene un motor turbo de inyección de seis cilindros que alcanza los doscientos ochenta kilómetros por hora y cuenta con una transmisión, una suspensión y un sistema de dirección extraordinarios.

En general, el Maserati era un contrincante digno, adecuado para los retos de esa carretera. Cualquier hombre o mujer que se sentara al volante de un coche así pensaría que era imposible que lo alcanzaran en una persecución tan desafiante, y menos en una moto.

Pero ese hombre o esa mujer se equivocaban.

La moto de Mercury era una bestia que, a toda velocidad, podía superar los trescientos kilómetros por hora sin derrapar en las curvas, los tirabuzones ni en todos los demás giros y cambios de rasante que pudiera encontrar en el camino. Sobre todo, si se sabía manejar una moto tan rápida como esa, y Mercury sabía hacerlo. Llevaba toda su vida conduciendo motos de gama alta y se sentía especialmente preparado para que alcanzara su máxima velocidad.

Ciento treinta kilómetros por hora; ciento cuarenta y cinco. Las luces de freno del Maserati brillaron delante de él cuando la carretera lo puso a prueba con la pronunciada curva en dirección este. Sin embargo, el conductor del deportivo italiano no estaba preparado para el segundo desafío de una curva muy cerrada en forma de S.

Mercury aprovechó el error del novato; se agachó, aceleró y la tomó a toda velocidad, tranquilo y con decisión. Cuando salió de la curva, estaba pegado al parachoques trasero del Maserati, a más de ciento diez kilómetros por hora.

Desde allí la carretera discurría en dirección sur durante más de un kilómetro y medio; el deportivo italiano intentó acelerar más para dejar atrás a Mercury en la recta. Pero el Maserati no era rival para la moto personalizada de Mercury.

Se colocó a la derecha, justo detrás del deportivo, soltó el manillar izquierdo y agarró la pistola Remington 1911 que llevaba pegada con velcro al depósito de gasolina.

Ciento cuarenta y tres. Ciento cuarenta y cinco.

Frente a él, la carretera avanzaba hacia una curva larga y cerrada a la izquierda. El Maserati tendría que frenar. Mercury redujo la velocidad, se rezagó y esperó.

En cuanto se encendieron las luces de freno del deportivo italiano, el motorista aceleró e hizo un movimiento increíblemente rápido que lo situó justo al lado de la ventanilla del acompañante del Maserati. Nadie ocupaba el asiento.

Mercury solo atisbó la silueta del conductor antes de dispararle dos veces. La ventanilla se hizo añicos. Las balas impactaron con toda su potencia.

El Maserati viró a la izquierda, chocó contra el guardarraíl y volvió al carril interior justo cuando la moto de Mercury llegaba intentando sortear el peligro. Mercury disminuyó la marcha y frenó preparándose para tomar la siguiente curva a la izquierda.

Por el espejo retrovisor, Mercury vio cómo el Maserati se salía de la calzada, chocaba contra unos árboles y ardía en llamas.

Mercury no sintió piedad ni compasión por el conductor.

Aquel hijo de puta debería haber sabido que la velocidad mata.

Primera parte

ASESINATO DE UN POLICÍA

CAPÍTULO 1

CUANDO DEJÓ ATRÁS EL PASILLO de los productos sin gluten de Whole Foods, Tom McGrath estaba pensando que la mujer alta y ágil de las mallas de color verde azulado y sudadera a juego que estaba delante de él tenía el porte de una bailarina.

De unos treinta y poco años, pómulos marcados, ojos en forma de almendra y pelo negro azabache recogido en una cola de caballo, tenía un aspecto encantador, incluso exótico. Ella pareció darse cuenta de su interés y le devolvió la mirada. Con un leve acento de Europa del Este, dijo:

–Te mueves como un vejestorio, Tom.

–Así es como me siento, Edita –contestó McGrath, que tenía cuarenta y pocos años y parecía un corpulento *catcher* ligeramente venido a menos–. Noto una rigidez y un dolor donde jamás hubiera pensado que los notaría.

–Demasiados años levantando pesas y sin hacer estiramientos –dijo Edita metiendo dos botellas de té kombucha en el carro que empujaba McGrath.

–Siempre hago estiramientos. Pero no así. Nunca. Y mucho menos a las cinco de la mañana. En alguna de las posturas me dio la sensación de que mi cabeza se estaba hinchando como la de una garrapata.

Edita se paró delante de los productos orgánicos, empezó a coger los ingredientes para preparar una ensalada y preguntó:

–¿Qué es una garrapata?

–Ya sabes, ese bichito que causa la enfermedad de Lyme.

Ella resopló.

–¿No hay nada que te haya gustado en tu primera clase de yoga?

–Debo admitir que me encantó estar en la parte de atrás de la sala haciendo la cobra mientras todas vosotras, las bellas damas de yoga, estabais delante de mí haciendo el perro boca abajo.

Edita le dio un cariñoso golpecito en el brazo y dijo:

–No es verdad.

–Perdí el ritmo y descubrí que me gustaba no estar sincronizado.

Ella sacudió la cabeza.

–¿Qué os pasa a los hombres? Aún seguís siendo un misterio para mí.

McGrath se puso serio.

–Con respecto a esto último, ¿ha habido suerte con lo que te pedí el otro día?

Edita se puso rígida.

–Ya te dije que no es fácil, Tom.

–Tú hazlo y acaba con ellos.

Ella no lo miró.

–¿Y la universidad? ¿Y mi coche? ¿Y mi apartamento?

–Te dije que te ayudaría.

Indecisa, Edita contestó:

–A ellos les importa una mierda, Tom. Ellos...

–No te preocupes. Tienes al guerrero McGrath de tu parte.

–No tienes remedio –dijo ella ablandándose y acariciándole la mejilla.

–Solo cuando se trata de ti –dijo él.

Edita vaciló y finalmente le lanzó un beso antes de dirigirse juntos hacia la cola de la caja. McGrath la ayudó a vaciar el carro.

–¿Por qué pareces un perrito abandonado? –le preguntó Edita cuando empezó a sonar el verificador de precios.

–Porque estoy acostumbrado a un carro de la compra con un pequeño vicio. Cerveza como mínimo.

Ella señaló una botella que había en la cinta transportadora.

–Esto te sentará mejor.

–¿Cliffton Dry?

–Imagínate que es champán que no se elabora con uvas sino con manzanas orgánicas.

–Si tú lo dices –contestó McGrath con escepticismo.

Mientras él metía la comida en bolsas de tela, Edita pagó con dinero en efectivo que sacó de una pequeña riñonera que llevaba sujeta a la cintura. McGrath se preguntó qué pensarían sus amigos de la infancia de que estuviera saliendo con una mujer que compraba Cliffton Dry en vez de un *pack* de seis cervezas Bud. Se burlarían de él despiadadamente. Pero si las manzanas con burbujas era lo que le iba a Edita, les daría una oportunidad.

Aunque sabía que su relación era extraña, había decidido recientemente que Edita, en casi todo, era buena para él. Lo hacía feliz. Y lo hacía sentirse joven y pensar como un hombre joven, algo que también era bueno.

Agarraron las bolsas de la compra. En la calle, la siguió bajo una cálida llovizna que hacía brillar la acera. Incluso a esa temprana hora de la mañana, había mucho tráfico en el carril de la avenida Wisconsin que se dirigía hacia el sur; sin embargo, por el que iba hacia el norte aún no circulaban demasiados coches.

Giraron para dirigirse hacia el sur. Edita iba uno o dos pasos por delante de él.

Un segundo después, por el rabillo del ojo, McGrath vio unas luces rojas, oyó el estruendo del fuego racheado de una pistola y sintió las balas impactando contra su cuerpo, una de ellas en el pecho. Entonces se desplomó en el suelo.

Edita se puso a gritar, pero recibió las dos balas siguientes y cayó al lado de McGrath. Los productos orgánicos se desparramaron por la acera manchada de sangre.

Para McGrath todo se volvió lejano, moviéndose a cámara lenta. Hacía esfuerzos por respirar. Sentía como si lo hubieran golpeado en las costillas con un mazo. Sin pensar, buscó a tientas el móvil en el bolsillo de sus pantalones de deporte.

Marcó el 911 y, sin decir nada, vio cómo la botella de Cliffton Dry, intacta, se alejaba rodando por la acera.

Un operador contestó:

–Distrito 911, ¿en qué puedo ayudarlo?

–Policía herido –dijo McGrath–. En el 3200 de la avenida Wisconsin. Repito, policía...

Sintió que se desvanecía y que empezaba a perder la conciencia. Soltó el teléfono haciendo un esfuerzo por mirar a Edita. No se movía; tenía el rostro blanco y carente de expresión.

Antes de morir, McGrath le susurró:

–Lo siento, Ed. Por todo.

CAPÍTULO 2

UNA FINA LLUVIA había empezado a caer cuando John Sampson y yo nos bajamos del coche camuflado en Rock Creek Parkway, al sur de la avenida Mass. Eran las seis y media de la mañana y la humedad ya estaba alcanzando los niveles de una sauna de vapor.

El carril izquierdo estaba cerrado al tráfico por la furgoneta de un médico forense, dos coches patrulla de la Autoridad de Tránsito del Área Metropolitana de Washington y algunos oficiales de policía. El tráfico de la mañana iba a ser horrible.

El más joven de los dos oficiales pareció sorprendido al vernos.

–¿Homicidio? Ese tipo se comió un árbol a ciento cincuenta kilómetros por hora.

–El informe dice que hubo disparos antes del accidente –dije.

–El coche está registrado a nombre de Aaron Peters, de Bethesda.

–Gracias, oficial –le contesté antes de dirigirnos hacia el coche.

El Maserati había quedado boca arriba, con el lado

del acompañante rodeando la base del tronco de un enorme arce japonés. El deportivo estaba casi completamente chamuscado y tenía todos los cristales de las ventanillas rotos.

La forense, una pelirroja rechoncha, insolente y extremadamente competente llamada Nancy Ann Barton, estaba agachada junto al lado del conductor del Maserati, inspeccionándolo con una linterna Maglite.

–¿Qué opinas, Nancy? –le pregunté.

Barton levantó la vista, me vio y, poniéndose de pie, me dijo:

–Hola a ti también, Alex.

–Hola, Nancy –le contesté–. ¿Tienes algo?

–Ni un «Hola». Ni un «Buenos días».

Esbozando una sonrisa, dije:

–Buenos días, doctora.

–Eso está mejor –repuso Barton, y se echó a reír–. Disculpa, Alex, pero soy de la vieja escuela. Intento ofrecer un poco de simpatía a la humanidad, o al menos a la humanidad que me rodea.

–¿Cómo lo llevas, Nancy? –preguntó Sampson.

–Bastante bien, en realidad –respondió ella.

–¿Ha sido un accidente? –le pregunté.

–Tal vez –dijo, y volvió a agacharse.

Me arrodillé al lado de Barton, que iluminó el Maserati con la linterna para mostrarme al conductor. Estaba boca abajo, colgando de un arnés; llevaba un casco Bell carbonizado con la visera parcialmente derretida, un collarín y un traje ignífugo Nomex del que suelen usar los que compiten en un Grand Prix, con guantes y botines.

–El traje ha funcionado –dijo Barton–. No hay quemaduras que yo pueda ver. Y el airbag lo protegió mucho, al igual que la barra antivuelco interior.

–Aaron Peters –dijo Sampson echando un vistazo a su *smartphone*–. Formó parte del personal del Senado, miembro de primer nivel de un *lobby* del petróleo. No me extraña que pudiera permitirse un Maserati.

Levantándome para sacar mi linterna, dije:

–¿Enemigos?

–Por definición, diría que un importante miembro de *lobby* petrolero debía tener enemigos.

–Es probable que sí –dije agachándome de nuevo.

Encendí la linterna y eché un vistazo al interior del vehículo. La luz enfocó una caja metálica de color negro en el salpicadero.

–¿Qué es eso? –preguntó la forense.

–Si no me equivoco, esa caja contiene una cámara, posiblemente una GoPro. Creo que es posible que grabara la carrera.

–¿Y algo así puede sobrevivir a un incendio? –preguntó Sampson.

–Quizás tengamos suerte –contesté enfocando con la linterna el casco carbonizado del conductor. Vi unos surcos en la parte superior que no eran normales–. ¿Has sacado fotografías de eso? –pregunté.

Barton asintió. Levanté la manó y solté la hebilla de la correa. Suavemente pero con firmeza, tiré del casco, que dejó al descubierto el rostro de Aaron Peters. Aunque su pasamontañas Nomex parecía no haber sido afectado por el fuego, estaba empapado de sangre por las dos heridas de bala que tenía en la cabeza.

–No ha sido un accidente –dije.

–Es imposible –corroboró Barton.

Entonces sonó mi móvil. Pensaba ignorar la llamada, pero vi que era de Bryan Michaels, el jefe de Policía.

–Jefe –dije.

–¿Dónde estás?

–En Rock Creek –contesté–. Un destacado miembro de un *lobby* del petróleo asesinado en su coche.

–Déjalo y ve a Georgetown. Uno de los nuestros ha muerto en un tiroteo desde un vehículo en marcha desde el que también han disparado a otra persona; quiero a nuestros mejores hombres allí.

Me puse de pie, le hice un gesto a Sampson para que se dirigiera hacia el coche y, avanzando al trote, pregunté:

–¿De quién se trata, jefe?

Cuando me lo dijo, se me revolvió el estómago.

CAPÍTULO 3

SAMPSON COLOCÓ LA LUZ de emergencia en el techo de nuestro automóvil, conectó la sirena y salimos a toda velocidad en dirección a Georgetown. Me di cuenta de que, por fin, había dejado de caer aquella fina lluvia mientras marcaba el número de la detective Bree Stone, mi mujer. Ese día Bree testificaba en el tribunal y esperaba que ella...

Bree respondió.

–¿Un accidente en Rock Creek? –dijo.

–Un asesinato –corregí–. Pero, para tu información, Michaels acaba de ordenarnos que vayamos a Georgetown. Dos víctimas de un tiroteo. Me temo que una de ellas es Tommy McGrath.

Bree mantuvo un largo silencio de estupefacción antes de que, casi sin aliento, dijera:

–¡Oh, Dios, Alex! Creo que voy a vomitar.

–Esa fue exactamente mi reacción. ¿Hay algo que deba saber?

–¿Sobre Tommy? No estoy segura. Él y su mujer se separaron hace un tiempo.

–¿Razones?

–No solíamos hablar de asuntos personales, pero creo que estaba molesto por ello y también por el hecho de que su nuevo puesto le impedía trabajar en casos. Decía que echaba de menos la calle.

–Lo tendré en cuenta y te mandaré un mensaje de texto cuando estemos en la escena del crimen.

–Gracias –dijo ella–. Creo que voy a llorar.

Colgó y se me revolvió de nuevo el estómago porque sabía lo mucho que Tom McGrath significaba para ella. McGrath había sido el controvertido jefe de detectives de la Policía Metropolitana de Washington D. C. y nuestro superior. Pero cuando Bree era una detective de rango menor y McGrath aún trabajaba en casos, él la acogió bajo sus alas, la guio e incluso fue su compañero durante un breve espacio de tiempo. Había sido su mentor mientras ella ascendía y fue quien la recomendó para que se ocupara de casos más importantes.

En mi opinión, como jefe, McGrath era un administrador justo y competente. Podía ser duro y en ocasiones hacía política; era la clase de policía que se granjeaba enemigos. Uno de sus antiguos compañeros incluso llegó a pensar que McGrath se había vuelto en su contra, colocando pruebas que provocaron su expulsión del cuerpo.

Sin embargo, como detective, Tommy tenía un instinto muy agudo. También sentía una genuina curiosidad por la gente y sabía escuchar. Mientras iba conduciendo por la ciudad en dirección al escenario de su asesinato, me di cuenta de que lo echaría mucho de menos.

Había coches patrulla con las luces azules intermitentes encendidas, policías uniformados y vallas bloqueando el edificio 3200 de la avenida Wisconsin. Aparcamos y me tomé un momento para armarme de valor por lo que estaba a punto de ver.

Llevo muchos años como investigador en el FBI y en la Policía Metropolitana de Washington D. C., así que he estado en centenares de escenas del crimen; suelo ir a trabajar metido dentro de una armadura psicológica que me distancia emocionalmente de las víctimas. Pero en este caso se trataba de Tommy McGrath. Uno de nuestros compañeros había sido abatido, uno de los mejores, y eso había abierto algunas grietas en mi armadura. Todo era muy personal, y cuando me enfrento a un asesinato, no me gusta que sea algo personal. Racional, observador y analítico, ese es mi estilo.

Bajé del coche camuflado intentando ser ese observador imparcial. Sin embargo, cuando llegué al ensangrentado escenario y vi a McGrath con sus pantalones cortos de deporte y su camiseta, tendido al lado de una mujer muy guapa vestida con ropa de yoga, ambos muertos a causa de múltiples heridas de bala, el Alex Cross frío y racional se esfumó. Aquello era algo personal.

–McGrath me caía bien –dijo Sampson con una expresión dura y oscura como el ébano–. Muy bien.

Un agente se acercó y nos contó lo que al parecer había ocurrido según las primeras declaraciones que les había tomado a algunos testigos. Dijeron que el coche se dirigió hacia McGrath y la mujer. Se efectuaron disparos, tres y luego dos. En este punto todos los testigos estaban de acuerdo.

McGrath fue el primero en ser tiroteado, y luego la mujer. Se produjo el caos, como suele ocurrir siempre cuando hay disparos y testigos huyendo en busca de un lugar donde refugiarse, algo que es totalmente comprensible. La gente tiene derecho a sobrevivir, pero el miedo y el pánico hacen que mi trabajo sea más difícil, porque debo asegurarme de que las emociones no enturbian sus juicios ni contaminan sus recuerdos.

Los testigos nos estaban esperando en el interior de Whole Foods. Pero antes de entrar recorrí el perímetro de la escena y vi los productos orgánicos desparramados alrededor de los cadáveres: alimentos frescos, velas de cera de abeja y dos botellas rotas de té kombucha.

En la alcantarilla, a unos tres metros de los cuerpos, había una botella de Cliffton Dry, una especie de vino de manzana espumoso. Me pareció extraño.

–¿Qué estás mirando, Alex? –me preguntó Sampson.

Encogiéndome de hombros, dije:

–Pensaba que Tommy McGrath siempre bebía Bud.

–De modo que la botella era de la mujer. ¿Estaban juntos?

–Bree me dijo que McGrath y su mujer estaban separados.

–El divorcio siempre es un posible motivo de asesinato –dijo Sampson–. Pero esto me parece algo propio del crimen organizado.

–¿En serio? –le pregunté–. Esto no ha sido un «Voy a disparar una ráfaga y espero darle a alguien». Estos disparos han sido muy precisos. Han disparado cinco veces. Y las cinco han dado en el blanco.

Miramos a la mujer, que yacía de lado, en una posición incómoda.

Al ver la riñonera, me puse los guantes y me agaché para abrirla.

CAPÍTULO 4

ADEMÁS DE TRESCIENTOS DÓLARES en billetes de cincuenta, en la riñonera había un carné de estudiante de la facultad de Derecho de la American University y un permiso de conducir del distrito de Columbia, ambos a nombre de Edita Kravic. Faltaban tres días para que cumpliera los treinta y dos años y vivía cerca de Whole Foods.

También encontré dos tarjetas de visita con el emblema de «The Phoenix Club-The New Normal», fuera lo que fuera lo que eso significara; según las tarjetas, Edita Kravic trabajaba allí como instructora de nivel 2, fuera lo que fuera lo que eso significara. Debajo del nombre del club había un número de teléfono de Virginia y una dirección de Vienna, cerca de Wolf Trap.

Me levanté pensando: «¿Quién eras, Edita Kravic? ¿Y qué significabas para el jefe de detectives McGrath?».

Sampson y yo entramos en Whole Foods y encontramos a los conmocionados testigos. Tres de ellos afirmaban haber presenciado todo lo ocurrido.

Melanie Winters, una cajera, dijo que las víctimas acababan de estar en la tienda, riéndose y bromeando.

Winters afirmó que a Tom y a Edita Kravic se les veía bien juntos, que tenían química, aunque, en la cola de la caja, McGrath se quejó porque ella no le dejaba comprar cerveza.

Miré a Sampson.

–¿Qué te dije?

Cuando McGrath y Kravic se fueron, dijo la cajera, ella empezó a mover cajas vacías frente al escaparate. Estaba mirando hacia la calle cuando un sedán de color oscuro se acercó con las ventanillas bajadas y empezaron a disparar. Winters se lanzó al suelo y se quedó allí hasta que cesaron los disparos y el coche se alejó con un chirrido.

–¿Cuántas personas iban en el coche? –le preguntó Sampson.

–No lo sé –respondió la cajera–. Solo vi los destellos y oí los disparos.

–¿Dónde vio los destellos? –pregunté–. ¿En el asiento delantero, en el trasero o en ambos?

La cajera hizo una mueca de dolor.

–No estoy segura.

Lucas Phelps, un estudiante de último curso en Georgetown, estaba en la calle, a una media manzana al sur de la tienda. Phelps estaba escuchando un pódcast con sus auriculares Beats cuando se inició el tiroteo. El estudiante pensó que formaba parte del programa que estaba escuchando hasta que vio caer a McGrath y Kravic.

–¿Qué coche era? –preguntó Sampson.

–No soy demasiado bueno en eso –dijo Phelps–. ¿Un coche de cuatro puertas? ¿De color oscuro?

–¿Cuántas personas iban en el coche? –pregunté.

–Dos, creo –contestó Phelps–. Desde donde me encontraba es difícil de decir.

–¿Viste los destellos de los disparos?

–Ahora que lo dice, sí.

–¿De dónde procedían los destellos? ¿Del asiento delantero, del trasero o de ambos?

–Del delantero –dijo Phelps–. Eso creo. Todo ocurrió muy deprisa.

El tercer testigo, Craig Brooks, demostró una vez más que, a menudo, la triangulación es el mejor camino para llegar a la verdad. Este agente retirado del Departamento del Tesoro de los Estados Unidos, de setenta y dos años, avanzaba por la acera desde el norte en dirección a Whole Foods para comprar un poco de «basura sin gluten» para su mujer cuando empezó el tiroteo.

–Había tres personas en ese coche; una de ellas disparó a través de la ventanilla desde el asiento delantero con una Remington 1911 S del calibre 45.

–¿Cómo sabe eso? –le preguntó Sampson.

–Vi el arma, y ahí fuera, junto al bordillo, hay un casquillo del 45.

Seguí el gesto de su mano y asentí.

–¿Lo ha tocado?

–No soy estúpido.

–Se lo agradezco. ¿Se fijó en la marca del coche? ¿El modelo? ¿La matrícula?

–Era algún modelo de General Motors de cuatro puertas y color oscuro pero mate, como si solo le hubieran aplicado una capa de pintura y no estuviera terminado. Habían arrancado todas las identificaciones y también habían tapado la matrícula.

–¿Hombres? ¿Mujeres?

–Todos llevaban gorras y máscaras negras –dijo Brooks–. Sin embargo, pude ver perfectamente la gorra de quien efectuó los disparos cuando pasaron junto a mí. Era roja, con el logo de los Redskins.

Pedimos los números de teléfono a los testigos por si teníamos que volver a hablar con ellos y salí a la calle. Para entonces ya había llegado el equipo de Criminalística, que estaba analizando la escena del crimen.

Me detuve para volver a examinarlo todo ahora que ya teníamos tres versiones de cómo se había producido el tiroteo. Pude ver cómo se desarrollaba en mi imaginación.

–Quien ha efectuado los disparos es muy bueno, alguien entrenado –dije.

–Continúa –dijo Sampson.

–Tiene que ser un profesional para poder disparar desde un vehículo que circula a entre veinticinco y treinta kilómetros por hora y aun así acertar a un blanco móvil cinco veces de cinco.

–La dificultad depende del ángulo, ¿verdad? –dijo Sampson–. De dónde y cuándo empezó a disparar, pero estoy de acuerdo... Ha estado practicando para hacer esto.

–Y McGrath era el objetivo principal. El tirador le disparó tres balas antes de disparar a Edita Kravic.

Uno del equipo de Criminalística estaba sacando fotos; una lámpara de aluminio mate iluminaba a las víctimas. Hasta entonces, había mirado el cuerpo sin vida de McGrath al menos en seis ocasiones. Cada vez resultaba un poco más fácil. Cada vez había más distancia entre nosotros.

CAPÍTULO 5

LAS NOTICIAS SE PROPAGAN deprisa cuando un policía es asesinado. La avenida Wisconsin ya era un circo mediático cuando Sampson y yo nos escabullimos por un callejón que había en la parte de atrás de Whole Foods. No queríamos hablar con los periodistas hasta que no tuviéramos algo de lo que informar.

En cuanto subimos de nuevo al coche y Sampson lo puso en marcha, llamé al jefe Michaels y le puse al corriente.

–¿Cuántos hombres necesitas? –me preguntó cuando terminé.

Después de pensarlo, dije:

–Cuatro, señor, incluida la detective Stone. Ella y McGrath eran amigos. Stone querrá estar en el caso.

–Hecho. Los reuniré lo antes posible.

–Denos una hora –dije–. Antes de volver a la comisaría iremos a casa de McGrath.

–Hay que remover cielo y tierra, Alex –dijo Michaels.

–Sí, señor.

–Tendrás que hablar con Terry Howard.

–He oído decir que Terry está muy mal.

–Da igual. Saldrá a colación, y tenemos que decir que hemos hablado con él.

–Lo haré personalmente.

Michaels colgó. Sabía que el jefe ya empezaba a sentir la presión de descubrir al asesino. Cuando un compañero es asesinado, quieres que se haga justicia de inmediato. Quieres demostrar solidaridad, resolver el caso enseguida, ponerle las esposas a alguien y mandarlo a juicio.

Por otra parte, no quieres pasar a las conclusiones antes de haber reunido todas las pruebas. Ahora, con seis detectives asignados al caso, podríamos recabar datos rápidamente durante los siguientes días. Trabajaríamos las veinticuatro horas.

Cerré los ojos y respiré profundamente varias veces, preparándome para el arduo camino que se extendía ante mí y por tener que alejarme de mi familia.

La perspectiva del trabajo duro no me molestaba; estar lejos de mi familia, sí. Soy mejor cuando llevo una vida hogareña. Siento que toco más el suelo con los pies. Y también soy un policía más sensato.

El coche aminoró la marcha.

–Ya hemos llegado, Alex –dijo Sampson.

La vivienda de McGrath era un apartamento en el primer piso de una hilera de casas reformadas cerca de Dupont Circle. Sacamos la llave que llevaba encima nuestro jefe fallecido y abrimos la puerta de su casa.

Se abrió, con las bisagras engrasadas, dejando al descubierto un espacio escasamente amueblado con dos butacas reclinables, un televisor de pantalla curva en la pared y una pila de cajas de embalaje de cartón en un rincón. Daba la sensación de que McGrath aún no se hubiera instalado del todo.

Antes de que pudiera comentarle eso a Sampson se oyó un estruendo en el interior del apartamento y a alguien que huía corriendo.

Desenfundando mi arma, susurré:

–Sampson, por la parte de atrás.

Mi compañero se dio la vuelta y corrió buscando un camino hacia el callejón. Entré en casa de McGrath apuntando con el arma y moviéndome rápidamente, mientras tomaba nota mental de las escasas posesiones que había tenido el jefe de detectives.

Inspeccioné el suelo, me dirigí a la cocina, vi que había una ventana abierta y me asomé. Sampson pasó como una flecha junto a mí. Volví la cabeza y vi que estaba persiguiendo a un hombre de raza caucásica vestido con unos vaqueros, una camiseta negra de AC/DC y una gorra de golf negra con la visera bajada sobre una revuelta mata de pelo rubio en punta.

Era un excelente corredor, un atleta, sin duda. Aunque cargaba una mochila negra, más que correr, saltaba, pateando el suelo, poniendo cada vez más distancia entre él y mi compañero. Me di la vuelta, recorrí de nuevo la casa de McGrath, salí a la calle, subí al coche, coloqué la luz de emergencia, conecté la sirena y arranqué tratando de cortarle el paso al corredor.

Me dirigí a toda velocidad hacia la esquina de la calle 25 con la I y vislumbré su espalda mientras esquivaba a un peatón antes de desaparecer al final de la manzana. Era asombrosa la rapidez con la que había cubierto esa distancia. Sampson apenas acababa de salir del callejón, a casi cien metros de distancia de aquel tipo.

Tenía ganas de ir tras él y derribarlo, pero sabía que nos había derrotado; la calle I termina al final de la manzana, se convierte en la calle 26 y finaliza en el parque Rock Creek, en el que hay suficiente vegetación y rincones para engullir a cualquier hombre capaz de correr como ese. Curiosamente, en línea recta, no estábamos demasiado lejos del lugar en el que aquella misma mañana, temprano, se había estrellado y explotado el Maserati.

Apagué la sirena, me detuve junto a Sampson y bajé del coche.

–¿Estás bien, John?

Mi compañero estaba inclinado, con las manos apoyadas en las rodillas, empapado en sudor y respirando con dificultad.

–¿Has visto cómo corría ese tipo? –gruñó–. Igual que Flash o algo parecido.

–Impresionante –dije–. Pero la pregunta es: ¿Qué estaba haciendo Flash en casa de Tommy McGrath?

CAPÍTULO 6

DOS HORAS MÁS TARDE, la detective Bree Stone conducía por el elegante barrio de West Langley de McLean, Virginia.

–¿Qué crees que tenía Tommy en su ordenador portátil? –le preguntó el detective Kurt Muller, el hombre mayor sentado en el asiento del copiloto. Se estaba arreglando las puntas de su bigote plateado para que acabaran en unos tupidos rizos.

–Algo que hizo que se lo robaran y por lo que posiblemente también lo mataron –respondió Bree pensando en la reunión de la que acababan de salir y en la sesión informativa que habían mantenido con Alex y Sampson.

Había muchos datos que procesar, pero estaban seguros de que el ladrón que corría como un rayo se había llevado el ordenador de McGrath y seguramente también el disco externo que tenía en el despacho de su casa. Tenían a expertos de la Policía Metropolitana de Washington D. C. revisando los archivos de trabajo de McGrath y a un detective analizando todas las imágenes de las cámaras de seguridad en seis manzanas a la redonda de Whole Foods. Otro investigador estaba rebuscando en todos los antiguos casos de McGrath para ver si había hecho algo que pudiera explicar su asesinato.

Alex les había pedido a Bree y a Muller que visitaran a la exesposa de McGrath en su casa de McLean, Virginia. Alex y Sampson se centrarían en Edita Kravic y Terry Howard.

–He oído decir que Howard está enfermo –dijo Muller.

–Me repugna pensar que él pudiera estar implicado –dijo Bree mientras conducía.

–A mí también –repuso Muller–. Fue amigo mío.

Bree redujo la velocidad, vio el buzón con la dirección que estaban buscando y se metió en el largo camino de entrada a la enorme casa de estilo Cape Cod con revestimiento de cedro gris y un exuberante jardín paisajístico.

–Esto debe de haber costado una pequeña fortuna –dijo Bree.

–Un millón setenta y cinco mil dólares –dijo Muller–. Lo comprobé antes de salir.

–¿Cómo puede permitirse una casa como esta un jefe de detectives?

–Con el dinero de su esposa –contestó Muller–. Ella tenía un fideicomiso.

Eso hizo que Bree se mordiera la parte interior de la mejilla. Mientras estaba aparcando, dijo:

–¿Y por qué yo no sabía eso?

–Supongo que nunca os han invitado a cenar o a una barbacoa.

–Nunca había estado aquí antes.

–Yo sí –dijo Muller bajándose del coche.

Bree siguió a Muller mientras este recorría el camino de entrada. Cuando estaban a unos cinco metros de la puerta, esta se abrió y apareció un hombre alto y de aspecto elegante vestido con un traje bien confeccionado y cargado con un maletín. Al verlos, se detuvo.

Una mujer de unos cuarenta años apareció en la puerta, detrás de él. Tenía el pelo rubio, con un tono arenoso, un cuerpo de tenista, los ojos rojos e hinchados y una expresión torturada en el rostro.

–Kurt –dijo llamando a Muller con voz vacilante–. Me destroza tener que verte en estas circunstancias.

Muller asintió y dijo:

–A mí también, Vivian.

El hombre del traje elegante se volvió hacia ella. Vivian McGrath lo señaló distraídamente.

–Kurt, este es Lance Gordon, mi abogado. El detective Muller trabajaba para Tommy, Lance.

–Ambos lo hacíamos –dijo Bree.

–Lamento mucho su pérdida –dijo Gordon–. Vivian, llámame a cualquier hora si tienes alguna duda.

–Gracias, Lance –dijo ella–. De verdad.

El abogado frunció los labios y asintió antes de pasar junto a Muller y Bree. Cuando se hubo ido, Bree notó que había dejado tras él un olor sorprendentemente familiar, de un extraño dulzor, aunque no fue capaz de ubicarlo.

Bree y Muller se acercaron a la viuda de McGrath.

–Tienes que ser fuerte, Viv –dijo Muller–. Incluso después de lo ocurrido.

Bree se olvidó de Gordon y se centró en Vivian mientras las lágrimas inundaban sus ojos y tragaba saliva para reprimir la emoción.

–Es cierto –dijo atragantándose–. Ya lo había perdido. Pero esto... Esto...

Muller le dio una palmadita en el hombro desmañadamente y dijo:

–Viv, esta es la detective Bree Stone. Formamos parte del cuerpo especial que trabaja en el caso de Tom. Lo encabeza Alex Cross.

Vivian sonrió tímidamente.

–Tommy se merece a los mejores.

Entonces Vivian, posando una mano con una manicura inmaculada en el brazo de Bree, dijo:

–Él solía hablar a menudo de usted, detective Stone. Por favor, pasen. ¿Les apetece un café?

–Sí, gracias –contestó Bree, y Muller asintió con la cabeza.

Vivian los guio a través de habitaciones que podrían haber aparecido en la revista *Architectural Digest* y los hizo pasar a una cocina de techo con vigas a la vista, armarios de color crema y fogones de color granate.

Unas relucientes cacerolas de cobre colgaban sobre una encimera. Todas las superficies estaban impolutas. Cada cuchillo y cada utensilio parecían estar en su sitio, tanto que Bree pensó que era un esfuerzo inútil. No había fotos pegadas en la nevera, correo amontonado en los mostradores ni platos en el fregadero.

–Pero siéntense, siéntense –dijo Vivian señalando los taburetes que había en el mostrador del desayuno–. ¿Qué quieren saber? ¿En qué puedo ayudarlos?

–Sabemos que Tom y usted se estaban divorciando –dijo Bree.

–Nos separamos, sí. –Vivian resolló–. ¿Qué quieren tomar? ¿Un expreso? ¿Un café con leche?

–Un expreso, gracias –dijo Bree.

–Un café con leche –dijo Muller acariciándose el bigote.

En un rincón de la cocina había una cafetera para preparar expresos; Bree pensó que debía costar su sueldo de un mes. Vivian pulsó un botón, la cafetera expulsó vapor, emitió un pitido y empezó a salir un café que olía de maravilla.

Cuando Vivian colocó la taza y el platito delante de ella, Bree dijo:

–La separación.

La viuda de McGrath se puso tensa, se cruzó de brazos y dijo:

–¿Qué pasa con la separación?

–¿Fue idea de Tom? –preguntó Muller–. ¿O tuya?

–¿Tom nunca te lo dijo?

–Vamos a suponer que no sabemos nada –dijo Bree.

–Fui yo quien sugirió que nos separáramos, pero fue por Tom –dijo Vivian con tristeza–. Siempre creí que podíamos conseguir que lo nuestro funcionara. Él era muy distinto de la gente que se movía en mis círculos sociales, pero nos esforzamos durante diecisiete años; y entonces, por motivos que aún estoy tratando de averiguar, simplemente dejamos de hacerlo.

Vivian rompió a llorar.

CAPÍTULO 7

BREE RESPIRÓ PROFUNDAMENTE. Se sentía más frustrada que compasiva.

Cuando Vivian recuperó de nuevo la compostura, Bree dijo:

–¿Podría ser más explícita sobre por qué no funcionaba la relación?

Vivian se secó los ojos con un pañuelo, miró a Muller y entonces dijo:

–Dejó de tocarme, por si quiere saberlo. Y me daba la sensación de que guardaba secretos. Tenía dos teléfonos. Y gastaba dinero que no tenía. Imaginé que tendría una amante.

Bree no hizo ningún comentario al respecto.

–¿Tommy tenía una amante? –preguntó Muller.

–No lo sé –contestó Vivian–. Creo que sí. Dímelo tú. Quiero decir que no contraté a alguien para que lo siguiera. Pero me daba cuenta de que Tom no era feliz conmigo, de modo que hace tres meses le pregunté si aún me quería. Y no me contestó. Le pregunté si quería separarse, si quería el divorcio, y me dijo que eso dependía de mí.

–Si quería seguir con él, ¿por qué sugirió que se separaran? –preguntó Bree.

Vivian se secó los ojos, se enderezó y miró fijamente a Bree.

–Pensé que eso podría despertar algo en él, conseguir que volviera conmigo.

–Supongo que no fue así –dijo Muller.

Vivian parecía humillada.

–No.

–¿Ha pedido el divorcio? –preguntó Bree.

–No.

–¿Por qué no?

–Porque aún lo quería –dijo Vivian–. Esperaba que...

–Debió de dolerle –dijo Bree.

–Me dolió, me degradó y me entristeció más de lo que es capaz de imaginar, detective Stone –dijo Vivian con expresión afligida.

–¿Y la enfureció?

Vivian miró directamente a Bree.

–Por supuesto.

–¿Lo bastante como para matarlo? –preguntó Muller.

–Jamás. Solíamos ver esos programas de televisión como *Forty-Eight Hours* y *Dateline* en los que siempre hay un cónyuge que mata al otro. Siempre decíamos que no podíamos entender algo así; si un matrimonio no marcha, lo dejas. Busca una forma de seguir siendo amigos y de seguir adelante con tu vida.

–¿Cómo funcionaba su matrimonio económicamente? –preguntó Bree.

–Se firmó un acuerdo prenupcial, si es eso a lo que se refiere –dijo Vivian–. Hace diecisiete años, cuando nos casamos, Tom sabía que no recibiría nada si nos divorciábamos.

–¿Y eso molestaba a Tommy? –preguntó Muller.

–Todo lo contrario. Tommy aceptó de buen grado el acuerdo; de hecho, se sentía orgulloso de él. Decía que demostraba que se había casado conmigo por... –Las lágrimas brotaron de nuevo de sus ojos. Vivian respiró profundamente–. Le gustaba la independencia personal que representaba el acuerdo.

–¿Cómo era su relación? –preguntó Bree–. Quiero decir que usted está aquí, llevando una vida de club de campo, mientras que Tom tenía un trabajo peligroso en la ciudad.

Un lento torrente de emociones cruzó el rostro de Vivian: primero, fuerza; luego, consideración, y finalmente, aceptación. Sus hombros se desplomaron.

–Cuanto más lo pienso, detective Stone, más consciente soy de que Tom y yo vivimos en mundos separados desde el principio. Aquí teníamos una vida segura, de cuento de hadas; sin embargo, ahí fuera, en Washington, en las calles..., en fin, a Tom le gustaba luchar contra dragones. Ser policía le hacía sentirse vivo, pero cuando yo iba a la ciudad con él lo único que sentía era miedo.

–Tom murió asesinado junto a una mujer más joven –dijo Muller.

–Lo sé –dijo Vivian–. ¿Quién era?

–Edita Kravic, de treinta y pocos años; estudiaba Derecho en la American University. Muy atractiva.

Vivian encajó como si lloviera sobre mojado la noticia de que la mujer que había muerto junto a su marido era una treintañera muy atractiva.

–¿Era su amante? –preguntó con la voz quebrada.

–No lo sabemos –dijo Bree–. ¿Le mencionó ese nombre en alguna ocasión?

–Nunca.

–Solo para dejar constancia de ello, señora McGrath –dijo Bree–. ¿Dónde estaba esta mañana a las siete y veinte?

Vivian la miró con incredulidad.

–¿Cree sinceramente que pude matar a Tom?

–Tenemos que preguntártelo, Viv –dijo Muller–. Es parte de nuestro trabajo. Ya sabes cómo es este oficio.

–Seguramente debía estar duchándome.

–¿Te vio alguien?

–Espero que no. Vivo sola.

–¿Quién fue la primera persona a la que viste esta mañana?

–Catalina Monroe. Mi masajista. Tenía hora a las ocho.

¿Hay algún modo de ponerse en contacto con ella?

La viuda de McGrath recitó un número de teléfono y dijo:

–¿Saben a quién deberían estar investigando?

–Díganoslo usted –contestó Bree.

–A Terry Howard –dijo Vivian con rencor en la voz–. Amenazó a Tom en muchas ocasiones.

–Cross está trabajando en ello –dijo Muller.

–Bien. Bien. Tenía miedo de que pudiera ser... Bueno, ya sabes.

–¿Está preparando el funeral? –preguntó Bree.

Vivian parecía más confundida que nunca; mirando al suelo, susurró:

–¿Se supone que es algo que debería hacer? Ni siquiera sé si Tommy querría que me ocupara de eso.

–Supongo que podrías tomar esa decisión dedicando antes un momento a honrar los buenos ratos que pasaste con Tommy, tratando de saber qué significó para ti. Si durante todos estos años te bastó con el amor de Tommy, hazlo, entiérralo. Y si no te bastó, no lo hagas.

–Si decide no hacerlo, yo me encargaré de los adornos florales –dijo Bree.

La viuda de McGrath miró a su alrededor como si estuviera aturdida. Le temblaba la barbilla.

–No, Kurt tiene razón. Honrar nuestro amor y enterrar al marido que fue Tommy es lo menos que puedo hacer. –La mujer estalló y se echó a llorar–. Es lo único que puedo hacer por él ahora.

CAPÍTULO 8

EL APARTAMENTO DE EDITA KRAVIC en Columbia Heights parecía haber sido decorado a partir del catálogo de Sundance: muebles de lujo, grabados muy bien enmarcados en la pared y, teniendo en cuenta el emplazamiento, el alquiler debía ser de unos dos o quizás tres mil dólares al mes.

Pensé que era extraño, porque, en general, los estudiantes de Derecho solían ser unos muertos de hambre. Evidentemente, a Edita debía irle muy bien con su trabajo de instructora de nivel 2.

La cocina estaba equipada con toda clase de aparatos. En el frigorífico encontré buenos vinos y quesos y cremas *gourmet* para untar. En los armarios, una cristalería de calidad. Sin embargo, en ningún lugar de la sala de estar había fotografías ni nada referido a la vida privada de Edita Kravic, nada que pudiera decirnos algo más sobre ella.

El apartamento tenía tres habitaciones. La más pequeña se había convertido en despacho. Encima del escritorio había un teléfono de sobremesa de pantalla digital con varias líneas y un ordenador portátil abierto.

–Voy a echar un vistazo aquí –dije.

–Yo me ocuparé de los dormitorios –dijo Sampson.

Al igual que en la sala de estar, no había nada personal en los estantes ni en las paredes; solo un escritorio básico, una silla sin respaldo y dos archivadores de madera. Tiré de los cajones de uno de ellos: estaban cerrados con llave. El cajón superior del otro se abrió; en su interior vi el habitual material de oficina.

El cajón de abajo estaba lleno de archivos. Les eché un vistazo y descubrí que Edita Kravic era dueña de un Audi A5 último modelo y que había estado de vacaciones en las islas Caimán; varias veces: tres a lo largo del año anterior. Pero no encontré nada que me proporcionara una idea clara de cómo había pagado todo eso.

Pensé que debía tener unos ingresos de más de cien mil dólares al año para vivir con esos lujos. ¿Ganaban eso los instructores de nivel 2? De ser así, quizás me había equivocado de profesión.

Pensé en romper la cerradura del primer archivador, pero antes decidí echar un vistazo al ordenador. Para mi sorpresa, cuando pasé el dedo por la pantalla táctil, esta se iluminó y apareció el escritorio. Había varios programas abiertos.

Uno de ellos era la cuenta de correo electrónico de Edita de la facultad de Derecho. Me senté y revisé los mensajes, aunque no vi ninguno de Tom McGrath. La mayoría eran de profesores y compañeros de clase. Uno de estos últimos, JohnnyBoy5, había mandado seis mensajes a Edita durante las dieciocho horas anteriores a su asesinato.

«¿En serio? –decía uno enviado alrededor de las diez y media de la noche anterior–. ¿Otra vez me dejas plantado? Eras tú quien quería quedar, ¿recuerdas?».

Revisé la bandeja de entrada buscando todos los correos de JohnnyBoy5. Había más de cien a lo largo de dieciocho meses. Los reorganicé para que aparecieran en orden cronológico y su lectura me proporcionó un relato sobre una creciente obsesión.

Era evidente que JohnnyBoy5 se había enamorado de Edita Kravic desde el primer momento, y no le importaba decirlo. Aunque ella parecía coquetear con él a veces, en general no hacía nada para alentarlo.

Durante el primer año ella había conseguido mantenerlo a raya. Más adelante, el tono de JohnnyBoy5 se volvía más airado y luego deprimido.

«No sé qué me ha pasado –escribió JohnnyBoy5 en marzo–. Me aterra pensar que no volveré a verte, Edita. Sé que es irracional, pero es así. No puedo quitarme de encima esta oscura sensación de que, de algún modo, voy a perderte, de que algo malo va a ocurrirte, de que nunca descubrirás mi verdadero yo y de que nunca entenderás lo mucho que me importas».

Edita le contestó: «Esto no es bueno, Johnny. Déjame en paz o pediré una orden de alejamiento. Uno que está en tercero me ha dicho cómo hacerlo».

Después de esto, durante tres semanas, no hubo ningún contacto entre la señorita Kravic y JohnnyBoy5. Hasta que él volvió a mandarle un mensaje:

«Sé lo que eres, Edita. Sé lo que haces fuera de clase».

No hubo respuesta a este correo electrónico. No hubo contacto durante meses. Sin embargo, tres semanas antes de que Edita fuera asesinada, JohnnyBoy5 volvió a escribirle:

«¿Quién es él? ¿Ese gilipollas grandullón que amenazó con partirme la cara? ¿En serio? ¿Así es como están las cosas entre nosotros? ¿Qué pasa si publico algo en Facebook sobre ti y sobre la vida que no quieres que nadie sepa que llevas? ¿Crees que bastará con eso?».

Pasaron dos semanas.

«Perdón por los comentarios –escribió JohnnyBoy5–. Dios, he vuelto a leer algunos de ellos y ese no era yo. El médico me recetó ese medicamento para el asma, Montelukast, y tiene un extraño y horrible efecto secundario que despierta mi lado oscuro. ¡Pero ya he vuelto al mundo de los vivos! He retomado el grupo de estudio. Y me encanta haberte recuperado, por supuesto. No te preocupes por nada. Todo el mundo tiene esqueletos en el armario, ¿no es así?».

Edita no le respondió. Después de eso, todos los días, hasta la víspera de su asesinato, JohnnyBoy5 le escribió en un tono de reprimenda, preocupación, desesperación y rabia.

«En muchos aspectos, conocerte me ha arruinado la vida –escribió dos días antes de que ella muriera–. Todo lo que había construido quedó reducido a escombros el día que te conocí. La ruina merece la ruina, Edita. La ruina merece la ruina».

Desde tiempos inmemoriales, la obsesión ha sido un ingrediente básico del libro de recetas del asesinato. A veces, la obsesión es un ingrediente importante; otras, es el horno que hace que las cosas quemen demasiado para poder manejarlas.

A algunas personas obsesivas se les enseña a ser así por cuestiones de negligencia o de crueldad. Otras desarrollan el odio como base de su obsesión. Esto es especialmente cierto en el caso de los asesinos en serie organizados. Ritualizan sus asesinatos, canalizando su ira a través de sustitutos de la gente que había engendrado en ellos el odio.

Sin embargo, el amor también puede ser la base de la obsesión, sobre todo si una parte es rechazada. Puede verse ese cambio gradual en una persona a medida que pasa de enamorarse a estar locamente enamorada, y –cuando es rechazada– a sentirse triste y luego despreciable, irritada y furiosa, hasta que coge una pistola porque «Si no puedo tener el objeto de mi deseo, nadie lo tendrá».

¿Era eso lo que le había ocurrido a JohnnyBoy5? ¿Había sido arrastrado por una espiral romántica hacia el homicidio y había matado a Edita y a Tommy McGrath, el grandullón que había amenazado con partirle la cara? ¿O lo había hecho otra persona?

Sampson entró en el despacho.

–He encontrado algo que deberías ver.

–Yo también –dije levantándome–. Edita tenía un acosador.

–Eso encaja –dijo Sampson volviéndose y guiándome hacia el dormitorio.

Una cama enorme con dosel. Ropa de cama a juego. Una cómoda nueva. Un espejo precioso. Un vestidor con estantes llenos de ropa y docenas de bonitos zapatos.

Al fondo del vestidor ví unos cajones empotrados.

Sampson había abierto dos. En el primero había lencería fina. El segundo contenía una amplia variedad de juguetes sexuales y lubricantes.

–De modo que tenía un lado pervertido –dije–. ¿Y qué?

Sampson cerró los cajones y abrió los dos que estaban debajo. Tras echarles un vistazo, dije:

–Ah, bueno, esto lo cambia todo.

–Por supuesto que sí –dijo Sampson mirando el cajón de la derecha, que estaba lleno de artilugios sadomaso para practicar sexo duro.

A mí me interesó más el cajón de la izquierda: estaba repleto de fajos y más fajos de billetes de cincuenta dólares precintados.

CAPÍTULO 9

SAMPSON Y YO SALIMOS del apartamento de Edita Kravic poco después de las siete de la tarde. Habíamos encontrado los artilugios sexuales y el dinero en efectivo, que estimamos que ascendería a unos cuarenta mil dólares, aunque con pocas cosas capaces de explicar cómo era posible que una estudiante de segundo curso de Derecho hubiera conseguido guardar esa suma en un cajón.

Cuando ves tanta pasta y juguetes sexuales, tu instinto de investigador tiende a desviarse hacia la prostitución, las drogas, el contrabando o el crimen organizado. Pero no habíamos encontrado ninguna prueba concluyente de alguna actividad ilegal, ni siquiera en el archivador cerrado, que abrimos tras haber encontrado la llave.

En el archivador había más documentos personales de Edita Kravic, uno de los cuales reveló que había nacido en Eslovaquia y que tenía permiso de residencia. Otro documento era de una cuenta del Bank of America, con un saldo de mil quinientos dólares. La deuda de sus tarjetas Visa y American Express era inferior a esa cantidad. Encontré su contrato de alquiler. Había aventurado que el alquiler sería de entre dos y tres mil dólares al mes; en realidad, era de cuatro mil. No obstante, Edita no había extendido cheques para pagarlo, o al menos, no vi ninguno.

–Lo pagaba todo en efectivo –dije cuando volvimos al coche.

–Compraba artículos de lujo con ese dinero –dijo Sampson–. Una forma clásica de evadir impuestos.

–Pero eso no explica de dónde salía el dinero –dije–. No había documentos del Club Phoenix ni registros de pagos.

–Puede que el club también esté evadiendo impuestos –dijo Sampson poniendo en marcha el coche–. ¿Adónde vamos?

–Antes de regresar a la comisaría pasaremos por la casa de Terry Howard.

–¿Para que el jefe se quede más tranquilo?

–Exacto.

Nos dirigimos a un edificio de cuatro pisos de apartamentos en mal estado de la avenida de Nueva York, en el noreste.

–¿Es este? –pregunté.

–Google Maps no miente –contestó Sampson.

Me puse serio ante aquel sórdido barrio. Me di cuenta de lo bajo que había caído el antaño compañero de Tommy McGrath desde sus días en la Unidad de Casos Especiales. Terry Howard tenía una magnífica reputación haciendo el papel de poli duro. Jamás le había importado intimidar a una fuente para conseguir lo que quería. Incluso había sido acusado de ello en varias ocasiones, y por eso y porque al final Tommy se había puesto en su contra era por lo que estábamos aquí.

No obstante, el exdetective que abrió la puerta del apartamento de una habitación no parecía un tipo duro; su aspecto era el de un hombre cansado que parecía tener setenta años en vez de cincuenta y cinco. Llevaba una gorra descolorida de los Washington Redskins, una camiseta negra lisa y unos vaqueros que le iban grandes. A pesar de que aún seguía siendo aquel hombre corpulento que yo recordaba, su cuerpo se había reblandecido y había perdido peso. Tenía legañas en los ojos y olía a vodka.

–Me imaginé que no tardaría mucho en veros por aquí –dijo Howard.

–¿Podemos pasar y hacerte unas preguntas, Terry?

–Esta noche no. Tengo mucha mierda de la que ocuparme, lo siento.

–Sabes que tenemos que hablar contigo, y sabes por qué –dije–. Podemos quedarnos aquí de pie, en la puerta, donde todo el mundo se enterará de tus cosas, podemos entrar o podemos llevarte a la comisaría. Cualquier cosa que decidas nos parecerá bien.

La soñolienta mirada de Howard se volvió dura y brillante.

–Dentro.

Howard se hizo a un lado y entramos en su mundo pequeño y triste. El apartamento apestaba a humo de tabaco. La televisión, sin sonido, estaba sintonizada a un canal por cable que emitía partidos clásicos de béisbol. Encima de una mesita había latas de cerveza y tres botellas de vodka Smirnoff vacías. El periquito que había en la jaula situada entre una butaca y un sofá parecía un pollo en miniatura desplumado. Salvo un penacho de color azul celeste y naranja, no tenía plumas.

–Esa es Sylvia Plath –dijo Howard–. Tiene problemas.

Se echó a reír a carcajadas y empezó a toser ruidosamente. Cogió un pañuelo de papel en el que escupió y dijo:

–¿Vais a preguntarme dónde estaba cuando Tommy la palmó?

–Antes de eso pensábamos charlar un rato contigo –dijo Sampson.

Howard se puso serio.

–No hay razón para hacerlo. Estaba aquí a la hora que la televisión ha dicho que fue asesinado.

–¿Te vio alguien?

–Se suponía que seis de las bellas damas que hay en el restaurante Hooters de mi barrio tenían que venir a desayunar y a ver el partido de anoche en el DVR –explicó Howard–. Pero, ¡ay, qué pena!, me dieron plantón. Mala suerte. Un buen partido. Los Senators les dieron una paliza a los Red Sox en la Interliga. Harper bateó tres veces de cuatro oportunidades.

–Así pues, no tienes coartada –dije.

–No –repuso Howard dirigiéndose a la cocina para verter zumo de naranja y vodka en un vaso de tubo sucio–. Pero sé que no puedes situarme en la parta alta de Wisconsin porque no estaba allí. ¡Joder, pero si apenas soy capaz de caminar dos manzanas!

–En algún momento debiste querer matar a Tommy –dijo Sampson.

–Cuando un hombre destruye tu vida, es algo que se te pasa por la cabeza –dijo Howard arrastrando los pies hacia atrás y sentándose en un sillón reclinable–. Pero no apreté el gatillo contra el jefe McGrath.

–¿Tienes una Remington 1911? –le pregunté.

–Siempre he sido un fan de Smith and Wesson, así que no.

–¿Te importa que echemos un vistazo?

–Diablos, ¡claro que me importa! –dijo el detective caído en desgracia–. Si consigues una orden de registro, adelante, Cross. De lo contrario, y con el debido respeto, aquí no tenéis nada más que hacer. Sylvia Plath y yo tenemos que ver otro partido.

CAPÍTULO 10

SAMPSON Y YO NO DISCUTIMOS CON HOWARD. El exdetective no me parecía física o mentalmente capaz de disparar a McGrath. Daba la sensación de que se había rendido y que, de algún modo, estaba amargamente en paz con su situación.

Así pues, nos fuimos y regresamos a la comisaría, donde encontré a Bree y a Muller esperando con Rico Lincoln y Martin O'Donnell, los otros detectives que el jefe Michaels había asignado al caso del asesinato de Tom McGrath. Bree y Muller resumieron su visita a Vivian McGrath y nosotros los pusimos al corriente de lo que habíamos descubierto en las casas de McGrath, Edita Kravic y Terry Howard.

Cuando terminamos, miré al detective Lincoln, un hombre alto y delgado, corredor de maratón, que había estado sonriendo y demostrando impaciencia durante nuestros informes.

–¿Has descubierto algo que te gustaría compartir con nosotros, Rico?

–Así es –dijo Lincoln–. En fin, los dos deseamos compartirlo.

–Tú primero –dijo O'Donnell.

Lincoln se sentó frente a su ordenador y lo conectó a una enorme pantalla que había en la pared, en la que apareció un plano de la cámara de tráfico de la avenida Wisconsin. Desde la cámara frontal se veían coches dirigiéndose hacia el norte por los dos carriles, lo que nos permitía apreciar cada vehículo y sus ocupantes desde más cerca. Con la lluvia era difícil tener una visión nítida a través del parabrisas, sobre todo de los que circulaban por el carril derecho.

Lincoln pasó el vídeo a más velocidad, fijándose en los datos que aparecían en la parte inferior, y se detuvo en el contador de tiempo que marcaba las 7:20 de la mañana.

–Tommy McGrath y Edita Kravic son asesinados a tiros a las siete y veinte –dijo Lincoln, y a continuación pulsó *play*–. Por el carril derecho, en dirección norte, se aproxima un sedán de cuatro puertas con una sola capa de pintura; parece como si estuvieran a punto de darle otra mano.

–Ese agente del Tesoro también lo comentó –dijo Sampson.

–Fijaos ahora –dijo Lincoln.

Al pasar, la lluvia salpicaba el parabrisas, y era imposible ver nada. Lincoln congeló la imagen cuando el morro del coche casi había desaparecido del plano y señaló el lado izquierdo del parabrisas. En el salpicadero había una gorra roja de los Washington Redskins.

–Hace menos de una hora, Howard llevaba una gorra de los Redskins igual que esa –dijo Sampson.

Era cierto. La gorra era idéntica.

–Y otra cosa –continuó Lincoln.

El detective avanzó los fotogramas hasta que desaparecieron primero el parabrisas y luego la ventanilla con cristal tintado del conductor. Cuando congeló de nuevo la imagen, tuvimos una vista lateral a través de una ventanilla de atrás que estaba abierta.

Pudimos apreciar la silueta de una persona con una mata de pelo revuelto sentada en la parte central del asiento trasero.

–¿Y? –dije.

Lincoln avanzó la grabación dos fotogramas. En ese plano las sombras eran diferentes y dejaban al descubierto tres cuartas partes del rostro. Lo miré fijamente durante un segundo y dije:

–¿Raggedy Ann?

–Esa fue también nuestra reacción –dijo el detective O'Donnell–. Primero pensamos que nos habíamos equivocado de coche y que la gorra en el salpicadero era solo una casualidad.

–Pero cuanto más pensábamos en ello, más convencidos estábamos de que no había una tercera persona en el asiento trasero –dijo Lincoln–. Había un espantapájaros sentado allí. ¿Veis las sombras aquí y aquí? Son los hombros de un abrigo oscuro. ¿Veis las solapas?

–Sí –dije–. ¿Por qué lleva un abrigo Raggedy Ann?

–Exacto –dijo Lincoln.

Frotándome la barbilla, dije:

–Estoy de acuerdo en que es el coche de quien efectuó los disparos. Imprime fotos del vehículo desde los mejores ángulos y mándalos a todos los agentes de Policía.

–Eso está hecho –dijo Lincoln, que empezó a teclear.

Bree reprimió un bostezo. Yo también lo hice y asentí con la cabeza a O'Donnell, que dijo:

–Empecé a revisar los archivos de trabajo del jefe McGrath. No tardé mucho en encontrar un correo electrónico amenazador.

O'Donnell tecleó en su ordenador. En la pantalla desapareció el primer plano de la muñeca Raggedy Ann y apareció un correo electrónico del 3 de julio dirigido a McGrath cuyo remitente era TL:

«Si presionas demasiado, reaccionaremos de inmediato. Solo que en esta ocasión va a ser mortal, jefe McG».

–¿TL? –dijo Sampson–. ¿Ese tal Thao Le?

–Tiene que ser él –dijo Bree inclinándose hacia delante en su silla.

–Creía que Le había ingresado el año pasado en la prisión de Prince George.

–Apeló y salió hace cuatro meses –dijo O'Donnell mostrándonos el archivo de una investigación que había encontrado en la mesa de McGrath–. Era evidente que Tommy había investigado por su cuenta las actividades de Le desde que había abandonado la prisión.

–¿Y qué descubrió? –preguntó Bree.

–Que Le había entrado de nuevo en el juego asociándose con conocidos criminales y miembros de su antigua banda. Drogas. Prostitutas. Usura. Extorsión.

–¿Por qué Tommy no se lo contaría a nadie? –preguntó Sampson.

–Para Tommy, acosar a Le era algo personal –dijo O'Donnell–. Incluso escribió sobre ello. Creía que Le era quien había colocado las pruebas en el caso de Terry Howard, y, aunque Terry lo odiaba, Tommy estaba dispuesto a demostrarlo.

–Entonces es posible que Tommy hubiera hecho los suficientes progresos como para asustar a Le y que este cumpliera su amenaza –dijo Bree.

–¿Y dónde esta Le ahora? –pregunté.

–De momento, ni idea –contestó O'Donnell–. Pero las dos últimas veces que Le fue detenido iba armado con una Remington 1911 del calibre 45.

CAPÍTULO
11

ME LEVANTÉ ANTES DEL AMANECER. Me desperté sobresaltado por un sueño en el que una muñeca Raggedy Ann empuñaba una pistola y conducía una moto por Rock Creek Parkway que estaba llena de billetes de cincuenta dólares. El dinero casi cubría los cadáveres de Edita Kravic y Tommy McGrath.

Me levanté de la cama dejando que Bree siguiera durmiendo. Habíamos llegado a casa después de medianoche, engullimos las sobras que había en la nevera y nos fuimos directamente a dormir.

Después de darme una ducha, bajé las escaleras y me encontré con mi abuela de noventa y un años, que estaba preparando el desayuno.

–Te has levantado muy temprano, Nana Mama –dije dándole un beso en la mejilla.

–Tenéis un día muy duro por delante –me dijo–. Quería asegurarme de que lo empezáis bien.

–Muchas gracias –le contesté.

Me serví un poco de café y recogí los periódicos del porche.

El asesinato de Tommy McGrath y Edita Kravic acaparaba tanto la portada del *Washington Post* como la del *Washington Times*. En unas declaraciones, el jefe Michaels decía que la Policía Metropolitana de Washington D. C. había perdido a uno de sus mejores hombres y que el departamento sería implacable hasta dar con los asesinos. Anunciaba la formación de un equipo de élite para realizar la investigación, del cual me nombraba jefe.

–¿Papá?

Levanté la vista de la prensa y vi a mi hijo mayor, Damon, de pie. Parecía emocionado. Sonriéndole le pregunté:

–¿Estás listo?

–Más que nunca.

–Siéntate y Nana te servirá un último desayuno como Dios manda.

Damon mide un metro noventa y siete centímetros; al lado de mi abuela parece un gigante. Levantándola, le dio un beso que la hizo gritar y echarse a reír.

–¿Por qué has hecho eso, jovencito? –le preguntó ella, que parecía confundida cuando volvió a dejarla en el suelo.

–Porque sí –repuso Damon–. ¿Puedes prepararme tres huevos esta mañana?

Mi abuela resopló.

–Supongo que me las apañaré.

–Para mí, dos –dijo mi hija de quince años, Jannie, que aún iba en pijama y se estaba frotando los ojos cuando entró en la cocina–. Yo me prepararé el batido.

Ali, mi hijo pequeño, de casi ocho años, apareció corriendo detrás de ella y dijo:

–Yo quiero una tostada francesa.

–Nada de bombas de azúcar en mi cocina –dijo Nana Mama–. Huevos. Proteínas. Son buenos para tu cerebro.

–Como la tostada francesa.

Miré a Ali y le dije:

–Nunca te saldrás con la tuya.

Ali se comportaba como si todo el peso del mundo descansara en sus hombros.

–¿Puedo comerme dos huevos fritos con una tostada normal?

–Eso sí –le contestó mi abuela.

Bree se unió a nosotros poco después. Fue genial desayunar todos juntos un día laborable. Sin embargo, no tardamos en estar todos en la calle, ayudando a Damon a cargar sus últimas cosas en nuestro coche.

–¿Esto es todo? –dije sacudiendo la cabeza–. No es gran cosa.

–¿Y eso te sorprende? –preguntó Damon.

–Supongo que sí –dije–. Cuando me fui a la universidad, me llevé el doble de cosas que tú, o quizás es que simplemente abultaban más. Claro que ahora ya no existen esos enormes equipos estereofónicos. Las cosas son cada día más pequeñas.

–Vaya noticia de última hora, Alex –dijo mi abuela con impaciencia, golpeando su bastón contra la acera–. Y ahora, Damon, acércate a tu Nana Mama y dale un poco de amor, pero no vuelvas a levantarla o le romperás la espalda.

Damon sonrió antes de inclinarse para darle un beso de despedida a Nana Mama.

–Estoy muy orgullosa de ti –dijo mi abuela con los ojos vidriosos–. Eres un caballero y un sabio.

Viniendo de mi abuela, una profesora de inglés retirada y antigua subdirectora de un instituto, aquel comentario era un gran elogio.

Damon sonrió y dijo:

–Eso es porque tú me enseñaste a estudiar.

–Fuiste tu quien aprendió a hacerlo y lo consiguió –dijo Nana Mama–. No te quites méritos.

Damon le dio otro beso en la mejilla y se volvió hacia Jannie.

–Y tú sigue dándole fuerte, ¿me oyes?

–Ese es el plan –dijo Jannie, y le dio un abrazo–. Asistirás a la competición, ¿verdad?

–No me perdería la ocasión de ver a la mujer más rápida del mundo –contestó Damon.

–Aún no lo soy –dijo Jannie sonriendo.

–Si persigues un sueño, lo conseguirás. Es cuestión de tiempo –dijo Damon, y levantó a Ali, que parecía malhumorado.

–¿Y esa cara, hombrecito?

Ali se encogió de hombros y dijo:

–Te vas. Otra vez.

–Estoy a una hora de aquí –respondió Damon–. No a seis horas, como cuando estaba en Kraft, de modo que vendré a casa y nos veremos mucho más.

Ali se animó.

–¿Me lo prometes?

–Ya sabes que necesito mi dosis de Ali Cross –dijo Damon, y le hizo cosquillas hasta que Ali aulló de risa.

Entonces Damon le dio un abrazo a Bree y le dijo que se ocupara de mí.

–¿Listo? –pregunté.

–Me espera una nueva vida –dijo Damon.

Aunque estaba intentando aparentar indiferencia, me di cuenta de que mi hijo vibraba de emoción a medida que nos alejábamos.

CAPÍTULO 12

TOMAMOS LA 295 EN DIRECCIÓN NORTE, hacia Baltimore, y conduje en medio de un agradable silencio. Una parte de mí deseaba ser el padre sobreprotector, recordarle a mi hijo que debía hacer esto y aquello, decirle cómo enfrentarse a una crisis universitaria o de cualquier otra índole.

Sin embargo, Damon se había ido de casa a los dieciséis años para perseguir sus sueños. Sabía cómo cuidar de sí mismo, y eso me hacía sentir orgulloso y triste al mismo tiempo. Mi cometido como padre había quedado reducido al papel de consejero, aunque en otros tiempos había sido todo cuanto Damon tenía.

Cuando pasamos por Hyattsville, Maryland, me vino a la memoria el momento en que nació Damon y cómo mi primera esposa, Maria, lloró de alegría cuando la enfermera colocó sobre su vientre, retorciéndose y chillando, aquel milagro al que amé al instante.

Conseguí no pensar en la noche que Maria fue asesinada cuando le dispararon desde un coche en marcha y centrarme en aquellos primeros años después de su muerte, en lo destrozado que me sentía a menos que sostuviera entre mis brazos a Damon o a Jannie, que entonces era un bebé. Sin Nana Mama jamás hubiera sido capaz de seguir adelante. Mi abuela apareció como lo había hecho cuando yo era un niño. Fue una madre para Damon, igual que lo había sido para mí.

Damon y yo hablamos de béisbol ya cerca de Laurel, Maryland, y ambos convinimos en que si Bryce Harper estaba en buena forma, superaría las estadísticas del Hall of Fame. Unos años atrás habíamos ido a Nueva York para asistir al partido del All-Star Game y lo habíamos visto batear en el Home Run Derby. Harper tenía una fuerza y una rapidez fuera de lo normal.

–Es como Jannie, ¿sabes? –dijo Damon–. Un caso aparte. Tienen algo especial. Y solo lo ves cuando se mueven.

–Tú tampoco eres precisamente malo –le dije.

–Soy lo bastante bueno como para ser séptimo u octavo en la División 1.

–Nunca te subestimes.

–A decir verdad, me conformo con no quedarme sentado en el banquillo, papá. En cambio, Jannie... Ella pertenece a un mundo que está al alcance de muy pocos.

Eso era cierto. Ver correr a mi hija en una pista era como ver a una gacela perseguida por un león y...

–¡Papá! ¡Cuidado!

A poca distancia, delante de nosotros, una caravana de unos ocho metros de largo enganchada a la parte trasera de una furgoneta Ford F-150 estaba virando violentamente. Pisé el freno una fracción de segundo antes de que la caravana y la furgoneta empezaran a derrapar formando un arco, hasta que se doblaron hacia la izquierda, bloqueando el paso, a escasos centímetros de nuestro parachoques delantero.

Pisé a fondo el acelerador y los esquivé. La caravana chocó contra un coche y la furgoneta se estrelló. Entonces todo el retorcido amasijo de metal atravesó el carril rápido y resbaló por el terraplén a nuestras espaldas.

–¡Joder! –exclamó Damon–. ¡Joder, por poco nos matamos!

Sentía el corazón golpeándome en el pecho. Las manos me temblaban mientras agarraba el volante y me detenía en la cuneta. Por poco nos matamos. La Parca había estado allí, pero decidió pasar de largo.

–Vamos –dije sacando el móvil y marcando el 911–. Tenemos que pedir ayuda.

Damon se bajó del coche y corrió por el arcén hacia el terraplén mientras yo explicaba por teléfono el accidente.

Cuando me acerqué a la furgoneta, Damon sacudió la cabeza. El conductor estaba muerto; su cuerpo colgaba del parabrisas trasero. Oímos el llanto de un bebé en el coche contra el que había chocado la caravana y que había volcado.

–¡Socorro! –gritó una mujer–. ¡Por favor, que alguien nos ayude!

Damon se arrodilló junto al coche y yo lo imité. La cabeza de la joven madre sangraba mucho. Aunque el bebé estaba boca abajo, parecía ileso; solo parecía preocupado por estar al revés.

–Una ambulancia está en camino –dije–. ¿Cómo te llamas?

–Sally Jo –contestó la mujer–. Sally Jo Hepner. Estoy sangrando como un cerdo. ¿Voy a morir?

–Creo que van a tener que darte muchos puntos, pero no vas a morir. ¿Cómo se llama tu bebé?

Ya se oían las sirenas.

–Bobby –dijo ella–. Por mi padre.

Damon había entrado a través del parabrisas y había conseguido liberar el asiento del bebé, a quien sacó después de retorcerse hacia atrás. Bobby Hepner estaba inquieto, pero en cuanto vio a su madre pareció calmarse.

Los bomberos y el equipo de Emergencias Médicas estaban allí cinco minutos después de que se hubiese producido el accidente. Nos quedamos hasta que vimos cómo sacaban a la madre del coche sana y salva, la tumbaban en una camilla y, por precaución, le ponían un collarín. Un miembro del equipo médico se llevó a su bebé a la ambulancia.

–Creo que ya no podemos hacer nada más –dije–. Vamos a llevarte a la universidad.

Damon sonrió, pero cuando volvimos al coche estaba taciturno.

–Qué extraña es la vida. Estás aquí y un minuto después ya te has ido.

–No te preocupes demasiado por eso.

–Claro. Pero después de ver algo así te preguntas, ¿qué sentido tiene? Nunca sabes cuándo va a llegar tu hora.

–Exacto –dije–. Por eso debes vivir cada minuto como si fuera el último y dar las gracias. A mi modo de ver, el hecho de que casi hayamos tenido un accidente ha sido un aviso. Aunque hemos estado muy cerca, hoy no estábamos destinados a sufrir un accidente de tráfico. Nos han recordado lo frágil y hermosa que es la vida, pero se suponía que no debíamos morir hoy. Se suponía que íbamos a llevarte a la universidad, y eso es lo que vamos a hacer.

Damon bajó la cabeza, sonrió y dijo:

–De acuerdo.

Aunque la Universidad Johns Hopkins había cambiado en algunos aspectos desde que yo estudié allí, el campus de Homewood seguía siendo un oasis de verdes parterres y edificios de ladrillo rojo en la ciudad de Baltimore. Cuando llegamos, aún pude sentir la energía del lugar. Nos dio la bienvenida un grupo de estudiantes voluntarios que nos guio por las instalaciones y nos proporcionó muchísima información para los alumnos de primer curso.

Encontramos la habitación de Damon y conocimos a su compañero de cuarto –William Clancy, un jugador de *lacrosse* de Massachusetts– y a sus padres. Los chicos parecieron congeniar desde el principio. Los ayudamos a instalarse y se produjo un momento incómodo cuando fue obvio que ambos querían que sus padres se fueran.

–Acompáñame hasta el coche –le dije a Damon–. Hay algo allí que quiero que tengas.

–Oh, claro –respondió Damon asintiendo con la cabeza a su compañero de habitación–. Vuelvo enseguida. Luego iremos al pícnic de bienvenida.

–Suena bien –dijo William.

Cuando llegamos al coche, miré a Damon henchido de orgullo y amor.

–¿Qué es lo que querías darme? –preguntó Damon.

Lo agarré y le di un abrazo, incapaz de reprimir las lágrimas.

–Tu madre –dije atragantándome–. Se sentiría muy orgullosa de ver en quién te has convertido.

Damon parecía incómodo cuando lo solté y dio un paso atrás. Antes de hablar, unas lágrimas se deslizaron por sus mejillas.

–Gracias, papá. Por todo.

No pude aguantarme y volví a abrazarlo. Le dije que se fuera antes de que me echara a llorar a moco tendido. Él se echó a reír. Después de chocar los puños, se dirigió al lugar en el que yo me había formado y convertido en un hombre.

Al alejarme con el coche tuve una sensación agridulce; era más feliz de lo que era capaz de expresar con palabras por los éxitos de mi hijo, pero también estaba triste recordando una parte de mi vida que había empezado cuando tuve que cuidar de Damon, un niño indefenso, y que había terminado hacía tan solo unos minutos, cuando mi hombrecito se había alejado de mí, lleno de confianza.

Segunda parte

LOS ASESINATOS DE UN JUSTICIERO

CAPÍTULO

13

SALÍ DEL CAMPUS DE LA JOHNS HOPKINS, doblé la esquina, me detuve y apoyé la cabeza en el volante. Aunque sabía que mi hijo solo se había ido por unos meses, seguía sintiéndome abatido.

Entonces sonó el móvil. John Sampson. Respondí con el Bluetooth.

–¿Te gusta la sopa *pho*? –me preguntó.

–Si está bien preparada, sí –contesté poniendo el coche en marcha–. ¿Por qué?

–Pues porque una de las fuentes de O'Donnell sitúa a Thao Le en el Pho Phred's, en Falls Church, a la una de esta tarde. ¿Puedes llegar a tiempo?

Tras consultar el reloj, dije:

–Con la luz de emergencia y la sirena, sí.

–Yo desconectaría la sirena cuando estés cerca de allí –dijo Sampson, y colgó.

Tomé de nuevo la 295, coloqué la luz de emergencia y puse el coche a ciento treinta y cinco kilómetros por hora, conectando la sirena para que la gente se quitara de en medio mientras pensaba en Thao Le.

Desde joven, estuvo en bandas callejeras. Hijo de un

gánster de California, se trasladó a la costa este a los dieciocho años y había formado su propia organización criminal que traficaba con heroína, cocaína y marihuana, aunque más adelante se dedicó también al tráfico de personas.

Había sido arrestado en dos ocasiones por cargos de extorsión y las dos veces había salido de la cárcel por falta de pruebas concluyentes o, dependiendo de la fuente, por el dinero que Le había pagado en sobornos. No obstante, muy pronto apareció en el radar del detective Tommy McGrath y del que en ese momento era su compañero, Terry Howard.

Después de un año investigando a Le, Asuntos Internos pilló a Howard con cocaína y dinero con los que se habría quedado durante una redada por un asunto de drogas. Howard siempre mantuvo su inocencia; incluso intentó culpar a McGrath, aunque al final fue despedido, algo que desde entonces lo convirtió en un hombre amargado.

McGrath creyó que fue Le quien tendió la trampa a su compañero. Sin embargo, seis años después de los hechos, Tommy aún no había reunido pruebas suficientes para exonerar a Terry Howard porque, como decía en el expediente que había encontrado O'Donnell, el mafioso vietnamita era «escurridizo y muy cuidadoso». La mayor condena que había cumplido Le era de tres años y medio por agredir a dos policías mientras intentaban detenerlo. Ambos agentes habían acabado en el hospital.

Por eso decidí que si íbamos a hablar con Le, debía acompañarnos un pequeño ejército. Empecé a hacer algunas llamadas.

A la una menos diez me detuve frente a un almacén de madera junto a la calle que conduce a Eden Center, un centro comercial y de ocio coreano-vietnamita de Falls Church. Ya me estaban esperando Bree, Sampson y Muller, así como cuatro agentes del SWAT, dos coches patrulla y un detective llamado Earl Rand con quien había trabajado con éxito en el pasado. Además de los hombres del departamento del *sheriff* del condado de Fairfax.

–¿Cómo te ha ido? –me preguntó Bree.

Mi mujer, a pesar del calor sofocante, ya se había puesto el chaleco antibalas.

–En algunos momentos se me rompió el corazón, y en otros me sentí más orgulloso que en toda mi vida.

–Me alegro. Deberías estar orgulloso de él. Es un muchacho increíble.

–Lo es –dije, y me puse también el chaleco antibalas mientras el detective Rand colocaba un mapa encima del capó de uno de los coches patrulla.

Se podía ver el Eden Center, un centro comercial en forma de U con un enorme aparcamiento en el medio.

El Pho Phred's estaba cerca del restaurante Viet-Royale, en la esquina noreste de la U, dentro de una sección llamada Sidewalk Stores que se creó con la idea de que se pareciese a un mercado al aire libre de la antigua Saigón. Rand nos mostró el acceso a la zona desde el sur del aparcamiento principal y desde el norte de otro aparcamiento más pequeño colindante con el cementerio Oakwood.

Rand nos dijo que podríamos cubrir ambas entradas así como mandar a los agentes de Fairfax, que estaban familiarizados con el centro, a través de ambos extremos de la parte inferior de la U.

–Tendrás a Le bloqueado en cuatro direcciones –dijo Rand–. No hay escapatoria.

–Manos a la obra –le dije, y me metí en un coche con Sampson.

–Estaría bien detener a Le por lo que les pasó a McGrath, Kravic y Peters –dijo Sampson.

–Sí –le contesté–. Me podría tomar unos días libres para ver correr a Jannie.

–No hay ninguna razón para que no sea así –dijo Sampson poniendo el coche en marcha y dirigiéndose al Eden Center.

A partir de ese momento, todo fue cuesta abajo.

CAPÍTULO 14

TODOS ESTÁBAMOS EN CONTACTO a través de la misma frecuencia de radio. Dos agentes del condado de Fairfax entraron en el Eden Center a través del gimnasio Planet Fitness, situado en el extremo oeste de Sidewalk Stores, y otros dos accedieron desde el este.

Bree y Muller usaron la entrada norte. Sampson, el detective Rand y yo, la puerta sur. Esa parte del Eden Center estaba pintada de un color azul celeste que, según Rand, fomentaba la prosperidad.

Sin duda alguna, el lugar era un negocio boyante. A la una de la tarde de un viernes había cientos de estadounidenses de origen vietnamita deambulando, comprando pescado fresco en un establecimiento, vestidos de seda bordados en otro y caramelos masticables en otro más. Y el aire olía a sal y a azúcar.

Sampson y yo sobresalíamos entre la multitud, dando la nota, aunque ser alto entre gente bajita tiene sus ventajas. Más tarde fuimos conscientes de que uno de nosotros o todos habíamos sido vistos entrando en el centro, porque no habían pasado más de noventa segundos antes de que, a menos de cincuenta metros,

Thao Le saliera volando de Pho Phred's, mirando a su alrededor, y nos viera.

Le era un tipo nervudo, rápido y ágil. Se volvió y echó a correr hacia el norte.

–Va directamente hacia ti, Bree –dije empezando a correr.

–Lo veo.

–Atrápalo sin más, a ser posible... –dijo el detective Rand.

Le debió identificar a Bree y a Muller, porque de repente se metió en un restaurante lleno de gente. Bree dejó atrás a Muller y fue detrás de Le con la placa en alto. Oímos gritos.

–¡Ese sitio debe tener una puerta trasera! –grité entrando en una pescadería situada a unos cuarenta metros del restaurante.

Con la placa en alto, les grité al asustado dueño de la tienda y a sus clientes:

–¿La puerta trasera?

El dueño puso unos ojos como platos pero hizo un gesto con la mano indicándome las cortinas de goma que había detrás del mostrador.

Oí a Rand llamando a los coches patrulla mientras me abría paso entre las cortinas de goma hasta un almacén refrigerado que comunicaba con un pequeño muelle de carga. Entonces se abrió la persiana. Un camión de marisco estaba entrando marcha atrás.

Salté del muelle antes de que el camión lo bloqueara, aterricé en un charco que despedía un olor pútrido y tropecé. Sampson estaba detrás de mí; me agarró del brazo y me ayudó a ponerme en pie justo cuando oímos el ruido del motor de una moto deportiva arrancando. A continuación la vimos rugiendo detrás de un contenedor de basura, a cincuenta metros de distancia.

Sin casco, Le conducía la moto como un experto, con la rueda trasera echando humo antes de dirigirse hacia el norte, alejándose de Bree, que había levantado su arma pero, sabia decisión, no disparó. Thao Le aceleró hacia la esquina del centro comercial, puso una marcha más corta, frenó y desapareció por nuestra derecha.

–¡Tengo varios coches que van tras él! –dijo Rand jadeando cuando nos alcanzó.

Todos echamos a correr. Bree dobló la esquina y se detuvo. La alcanzamos justo a tiempo de ver el coche patrulla girando detrás de Le.

El mafioso se dirigió hacia nosotros con el coche patrulla a sus espaldas. Otra dotación se unió a la persecución por detrás de nosotros. Pensé que Le era tan bueno con la moto como con los puños.

Thao Le se detuvo en la mitad del aparcamiento, cerca de otro contenedor de basura y de un desordenado montón de palés de madera apilados contra una valla metálica. El primer coche patrulla casi lo había alcanzado cuando Le nos miró sonriendo.

Entonces dio gas a la moto, recorrió quince metros en un segundo, saltó por encima del montón de palés y permaneció en el aire, a unos tres metros de altura, antes de aterrizar casi de lado en el contenedor.

El vietnamita aceleró a fondo en cuanto tocó el suelo, salió disparado en diagonal a través de las tapas del contenedor, saltó por encima de los palés cuando la moto dejó de tocar de nuevo el suelo y finalmente superó la valla metálica que separaba el aparcamiento del cementerio de Oakwood.

La moto aterrizó en una vía de servicio y casi volcó, pero Le consiguió enderezarla y aceleró, dejándonos impotentes por haberlo perdido y boquiabiertos por su increíble destreza.

Entonces, a través de la radio, un agente que aún seguía en el interior del Eden Center dijo:

–Tengo a la novia de Le aquí, en el Pho Phred's. ¿Quieren hablar con ella?

CAPÍTULO 15

ENCONTRAMOS AL AGENTE Y A MICHELE BUI, esposada con unas bridas, delante del Pho Phred's. La señorita Bui, por decirlo suavemente, no estaba muy contenta.

–Tengo mis derechos –dijo–. He nacido y me he criado en los Estados Unidos, y jamás he pisado Hanoi ni Ciudad Ho Chi Minh. De modo que no tengo nada que decir, porque lo único que he hecho es pedir la comida. Esto es acoso puro y duro.

Bui era alta para ser una mujer de origen vietnamita: medía casi un metro setenta y lucía una figura esbelta. Llevaba el pelo afeitado en un lado de la cabeza y largo en el otro; lucía unos tatuajes de mariposas amarillas en el brazo izquierdo y rojas en el derecho. Su aspecto lo completaban dos aros en las fosas nasales.

Bui empezó a gritar en vietnamita. La gente que había en los pasillos y los que salieron de otros establecimientos se nos quedaron mirando.

–Solo queremos hablar –dijo Bree.

–¿Suelen llevar a menudo armas y bridas para tener una charla? –preguntó Bui.

–Cuando es con Thao Le con quien queremos hablar, sí –contesté.

–¿Cuándo van a dejar en paz a Thao? –preguntó la chica–. Lo detienen y sale. Lo detienen y sale. ¿Cuándo van a comprender que no pueden cogerlo?

Bui contempló nuestros rostros y sonrió con conocimiento de causa.

–¿No lo tienen, verdad? ¡No lo han arrestado!

Bui se echó a reír y gritó algo en vietnamita que provocó la risa de la gente. Entonces me miró.

–¿Es usted el que está al mando?

Hice un gesto con la cabeza señalando al detective Rand.

Poniendo los ojos en blanco, Bui dijo:

–¿Puede quitarme las bridas? Están empezando a dolerme y me estoy oliendo una demanda.

–Si se las quitamos, ¿hablará con nosotros? –dijo Bree.

–¿Por qué iba a hacerlo? –le preguntó Bui–. No tengo ninguna obligación de hablar con ustedes porque no he hecho nada malo.

–¿Qué me dice de ayudar a un asesino de policías y ser su cómplice? –dijo Sampson.

Eso pareció sorprender a Bui, que bajó la barbilla.

–Thao no es un asesino de policías –dijo.

–Nosotros creemos que sí lo es –dijo Bree–. El policía era Tommy McGrath, un hombre que tenía ganas de encerrar a Thao durante el resto de su vida.

Bui no dijo nada; sus ojos se movían de un lado a otro.

–¿Había oído antes ese apellido, McGrath? –le pregunté.

La forma en que negó con la cabeza daba a entender que sí había oído hablar del fallecido jefe McGrath.

Bree también se dio cuenta.

–Cuando alguien mata a un policía –dijo–, la red aumenta de tamaño y se ensancha. Esa es la red que se está formando alrededor de su novio. La pregunta es: ¿cuál de sus peces quedará atrapado con él en la red?

–¿Qué significa eso?

–Significa que su novio es infiel –dije–. Tiene a tres mujeres diferentes en apartamentos diferentes, y se va turnando con ellas.

El rostro de Bui se endureció, pero no dijo nada.

–¿Cómo la hace sentir eso, compartirlo con otras dos mujeres, estar con él solo una noche de cada tres?

La novia de Thao Le parpadeó, miró al suelo y dijo:

–Como mucho.

–Correcto. Y supongamos que sus otras dos novias deciden que es mejor decirnos lo que saben que quedar atrapadas en la red de Thao. ¿En qué lugar la deja eso?

Las lágrimas empezaron a brotar de sus ojos.

–Con el agua al cuello –dijo Bui–. Quítenme las bridas y les diré lo que sé.

CAPÍTULO 16

BREE ESTABLECIÓ RÁPIDAMENTE una buena relación con aquella chica de veinticuatro años, por lo que decidimos dejar que fueran ella y Muller quienes se ocuparan del interrogatorio cuando regresamos a Washington.

Entré en el despacho que comparto con Sampson y me encontré una cámara GoPro en el interior de una bolsa de pruebas sellada junto con una nota de la forense, Nancy Barton.

«Del Maserati –había escrito–. Te parecerá interesante».

Barton había incluido un cable para conectarla a mi ordenador. Lo enchufé y encendí la cámara. Tuve que toquetearla hasta que conseguí ponerla en modo de reproducción. Sampson y yo examinamos el archivo MPEG más reciente.

Volvimos a visionarlo. Tras comentar lo que habíamos observado, lo vimos una tercera vez.

–Creo que debemos contárselo a Michaels lo antes posible –dijo Sampson.

–De acuerdo –le contesté.

Diez minutos más tarde estábamos en el despacho del jefe de Policía del D. C., Bryan Michaels, un peso wélter barrigudo, que tomó un sorbo de su taza de café y puso una cara avinagrada.

–Maldita sea, nunca me acostumbraré a esto –dijo estremeciéndose y dejando la taza encima del escritorio–. Zumo de limón caliente; se supone que es bueno para mí, cambia mi alcalinidad.

–Añádale miel –le dije.

–Pero antes ponga el vídeo que le hemos mandado –dijo Sampson.

–Podría tomarme un café con leche.

Michaels lanzó un suspiro, se puso las gafas de lectura y se volvió hacia el ordenador.

Tras pulsar varias teclas, apareció el vídeo MPEG.

–¿Qué es esto? –preguntó.

–Una grabación de los últimos minutos de vida de Aaron Peters –dije–. Tenía una cámara GoPro montada en una carcasa ignífuga en el salpicadero del coche. Debió conectarla de algún modo al velocímetro, porque..., bueno, ya lo verá.

El jefe clicó en el vídeo y lo amplió a pantalla completa.

La cámara nos ofreció un plano desde el centro del salpicadero, enfocando por encima de la elegante capucha, y hacia abajo, a los faros del Maserati. En la esquina inferior derecha de la imagen había un velocímetro digital; en la izquierda, un cronómetro a 0.

–Vamos allá, una carrera épica –dijo la voz en *off* de Aaron Peters al salir de Beach Drive en dirección a Rock Creek Parkway.

El cronómetro se puso en marcha cuando rugió el motor, y el Maserati pasó de cincuenta a ciento veinte kilómetros por hora en menos de cuatro segundos.

Peters se echó a reír y dijo:

–Hijo de...

–Atento, jefe –dijo Sampson.

Surgido de una curva en forma de S, un faro iluminó la calzada junto al Maserati.

–¿Una moto? –preguntó Michaels.

–¿Qué cojo...? ¡Eh, gilipollas! –exclamó Aaron Peters.

Los faros del coche iluminaron de nuevo hacia la derecha; se podía escuchar el rugido de la moto por encima del motor del Maserati. Pero entonces Peters empezó a cortar de un lado a otro, tratando de impedir que el motorista lo adelantara. Frenó un poco en la siguiente curva y trató de acelerar.

–Atrápame si puedes –dijo Aaron Peters aumentando la velocidad a ciento cuarenta y cinco kilómetros por hora.

Pero eso parecía no tener importancia. El faro de la moto giró y su motor rugió casi tan fuerte como el del Maserati antes de que se oyeran los dos disparos. El deportivo perdió el control, chocó contra el guardarraíl y derrapó con un rápido giro de trescientos sesenta grados que casi iluminó al rápido motorista antes de que el coche se saliera de la calzada, chocara contra los árboles y ardiera en llamas.

–¡Jesús! –exclamó Michaels–. ¿Ese tipo disparó desde una moto a ciento cuarenta y cinco kilómetros por hora?

–Esa ha sido exactamente nuestra reacción –dije–. Ahora abra las fotos que le he mandado.

Un minuto después la pantalla estaba dividida para mostrar dos imágenes. En una de ellas podía verse una foto de las heridas del jefe Tom McGrath sacadas durante la autopsia, realizada a primera hora de la mañana. La otra era un primer plano de las dos heridas en la cabeza de Peters.

–¿Qué? –dijo Michaels.

–En ambos casos, el tiroteo fue extraordinario –dije–. Y en ambos casos, todas las balas que se dispararon eran del calibre 45, quizás de un modelo Remington 1911.

El jefe Michaels entornó los ojos.

–¿Crees que se trata del mismo tirador?

–Tenemos dos balas del casco Bell de Peters. Deberíamos contar con una sólida comparación con las balas que mataron a McGrath, pero mientras tanto debemos considerar la posibilidad de que se trate de un solo tirador, y pensé que debía saberlo.

Tras reflexionar un momento, el jefe dijo:

–No quiero que nada de esto salga de aquí hasta que tengamos una respuesta de Balística. ¿Queda claro?

–Sí –dijo Sampson, y yo asentí con la cabeza.

–¿Alguna relación entre Peters y McGrath? –preguntó el jefe.

–De momento no –contestó Sampson.

–Mantenedme informado.

–Cada pocas horas, señor –dije.

Cuando nos dimos la vuelta para irnos, Michaels dijo:

–Alex, ¿puedo hablar un momento contigo?

Tras mirar a Sampson, dije:

–Por supuesto.

Cuando mi compañero cerró la puerta, Michaels dijo:

–Necesito un jefe de detectives.

–¿En quién está pensando?

–En ti.

–¿En mí?

–¿Quién mejor que tú?

Sentí toda clase de emociones contradictorias.

–¿Y bien? –dijo Michaels.

–Me siento halagado, jefe –respondí–. Es una deferencia que haya pensado en mí para el puesto, pero necesito algo de tiempo para reflexionarlo y hablarlo con Bree y con mi familia.

–Tendrás un horario más regular. Podrás verlos más, si eso es importante para ti.

–Lo es, pero aun así voy a necesitar algo de tiempo para...

–Tómate todo el tiempo del mundo. Dame una respuesta mañana a las ocho.

CAPÍTULO 17

NANA MAMA ESTABA EN PLENA FORMA ESA NOCHE. Había visto a Rachael Ray preparando un pollo a la provenzal y había decidido cocinarlo cambiando ligeramente la receta y añadiéndole un poco de esto y un poco de aquello hasta convertirlo en uno de esos platos por los que acabas peleándote.

–¿Está rico, verdad? –dije.

–¡Muy rico! –dijo Ali.

–Un poco más, por favor –dijo Jannie.

–¿Lleva comino? –preguntó Bree chasqueando los labios.

–Y una pizca de curri en polvo –dijo Nana Mama–. ¿Y qué me decís de las cebollas y la piel del pollo, tan crujientes? Pagaría por un plato como este.

–¿Nana? –dijo Ali–. ¿Has comprobado el resultado del sorteo?

Nana Mama jugaba a la lotería desde que yo era un niño. Era uno de sus pocos vicios. Desde que me mudé a su casa, hacía muchos años, todas las semanas hacía una apuesta.

–Ya la he revisado –dije–. Nadie ha ganado el bote.

En el próximo sorteo será de más de cincuenta millones de dólares.

–No, papá –dijo Ali–. El sorteo del colegio concertado.

–Ali quiere ir a la escuela Washington Latin, y yo también –dijo mi abuela–. Un colegio concertado sería un desafío para él, como lo fue para Jannie.

–Debería entrar, ¿verdad, papá? –dijo Ali–. He sacado un porcentaje de 96 en Matemáticas.

–Estás en el percentil 96 en Matemáticas –lo corrigió Nana Mama.

–Y en el porcentaje, ¡perdón!, en el percentil 91 en Lectura –añadió Ali.

–Eso te proporcionará al menos un número más en el sorteo.

–Dos más –dijo Nana–. Tendrá excelentes posibilidades.

Ali me sonrió desde el otro lado de la mesa. Era un cerebrito muy afable al que le interesaban tantos temas que a veces resultaba difícil creer que solo tenía siete años.

–Voy a entrar aunque tenga que hacerlo por la chimenea –dijo.

–Siempre será mejor hacerlo por la puerta principal –le contestó Bree.

Mi mujer estaba quitando los platos de la mesa. Me sumé a ella y dejamos la cocina limpia como los chorros del oro, hecho que complació enormemente a Nana Mama, hasta el punto de que se fue para ver *Navy: Investigación criminal,* su serie de televisión favorita. Aunque Bree parecía dispuesta a unirse a ella, le dije:

–¿Quieres dar un paseo bajo la lluvia?

Bree sonrió.

–Claro.

El aire era caliente y estaba saturado por la fina lluvia que había empezado a caer. Me sentí bien al caminar; relajé las piernas un poco después de haber comido mucho.

–¿Qué ha dicho Michele Bui?

–Nada que atribuya los asesinatos a Le, aunque nos dio bastantes y prometedoras pistas como para que mereciera la pena hablar con ella –explicó Bree–. Nos dijo que Le tiene una Remington 1911 del calibre 45. Más de una, por supuesto. Y que había mencionado a Tommy McGrath en varias ocasiones durante los últimos meses, y siempre enojado. Le dijo a Michele que Tommy iba tras él. Es asombrosa la facilidad con la que la gente delata a otro cuando se siente acorralada.

–Lo sé –dije–. Escucha, Michaels me ha ofrecido el puesto de jefe de detectives.

Bree se detuvo y me sonrió.

–¿De verdad? ¡Oh, Dios mío, Alex! ¡Eso es increíble!

–Lo sé.

–Deberías aceptar. Te lo mereces, y creo que serías genial ejerciendo el cargo. Un poco como lo hacía Tommy, como un mentor, un aliado para todos los detectives.

Reanudamos el paseo.

–He pensado en ello. En ese aspecto, resulta atractivo.

–Y también tendrías un horario más regular por primera vez desde que eres capaz de recordar –dijo Bree–.

Jannie va a empezar su segundo curso en el instituto. No estará en casa eternamente.

–Lo sé –dije–. Y podría asistir a todas sus carreras y a todos los concursos de ciencia de Ali. Realmente es muy tentador.

Bree se detuvo de nuevo. Tenía unas gotas de lluvia en las mejillas que parecían lágrimas. Se las quité.

–Y ahora viene el *pero* –dijo.

–Siempre hay un *pero*.

–¿Y el tuyo es...?

–Está justo aquí –dije palmeándome el trasero.

–Estás esquivando el problema –dijo Bree.

–Así es. Volvamos.

–Pero antes tienes que besarme.

–¿Disculpa?

–Estás sexi bajo la lluvia.

–¿En serio?

–¡Oh, sí! –dijo Bree.

Se puso de puntillas, pasó los brazos alrededor de mi cuello y me besó larga y profundamente.

–¡Guau! –exclamé–. Tendré que salir a pasear bajo la lluvia más a menudo.

Ella sonrió y empezó a alejarse tímidamente.

–¿Me imaginas en un bosque cálido y húmedo, jefe Cross?

–Claramente –repuse.

De regreso a casa, nos echamos a reír.

Subí a nuestra habitación y marqué el número de mi padre, a quien había recuperado recientemente después de haberlo perdido muchos años atrás. Contestó después del segundo tono.

–Hacía tiempo que no sabía nada de ti, Alex –dijo mi padre.

–Lo mismo digo, papá. ¿La jubilación te mantiene ocupado?

–Tengo más trabajo del que puedo hacer con los fiscales del condado de Palm Beach –dijo.

Por su tono de voz, parecía que no podía creerlo.

–¿Y eso te sorprende? –dije–. Puede que te echaran del Departamento de Homicidios del *sheriff*, pero no van a desperdiciar tu talento.

–Aún me estoy pellizcando para asegurarme de que no estoy en la cárcel.

–Pagaste tus deudas. Te has convertido en un buen hombre, Jason Cross, o Peter Drummond o como sea que te llames ahora.

–Pete está bien –dijo–. Todo eso se acabó. ¿Y qué me cuentas de ti y de tu familia?

Le hablé de la oferta que me habían hecho. Después de escucharme, me dijo:

–¿Qué te gusta hacer, hijo?

–Ser detective –dije–. Es lo que se me da bien. Administrar..., no tanto.

–Siempre puedes delegar –dijo–. Quédate con lo que te gusta de ser jefe de detectives y líbrate de todo lo demás. Negócialo con tu superior antes de aceptar.

–Tal vez –dije–. Lo consultaré con la almohada.

–Me parece que ya has tomado una decisión.

CAPÍTULO 18

ANTES DE LA BATALLA, SIEMPRE cambiaba de identidad para adaptarse a su papel. Esa noche decidió ser John Brown.

Brown estaba sentado en el asiento del copiloto de una furgoneta de color canela sin ventanillas traseras y sin distintivos. Perfecta para un depredador. O para varios.

–Siete minutos –dijo Brown frotándose una rodilla dolorida.

Oyó unos gruñidos en la parte trasera de la furgoneta y luego el inconfundible ruido de los cargadores cuando se insertan en armas de repetición, y el de las balas cuando se cargan armas automáticas.

Salieron de la Interestatal 695 y cruzaron el puente sobre el río Anacostia en dirección a una zona del D. C. en la que pocos turistas se aventuraban. Drogas. Apatía. Pobreza. Todas esas infecciones estaban allí, y como se trataba de infecciones, había que atajarlas rociando la zona con antibióticos.

Dejaron atrás el puente y se dirigieron hacia el sur por la I-295 y luego hacia el este de nuevo por Suitland

Parkway. Salieron unos tres kilómetros más adelante y se dirigieron al sur de Buena Vista.

–Comportaos con inteligencia y disciplina –dijo Brown cubriéndose el rostro con una máscara negra transparente–. No se coge nada y nada se queda atrás, ¿de acuerdo?

En la oscuridad de la parte trasera de la furgoneta se escucharon gruñidos de aprobación. Brown se inclinó hacia un lado y agarró el volante mientras el conductor se ponía la máscara.

Desde atrás una voz femenina dijo:

–¿Cuál es el plan?

–Opciones inteligentes, fuego inteligente –contestó un hombre.

–Precisión quirúrgica –dijo otro hombre.

Brown presionó el micrófono que llevaba pegado a su cuello.

–¿Situación, Cass?

En sus auriculares crujió una voz de mujer.

–Lista –dijo Cass. Estaba en la furgoneta que iba detrás de ellos.

–Faltan cincuenta segundos –dijo Brown.

Se oyó el ruido de más balas al ser cargadas. Unos cuantos soldados tosieron o se sonaron la nariz. En la furgoneta, teniendo en cuenta la tarea que tenían por delante, no había demasiada tensión. Los hombres y mujeres que seguían a Brown estaban muy bien entrenados. Aquello no era ni un nuevo simulacro ni una tarea desconocida.

Tomaron una calle recta que conectaba con el oeste, donde se encontraba el cementerio Lincoln Memorial.

La furgoneta se detuvo en un sitio donde había tres farolas apagadas gracias a los perdigones que dos de sus hombres les habían disparado la noche anterior. El conductor de Brown apagó las luces. La puerta trasera de la furgoneta se abrió y bajaron cuatro hombres vestidos de negro de la cabeza a los pies.

Brown bajó después de ellos. Antes de cerrar la puerta del copiloto, dijo:

–¡Oh, las tres y media!

El conductor asintió con la cabeza y se alejó. La segunda furgoneta también descargó a sus pasajeros. Al cabo de un momento, ocho hombres y dos mujeres treparon por la pared y entraron en el cementerio. Todos conectaron sus gafas de visión nocturna. Avanzaron entre las sombras verdes y las lápidas siguiendo una ruta que había sido explorada repetidamente a lo largo de las tres últimas semanas. La información era fiable. Y ese camino de entrada y de salida, también.

Ahora solo era cuestión de ejecutar el plan.

Con la rodilla dolorida, Brown hizo un esfuerzo por seguir el ritmo y pronto se unió a los demás, situados en fila a lo largo de la línea de árboles mientras observaban, más allá de un desguace de coches, una oscura y abandonada fábrica de maquinaria y herramientas. Aguzó el oído y oyó el ronroneo de varios generadores eléctricos alimentados con gas, que eran la prueba fehaciente de que en aquella antigua fábrica había algo más de lo que se podía ver a simple vista.

–¿Los ves? –susurró Cass–. Dos junto a la puerta y uno en cada extremo. Tal como te dije.

Cass era una mujer corpulenta de treinta y pocos

años, de pelo rubio corto y extraordinariamente fuerte después de años practicando *crossfit*. También era una de las personas más competentes y leales que Brown había conocido. La había mandado a explorar la fábrica de maquinaria sabiendo que haría bien su trabajo.

Aumentó la potencia de sus gafas de visión nocturna, miró detenidamente al otro lado del desguace y vio a los dos primeros guardias. Estaban tumbados en sendos colchones, a ambos lados de una puerta doble. El tercer guardia se estaba fumando un cigarrillo en el extremo más alejado. Y el cuarto estaba en cuclillas, en la otra punta del edificio.

–La dotación es la misma –murmuró Brown a través del micrófono–. Cass y Hobbes, ocupaos del centro. Price y Fender, los flancos son vuestros.

Avanzaron con cuidado hacia sus respectivas presas. Los dos guardias que estaban durmiendo en la puerta no tuvieron ninguna oportunidad de retorcerse ni de decir ni pío antes de que Cass y Hobbes les rompieran el cuello. Y los dos que vigilaban los extremos de la fábrica no advirtieron que Price y Fender estaban detrás de ellos. Les rodearon el cuello con cuerdas de piano y los estrangularon.

CAPÍTULO 19

UNA BRUMOSA MAÑANA DE AGOSTO, al amanecer, seis coches patrulla con las luces destellando formaron un amplio perímetro alrededor de una fábrica de maquinaria y herramientas abandonada en Anacostia. A pesar de que era muy temprano, había pequeños grupos de gente de pie en los porches y las aceras, observando el viejo edificio de ladrillo como si fuera un lugar maldito.

Bree, Sampson y yo habíamos respondido porque estábamos más cerca y nos encontramos con los dos agentes que habían descubierto lo ocurrido.

Nos pusieron al día de la situación, que había empezado con una llamada anónima al 911 y había terminado con lo que habían encontrado en la antigua fábrica.

–Vimos lo bastante como para retirarnos y avisar a la caballería –dijo uno de los policías.

–Hicisteis lo correcto –dije–. Veamos lo que hay.

Los oficiales nos llevaron a la parte trasera del edificio. Se oían los generadores retumbando en el interior cuando doblamos la esquina y vimos al primer hombre estrangulado, tendido a unos tres metros de distancia sobre la grava y la maleza.

La cuerda de piano que lo había matado estaba incrustada en la carne. Veintipocos años, hispano, más de un metro ochenta y más de noventa kilos. Llevaba una camiseta blanca sin mangas, unos vaqueros holgados, unas caras zapatillas Nike y muchas y ostentosas joyas de oro.

–Quien hizo esto es alguien extremadamente fuerte –dijo Bree.

–Y que lo digas –repuso Sampson.

Busqué en los bolsillos de la víctima y encontré dinero en efectivo y un frasquito que contenía un polvo rosa.

–Sabe a cristal –dije después de meter el dedo enguantado en su interior.

Había algo extraño en la posición de las caderas del cadáver, de modo que empujé el cuerpo hacia delante. En el suelo no había nada. Pero cuando levanté la parte trasera de su camisa, vi que llevaba una Ruger de 9 mm en una funda oculta en la parte inferior de su espalda.

–No tuvo ninguna oportunidad de desenfundar el arma –dije.

–Así pues, lo hizo alguien extremadamente fuerte y sigiloso –dijo Bree.

En la fábrica había otros tres hombres muertos. Los dos que estaban junto a la puerta eran afroamericanos y les habían roto el cuello. El que se encontraba en el extremo más alejado era caucásico y también había sido estrangulado con una cuerda de piano. Todos iban armados. Y ninguno de ellos llevaba ningún documento de identidad.

–Entonces, ¿cómo sucedió? –preguntó Sampson–. ¿Un único asesino?

–Tendría que haber sido un *ninja* o algo parecido –le dije–. Creo que fueron cuatro.

–¿Al mismo tiempo? –dijo Bree.

Miré a mi alrededor y no vi bombillas en ninguna de las lámparas exteriores.

–Al mismo tiempo y a oscuras –dije. Entonces, señalando hacia las puertas de acero, pregunté–: Si eran guardias, ¿qué estarían custodiando?

Sampson se acercó a la puerta más cercana, giró el pomo y la empujó. La puerta se abrió emitiendo un crujido. Sacamos las linternas y las pistolas y entramos en la fábrica abandonada. Yo iba delante; la luz de mi linterna parpadeó en el suelo de cemento hasta la puerta doble, que empujé.

En otros tiempos, grandes máquinas debían haber ocupado aquel espacio vacío. Se podían apreciar sus rastros en el suelo, debajo de una capa de polvo y arenilla; en el aire aún flotaba el olor del aceite que usaban. También se percibía un ligero olor de un motor casi agotado.

Unas palomas salieron volando a través de las ventanas rotas de los dos pisos que había sobre nosotros. Aunque el sol estaba empezando a iluminar el sitio, mantuve la linterna encendida; miré a mi alrededor y vi, aproximadamente en el centro de la fábrica, que la bóveda coincidía con las paredes de la segunda planta. En el espacio situado bajo este piso superior había dos enormes generadores eléctricos alimentados por gas funcionando al ralentí: de ahí provenía el olor del motor agotado.

–Que nadie se mueva –dijo Bree.

Me di la vuelta y vi que mi mujer estaba examinando el suelo de la fábrica. Rascó la mugre con la punta del zapato y dirigió la luz de su linterna hacia el lugar por donde habíamos venido.

–Aquí estamos dejando huellas –dijo–. Pero en la entrada no. La han barrido. O puede que fregado.

Comprendí lo que quería decir y enfoqué mi linterna a la altura de la puerta doble. Allí, el suelo también estaba limpio. A ambos lados de la puerta empezaba un camino limpio de unos cincuenta centímetros de ancho que recorría el espacio hasta la pared; al final de ambos, había una escalera.

No nos hicieron falta las linternas para ver que las escaleras conducían a dos pasarelas, y estas, a su vez, a unas puertas situadas en ambos extremos de la segunda planta. Seguimos el camino de la izquierda. Nuestras linternas iluminaron montones de chatarra, tuberías viejas, conductos y piezas metálicas, todo recubierto de suciedad.

Sin embargo, las escaleras de acero parecían recién barridas. Y las pasarelas también.

Una de las puertas estaba entreabierta y se podía ver luz brillando en el interior.

–¿Alex? –dijo Sampson.

Mi compañero se había detenido en la pasarela, detrás de mí; estaba iluminando el suelo de la fábrica y a un quinto hombre muerto tendido boca abajo.

–Le han disparado en la cabeza –dijo Bree enfocando con su linterna la desagradable herida de la parte posterior del cráneo por donde había salido la bala–. Voy a llamar a un segundo equipo forense.

–Bien hecho –dije.

Desvié mi atención a la puerta entreabierta y la empujé hacia dentro. Al otro lado había un corto pasaje que estaba bloqueado del suelo al techo y de una pared a otra por unas gruesas láminas de plástico negro.

En las reforzadas láminas había una cremallera industrial vertical y dos pequeñas ventanas cuadradas a través de las cuales se filtraba la luz. Me acerqué, miré por una de las ventanas y se me hizo un nudo en el estómago.

–¿Alex? –dijo Bree detrás de mí–. ¿Qué hay ahí?

–Un compartimento estanco –contesté apartándome de la ventana.

Bree debió notar la conmoción en mi rostro.

–¿Qué? –dijo.

–Avisa a dos equipos forenses más –dije consciente del temblor de mi voz–. O mejor aún, llama al FBI, a Ned Mahoney. Dile que necesitamos un equipo de lo mejor de Quantico. Y dile que traigan químicos y trajes de protección.

CAPÍTULO 20

CUANDO LLEGARON MI VIEJO AMIGO y compañero Ned Mahoney y dos químicos del FBI, en la calle ya se estaban instalando camiones de televisión para transmitir la noticia y había helicópteros sobrevolando la zona.

Estaba hablando por teléfono con el jefe Michaels, a quien acababa de ofrecer una perspectiva general de lo que habíamos visto en el interior de la fábrica.

–¡Jesús! –exclamó–. El FBI se hará cargo de esto, ¿verdad?

–Todavía no –le dije–. Lo que me lleva a la pregunta que me hizo anoche.

–¿Y?

–Me siento muy honrado, pero mi lugar está en la calle, y en estos momentos en el interior de esta fábrica.

–¡Maldita sea, Cross! Necesito a alguien que dirija a mis detectives.

–Jefe, me van a entregar un traje de protección. Lo llamaré cuando estemos fuera y sepamos cuál es el alcance de este asunto.

Colgué antes de que Michaels pudiera tentarme. Me acerqué a la furgoneta del FBI, donde Mahoney, sus químicos y Sampson se estaban poniendo los trajes de protección.

–¿Cuántos has visto? –me preguntó Mahoney.

–Al menos cinco cadáveres más –le dije.

–Espera a que las televisiones se hagan con todo esto –dijo Sampson.

–Ya lo han hecho –dijo Bree, que apareció detrás de nosotros y se quedó mirando los trajes de protección– Alguien debería hablar con ellos.

–Lo haremos cuando sepamos qué decirles –contesté–. ¿Vienes?

Bree hizo una mueca y sacudió la cabeza.

–Una vez, en una situación parecida, me dio claustrofobia. Y ahora mismo ni siquiera sabemos qué hay ahí dentro.

–Por eso tenemos que ir a echar un vistazo –dije, y le di un beso.

Me puse la capucha con visera. La temperatura exterior superaba los treinta grados centígrados, pero dentro del traje debía de ser por lo menos de treinta y siete cuando entramos de nuevo en la fábrica. Sampson dejó que los químicos fueran los primeros en acceder al compartimento estanco. Oí a uno de ellos inhalando bruscamente.

–Tened cuidado –dijo–. Nada de movimientos bruscos.

–Tranquilo, no los habrá –le respondí.

Crucé la entrada del compartimento estanco y me metí en una sala cuyo aspecto era el de un sofisticado laboratorio.

Los químicos del FBI ya estaban estudiando la alucinante variedad de equipos y los diversos procesos químicos que se estaban realizando en el momento de la masacre. Sampson y yo nos acercamos a los cinco cadáveres que había en la sala, dos mujeres y tres hombres desplomados sobre varias mesas de trabajo.

Llevaban batas de hospital, gafas de laboratorio, calzado esterilizado, gorros y máscaras de quirófano. Todos habían recibido un disparo en la cabeza o en el pecho.

Tras examinar el suelo por todas partes, dije:

–Aún no he encontrado ni un casquillo.

–No –dijo Sampson–. Se encargaron de ello, lo limpiaron todo.

–Asesinos profesionales –dije.

Mahoney y los químicos se acercaron a nosotros.

–¿Qué os parece? –pregunté.

Pitts, uno de los químicos, dijo:

–Aunque no es una instalación de Walter White, esto tiene todos los ingredientes de un importante laboratorio de elaboración de drogas. Cristal y éxtasis.

–¿Hay algún peligro de que este sitio explote? –pregunté.

–Existe un gran peligro potencial –dijo Pitts–. Pero ahora que sabemos lo que hay, empezaremos a neutralizar las reacciones. Luego haremos un inventario y tomaremos las muestras que necesitamos. Solicitaremos un equipo completo para desmantelar todo el laboratorio y la fábrica para el juicio.

El juicio. Ni siquiera era capaz de pensar cuánto tiempo iba a durar la investigación de este caso y mucho menos llevar a los asesinos ante los tribunales. Sampson y yo nos dirigimos hacia un segundo compartimento estanco que había en el otro extremo del laboratorio.

Después de atravesarlo y durante los siguientes veinte minutos, descubrimos el resto de la fábrica de drogas ilegales y doce cadáveres más. Cinco mujeres y siete hombres de diversas razas y edades. En total, veintidós muertos.

De las mujeres, tres fueron halladas en una sala de embalaje con largas mesas de acero inoxidable, enormes morteros, balanzas digitales, cientos de cajas con bolsas de cierre hermético y cuatro máquinas de envasado al vacío. En una mesa, apilados, se acumulaban seis kilos de cristal. Sampson pensó que ya había al menos el doble de esa cantidad envuelto, sellado y embalado para su entrega.

–Si este fuera un caso de asesinos contratados por narcotraficantes rivales, ¿no crees que se habrían llevado la droga con ellos? –dijo Sampson.

–Quizás iban tras el dinero –le contesté–. Una operación de esta envergadura debe generar millones de dólares en efectivo.

En la última sala encontramos el dinero en efectivo. Encima de un palé había fajos de billetes de cincuenta dólares precintados, parecidos a los que habíamos visto en el apartamento de Edita Kravic, apilados en montones de cerca de un metro de altura y envueltos en celofán. A su lado había dos hombres de treinta y tantos años vestidos con traje y corbata. A ambos les habían disparado entre los ojos.

–Aquí debe haber al menos un millón de dólares, y no se lo llevaron –dijo Sampson–. No lo entiendo.

–Yo tampoco –dije.

–¿Venganza?

–Puede ser. Ninguna de las víctimas parece haber ofrecido ningún tipo de resistencia. Es como si a todas las hubieran pillado por sorpresa y las hubieran matado de un único disparo.

–Lo que significa que usaron silenciadores en todas las armas.

–Sin duda alguna.

–Todo este asunto resulta aterradoramente inteligente y preciso. El tiroteo. El hecho de recoger los casquillos. Limpiarlo todo. La falta de un motivo.

–Oh, hay un motivo, John –dije–. No matas a veintidós personas si no tienes un buen motivo.

CAPÍTULO 21

UNA HORA MÁS TARDE, en medio del calor del día, Bree se colocó ante una multitud de micrófonos fuera del recinto de la fábrica.

–Sé que ha resultado frustrante, pero queríamos ofrecer datos precisos y nos ha llevado un tiempo reunirlos –dijo con voz clara y contundente–. Nos enfrentamos a múltiples homicidios en el entorno inestable de un laboratorio de metanfetamina increíblemente grande. Hasta ahora se han hallado veintidós cadáveres.

Los susurros aumentaron de volumen. Los periodistas empezaron a hacer preguntas a gritos. Los gemidos de pena y horror cobraron fuerza entre la multitud que se había agrupado detrás de los medios de comunicación.

–Por favor –dijo Bree levantando las manos–. Los cadáveres han sido despojados de sus documentos de identidad. Alguien debe conocer a gente que trabajaba en esta fábrica: una esposa, una madre, un amigo, un marido, un padre, un hijo o una hija. Si entre ustedes se encuentra ese alguien, le pedimos que se acerque para que identifique el cadáver y nos ayude a entender quién puede ser el responsable de estos asesinatos a sangre fría y por qué.

Los medios de comunicación se volvieron locos y bombardearon a Bree con preguntas. Ella mantuvo la calma y, básicamente, les repitió lo mismo una y otra vez.

–Bien hecho –le dije cuando se alejó de los micrófonos, después de haber prometido a la prensa que actualizaría la información cada hora.

–Solo hay que saber cómo alimentarlos –dijo Bree–. Poco a poco.

Al principio no se acercó nadie, ni siquiera esas personas que mostraban abiertamente su duelo. Poco después empezaron a sacar los cuerpos de la fábrica en bolsas negras; la masacre se convirtió en algo real, y las pérdidas que había sufrido aquella gente fueron desgarradoras.

Vicky Sue Granger fue la primera en hablar. De casi treinta años, estaba destrozada, y dijo estar segura de que Dale, su marido, estaba allí.

–¿Trabajaba en el laboratorio? –le preguntó Bree.

–En Shamrock City –dijo la mujer en voz muy baja–. Así es como lo llamaban. Si tenías la suerte de entrar y trabajabas duro, se ganaba mucho dinero...

Entonces se interrumpió. Supongo que pensó que cuanto menos cosas contara sobre dinero negro, mucho mejor.

–¿Quién estaba al mando?

La señora Granger se encogió de hombros y dijo:

–Dale entró a través de T-Shawn, su primo.

Otros familiares empezaron a presentarse en cuanto trasladamos los cuerpos a un espacio con aire acondicionado en la oficina del forense. Una familia tras otra se vio obligada a desfilar ante la hilera de cadáveres tendidos en bolsas abiertas sobre el suelo de cemento. Un hombre estaba buscando a su hijo de dieciocho años. Dos chicas estaban allí por su hermana mayor. Una abuela se desplomó en los brazos de Bree.

Dale Granger estaba allí. Trabajaba en la sección de embalaje y tenía una bala en el pecho. Su primo, Tim Shawn Warren, que trabajaba como portero a tiempo parcial en un club de estriptis, era uno de los hombres musculosos que había sido estrangulado frente a la entrada de la fábrica.

Eran pocos los familiares que querían hablar. Los que se acercaron hasta nosotros afirmaban saber casi nada de lo que hacían sus seres queridos, solo que habían conseguido un empleo y que de repente tenían mucho dinero en efectivo en el bolsillo.

Entonces se acercó Claire Newfield. Vio a su hermano menor, Clyde, un guardia con el cuello roto, y tuvo un ataque de histeria. Cuando finalmente recuperó el control, dijo que Clyde le había dicho que trabajaba para unos científicos.

–Dijo que eran como unos genios –añadió Newfield–. Que habían descubierto una nueva manera de elaborar cristal y que iban a controlar toda la costa este.

–¿Tienes nombres?

–No, no quise saberlos.

Aquella noche, alrededor de las ocho, nos quedaban siete cuerpos en el frío suelo de cemento y no había nadie esperando en la calle. Dos mujeres sin nombre. Cinco hombres sin nombre. Dos de ellos eran los varones caucásicos de mayor edad vestidos con traje que habíamos encontrado junto al dinero; los otros cinco tendrían casi unos treinta años y habían sido hallados en el laboratorio de cristal.

Me arrodillé junto a los cadáveres y los observé. ¿Qué los habría metido en esto? ¿Quién diablos eran?

–Vamos a poner estos cuerpos en cámaras frigoríficas –dije.

–¿Doctor Cross? –me llamó uno de los oficiales que había junto a la puerta–. Aquí hay una joven que quiere ver a sus amigos.

–Vale, otra más.

Alexandra Campbell entró arrastrando los pies, como si lo hiciera en contra de su voluntad. Tenía los hombros inclinados hacia delante y miraba a todas partes excepto los cuerpos. Era una hermosa joven de veintitantos años con un tatuaje de colores en el brazo y algunas partes del pelo rubio teñidas de color melocotón pálido.

–¿Crees que puedes identificar a alguien? –le pregunté después de presentarme.

Campbell se encogió de hombros con tristeza y dijo:

–Tengo que mirar. Asegurarme.

La acompañé hasta el lugar. Campbell se detuvo a unos tres metros de los siete cuerpos que quedaban. Movió una mano temblorosa para taparse la boca.

–Carlo –dijo con la voz quebrada–. Mira dónde me has dejado ahora.

Entonces, doblándose sobre sí misma, se rodeó las

rodillas con los brazos a los pies de las bolsas y sollozó, con el corazón roto. Le di algo de tiempo y me agaché a su lado ofreciéndole una caja de pañuelos.

Bree le trajo una botella de agua y Campbell nos contó todo lo que sabía.

CAPÍTULO 22

NO LLEGAMOS A CASA hasta pasada la medianoche. Comimos las sobras de pollo frías en la cocina, tratando de olvidar todo lo que habíamos visto y oído.

–¿La crees? –me preguntó Bree levantándose de la mesa para lavar su plato–. ¿A Alexandra Campbell?

–Hasta la última palabra.

–Entonces, que Dios nos asista –dijo Bree–. Mañana va a ser un zoo.

–Tú sé la tortuga tranquila –dije.

–¿Me estás pidiendo que me comporte como una tortuga en el trabajo?

–Sí, pero como una tortuga con un gran caparazón blindado y la capacidad de alejarse de todo y seguir avanzando hacia la meta.

Bree me miró adormilada, se echó en mis brazos y me dijo:

–Tengo la sensación de que esto nos va a consumir durante un tiempo, y decirme que me comporte como una tortuga terrestre no es exactamente el consejo que esperaba de ti. Pero te quiero, o sea que no nos perdamos de vista.

–Trato hecho –dije, y la seguí escaleras arriba hasta la cama.

No recuerdo que mi cabeza entrara en contacto con la almohada. No recuerdo haber soñado.

No había nada salvo la oscuridad hasta que sonó el despertador a las seis y cuarto como de costumbre. Bree ya se había levantado, duchado y vestido, y estaba desayunando en la cocina con Nana Mama. Jannie se estaba tomando un batido de proteínas y llevaba puestos sus calentadores.

Después de bostezar, le dije a Jannie:

–Has madrugado.

–El entrenador me está esperando. Quiere que termine mis ejercicios antes de que apriete el calor.

–¿Irás a la pista?

–Al gimnasio –dijo Jannie–. Me está iniciando en el levantamiento de pesas olímpico.

–¿Te vas a convertir en una de esas culturistas? –le preguntó mi abuela–. No son rápidas.

–No, Nana –dijo Jannie–. Eso es exactamente lo contrario del culturismo. El levantamiento olímpico exige que todos los músculos de tu cuerpo funcionen y respondan. De ese modo, cuando corra seré mucho más fuerte y enérgica, y lo conseguiré sin que mi cuerpo sea el de una friqui.

–Ah, bueno, eso está bien –dijo Nana Mama–. Nada de friquis en esta familia.

Sonreí mientras volvía a bostezar y me serví café. Bree enjuagó los platos y se preparó para irse. La seguí hasta el pasillo.

–¿Por qué tienes tanta prisa? –le pregunté.

–El jefe Michaels me mandó un mensaje de texto pidiéndome que estuviera en su despacho a las nueve.

–¿Para qué?

–Para informar al alcalde y al comisionado. ¿Qué aspecto tengo?

–Pareces una increíble luchadora contra el crimen.

Bree sonrió por el comentario, me dio un beso en los labios y dijo:

–Gracias por hacerme la vida más fácil.

–Cuando quieras. De día o de noche.

CAPÍTULO 23

LOS ASESINATOS DE AARON PETERS, Tom McGrath y Edita Kravic pasaron a un segundo plano después de la masacre. El jefe Michaels ordenó prácticamente a toda la Unidad de Casos Especiales que trabajaran en la matanza de la fábrica.

El FBI asignó a otros dos agentes al caso. También contamos con la ayuda de la DEA. A primera hora de la tarde se convocó a todas las fuerzas en una sala que normalmente se usa para reunir a las patrullas.

Cuando entró el jefe Michaels, la sala estaba llena; lo seguían Ned Mahoney, un chico con la cabeza rapada al que no reconocí y Bree. No la había visto en toda la mañana, desde que habíamos vuelto a la fábrica para neutralizar y desmantelar el laboratorio de metanfetamina.

Me sonrió, me miró con los ojos muy abiertos y, con los labios, pronunció la palabra «Mensaje».

Fruncí el ceño, metí la mano en el bolsillo, saqué el móvil y me di cuenta de que había desconectado las alertas. Tenía varios mensajes de texto de Bree. Los tres primeros decían: «Llámame».

Y el último: «Bueno, no te lo vas a creer».

–Una matanza como esta no quedará sin respuesta –empezó el jefe Michaels–. No se puede asesinar a veintidós personas sin hacer frente a un castigo.

Todos los presentes en la sala se pusieron serios. Muchos asintieron con la cabeza.

–El FBI, la DEA y el departamento de Policía del D.C. se han comprometido a una cooperación total para logarlo –dijo el jefe Michaels–. Nuestra nueva jefa de detectives, Bree Stone, supervisará los enlaces con el agente Mahoney del FBI y con el agente especial de la DEA en funciones del distrito, George Potter.

Sampson me susurró al oído.

–Te has quedado boquiabierto.

Cerré la boca y sonreí, sintiéndome mucho más que orgulloso. ¿Cómo no lo había visto venir?

Bree se acercó al micrófono y asintió con la cabeza hacia mí, muy profesional.

En una pantalla colocada en un rincón aparecieron un montón de fotografías.

–Hasta ahora tenemos confirmadas las identidades de veinte de las veintidós víctimas –dijo Bree–. Cualquiera de esas personas podría estar relacionada con los asesinos, por lo que vamos a necesitar informes de todas ellas.

Bree le hizo un gesto con la cabeza a alguien y las fotos quedaron reducidas a cinco.

–De esto no se ha informado aún, pero tenemos bastantes datos de estas cinco personas gracias a una testigo que se presentó ayer a última hora de la noche –dijo Bree–. Las cinco iban a la misma clase del programa de Química de posgrado de la Universidad de Georgetown.

Esto provocó un murmullo entre los asistentes. ¿Georgetown? ¿Químicos de una prestigiosa universidad dirigiendo un laboratorio de cristal?

Bree señaló una foto de un hombre de pelo oscuro rizado y dijo:

–Este es Laxman Dalal. Veintidós años. Aspirante a doctor. Nacido en Bombay, se matriculó en la Universidad del Sur de California y terminó sus estudios en dos años. Creemos que era el cerebro y el impulsor del laboratorio de drogas.

Entonces Bree contó la historia de cuatro personas muy inteligentes y motivadas que habrían sido seducidas para delinquir y ganar dinero fácil por Laxman Dalal, un hombre a quien Campbell había descrito como «brillante, carismático y moralmente corrupto».

–Evidentemente, Dalal creía que las leyes no se le podían aplicar a él –dijo Bree–. Con su inteligencia y su personalidad convenció a sus compañeros de estudios, incluido el exnovio de Alexandra Campbell, Carlo Puente, de que podían ganar un montón de dinero elaborando cristal por las noches, los fines de semana y durante las vacaciones de verano.

Consiguieron buenos resultados enseguida y su negocio ilegal empezó a crecer a toda velocidad. Campbell dijo que había empezado en un pequeño garaje del sudeste del D. C., pero pronto se trasladaron a la fábrica de Anacostia.

–Campbell dijo que, en marzo, su novio le había enseñado bolsas llenas de dinero –continuó Bree–. Fue entonces cuando ella decidió romper con Puente. Declaró que le dijo a Dalal que conseguiría que lo matasen. Y así fue. Esto es todo cuanto tenía que decirles. ¿Agente especial Potter?

Bree se alejó del atril y el agente de la DEA ocupó su lugar.

–Antes del año pasado –empezó Potter– les habría dicho que no había ninguna banda de narcotraficantes lo bastante osada o capaz de cometer una masacre como esta. Sin embargo, en los últimos seis meses, en el norte de México y en el desierto del suroeste hemos detectado un aumento significativo de las guerras territoriales. Los traficantes disparaban y dejaban atrás los cadáveres. Los laboratorios como este se iban al garete. Cuando estuve en El Paso, parecía como si hubiera un grupo empeñado en arrinconar el mercado de drogas ilegales, estableciendo una especie de supercártel dispuesto a matar a cualquiera que se cruzara en su camino.

–¿Sabemos cómo se llama ese supercártel? –pregunté–. ¿Gente involucrada?

Potter me miró y dijo:

–Ojalá fuera así, doctor Cross. En El Paso fue como si persiguiera a un fantasma, y luego ya me trasladaron aquí.

–¿Tenía alguna información sobre esa fábrica? –preguntó Sampson.

–Ha sido una gran sorpresa tanto para nosotros como para ustedes –respondió Potter, y suspiró–. Pero, una vez más, nos han faltado efectivos. Recortes de presupuesto.

Ned Mahoney se aclaró la garganta y dijo:

–No sé nada sobre un supercártel, pero creo que tiene razón en señalar lo osado de este caso. Hay que tener mucha sangre fría para hacer algo así, por lo que creo que debemos convenir desde un principio que ha sido un acto ejecutado por profesionales y proceder a partir de aquí.

–Sin duda alguna –dijo Potter–. Esos tipos estaban muy bien preparados.

–¿Nivel SWAT? –preguntó Bree.

–Creo que nos enfrentamos a un grupo que está unos cuantos pasos por delante de los SWAT –dijo Mahoney–. Como mínimo, parece un comando entrenado.

–Entonces, ¿mercenarios? –preguntó Sampson.

–Podría ser –respondió Mahoney–. Hay muchas empresas de seguridad privada ahora que Irak y Afganistán han bajado las revoluciones. No creo que sea muy difícil reunir a un equipo de élite si hay dinero de por medio.

–Sigue pensando en eso –dijo Bree asintiendo con la cabeza.

En la pantalla, ampliadas, aparecieron las fotografías de los dos desconocidos que quedaban.

–Creemos que estos dos eran los que se ocupaban del dinero –dijo Bree–. Ya fuera financiando la construcción del laboratorio y el equipo o porque estaban implicados en la venta de...

Entonces empezó a sonar el teléfono de Mahoney. Y el de Bree también. Y el de Potter.

Todos fueron a por sus móviles. Bree lo tenía en la mano. Tras escanear la pantalla, se puso tensa y dijo:

–Ha habido dos nuevos asaltos a laboratorios de drogas. Uno en Newark y otro en una zona rural de Connecticut. En ambos lugares se confirman múltiples víctimas mortales.

CAPÍTULO 24

LOS DOS LABORATORIOS DE METANFETAMINA fueron asaltados con pocos minutos de diferencia y con la misma atención por los detalles. Toda la gente que estaba en su interior había muerto. Y no se encontraron casquillos en ninguna de las dos escenas del crimen. En ambos casos se hallaron intactos cientos de miles de dólares y muchos kilos de cristal.

En ese momento Ned Mahoney y el FBI asumieron el mando de una investigación a gran escala. Tres masacres diferentes en tres estados distintos así lo exigían, aunque la jefa de detectives Bree Stone seguía estando al frente de los asesinatos de Anacostia.

Al principio me resultó un poco extraño que mi mujer fuera mi jefa, pero luego me di cuenta de que, en casa, ella y Nana Mama eran las que llevaban la voz cantante y lo superé. Y lo que era incluso mejor, Bree era buena como jefa. Lo fue desde el primer momento. Tenía un don para activar mecanismos y conseguir lo que necesitabas.

A pesar de sus esfuerzos, durante varios días no hicimos demasiados progresos. Pero noventa y seis horas después de haber llegado a la escena de la masacre de Anacostia, identificamos a los dos empresarios muertos a través de informes de personas desaparecidas en Virginia y Maryland.

Chandler Keen, de Falls Church, dirigía una pequeña empresa de inversiones que estaba siendo investigada actualmente por la Comisión de Bolsa y Valores. Matthew Franks era un promotor inmobiliario radicado en Bethesda que se había enfrentado a varios juicios multimillonarios por incumplimiento de contrato.

El FBI había hecho redadas en sus despachos y en sus domicilios, pero llevaría tiempo analizar las pruebas incautadas. Pero ya estaba claro que ambos tenían buenas razones para involucrarse en el lucrativo negocio de la elaboración ilegal de drogas. Sin embargo, cómo se había desarrollado todo y por qué ellos y veinte personas más habían sido asesinadas era algo que seguía siendo un misterio.

Las cadenas de noticias, lógicamente, se volvieron locas con el caso, sobre todo por su relación con la Universidad de Georgetown. Los estudiantes habían vuelto al campus y algunos de ellos estaban ansiosos por hablar. En consecuencia, sabíamos muchas más cosas sobre las cinco víctimas pero nada que hiciera avanzar la investigación.

La sexta mañana después de la masacre le dije a Bree que volvería a trabajar en el caso de Tom McGrath mientras esperábamos a que los forenses nos dieran alguna pista tangible sobre los asesinatos de la fábrica.

–Ojalá pudiera acompañarte –dijo sentada detrás de su escritorio con un montón de papeles delante–. Pero entre las llamadas de los mandamases y la toma de decisiones, tendré que quedarme aquí durante un tiempo.

–Lo siento por ti. Sigue el consejo de mi padre: delega lo peor de todo esto.

–No puedo delegar nada hasta que entienda el trabajo.

–Es verdad –le dije–. Lo estás haciendo muy bien, por cierto.

–¿Tú crees?

–No soy el único. Sigue fiándote de tu instinto.

Bree se echó a reír.

–De momento es todo lo que tengo. ¿Adónde vas?

Le dije que iba en busca de un estudiante de Derecho de la American University llamado JohnnyBoy5.

CAPÍTULO 25

SAMPSON Y YO VISITAMOS LAS OFICINAS de la facultad de Derecho de la American University. Explicamos que estábamos trabajando en el caso del asesinato de Edita Kravic y eso nos proporcionó quince minutos con el decano, quien nos dijo que Kravic había sido una alumna estrella, un modelo para los estudiantes extranjeros y para las mujeres que ingresaban en la universidad a una edad relativamente tardía.

–Entonces, podríamos conseguir alguna ayuda –le dije, y le hablé de JohnnyBoy5–. Ese es su nombre en Internet, pero estudia aquí y queremos hablar con él. ¿Sabría decirnos quién es?

–¿Puedo preguntar por qué? –dijo el decano.

–Estaba obsesionado con la señorita Kravic –dijo Sampson–. Puede que lo bastante como para asesinarla a ella y al jefe McGrath.

El decano se estremeció ante la idea de que uno de sus alumnos pudiera haber asesinado a otro, así como al jefe de Policía. Tras vacilar, dijo:

–Hay un problema de privacidad.

–¿Más importante que llevar al autor de un doble

asesinato ante la Justicia? –dije simple y llanamente–. ¿Tendremos que acudir a la prensa y decir que el decano de una facultad de Derecho está obstruyendo la búsqueda del asesino de un policía?

Cinco minutos más tarde teníamos una cuenta de un tal John Boynton, conocido también como Johnny-Boy5, un estudiante de segundo curso de Derecho procedente de Indiana que en ese preciso momento asistía a un cursillo de verano sobre agravios en el anfiteatro de la facultad. El decano nos envió un mensaje de texto con su foto.

Esperamos en el pasillo de la segunda planta de la facultad de Derecho a que terminara la clase. Una multitud de estudiantes empezó a abandonar el anfiteatro y no tardé en ver a JohnnyBoy5, que aún estaba en el interior del aula, a unos seis metros de la puerta.

–Fíjate en su peinado –dije.

–Ya lo veo –contestó Sampson–. Llamativo.

No sé qué fue lo que reveló nuestras intenciones a Boynton. Quizás fuera su instinto de Spider-Man. O quizás solo el recuerdo de un tipo muy corpulento amenazándole con romperle la cara. Fuera lo que fuera, el chico de pelo rubio en punta nos miró y empujó a varios alumnos con fuerza para abrirse paso, haciendo que varios de ellos se tambalearan y cayeran como un dominó. Luego se dio la vuelta y se perdió por el anfiteatro.

–¡Hijo de perra! ¡Se escapa! –exclamó Sampson, que sacó su arma y fue tras él, apartando a los estudiantes de su camino y gritando–: ¡Policía! ¡Deténgase!

Tomé otro camino, corriendo por el pasillo en dirección a una señal que indicaba una salida. Abrí la puerta y bajé las escaleras de cuatro en cuatro. Cuando llegué al final, abrí una segunda puerta y vi a un grupo de estudiantes huyendo del anfiteatro a través de una salida que había al final de la sala.

Una chica miró por encima del hombro y gritó. Me metí en el cuarto del conserje ubicado junto a la escalera y dejé la puerta abierta. Boynton salió del anfiteatro aplastando a la gente a su paso, y corrió por el pasillo directamente hacia mí. Esperé hasta que pasó por delante de donde me encontraba y lo golpeé con fuerza en la espalda con el mango de una fregona industrial.

JohnnyBoy5 chocó contra la puerta de la escalera y cayó redondo al suelo, gimoteando.

CAPÍTULO 26

BOYNTON SE SENTÓ EN EL SUELO, se tapó la nariz, que estaba sangrando, y emitió un gemido.

–Voy a demandarlo. Sea quien sea usted, voy a demandarlo.

–No, no lo harás –dije mientras Sampson venía hacia mí–. Somos detectives del departamento de Homicidios y estamos investigando el asesinato de Edita Kravic. Vimos los correos electrónicos que le mandaste.

Al oír esto, se estremeció. Se limpió la nariz, gimió y murmuró:

–Tuve una mala reacción a un genérico de Singulair, un medicamento para el asma. Hablen con mi alergólogo. Me dijo que, en algunos casos extremos, podía convertirte en un maníaco. Está claro que eso es lo que me ocurrió.

–Algunas de las cosas que escribiste sonaban amenazadoras y psicóticas –dije–. Ella iba a pedir una orden de alejamiento contra ti.

Sus hombros se derrumbaron.

–Detective, le juro que quien escribió esas cosas no era el auténtico John Boynton. Era una versión narcotizada y demente de mí. Dos días después de haber dejado de tomar esa maldita droga estaba bien.

La forma en que lo dijo, tocado y hundido, me hizo creer que era posible que algunos de los mensajes los hubiera provocado una mala reacción a una droga.

–De acuerdo, dejemos de lado esos correos electrónicos –dije–. Lo cierto es que parece que desarrollaste una obsesión cada vez mayor por Edita Kravic desde que empezaste a estudiar Derecho. ¿La amabas?

Boynton parecía estar dispuesto a negarlo, pero pronto se rindió y asintió con la cabeza.

–Pensé que era perfecta.

–Pero ella no sentía lo mismo por ti.

–Al principio le gusté, pero me comporté de un modo extraño por culpa de ese medicamento.

–En una ocasión le escribiste acusándola de haber contratado a un matón para que te amenazara.

–Ese hombre me dijo que cogería un bate de béisbol y que me rompería la cabeza si no cortaba todo contacto con Edita.

–¿Quién era?

Boynton se encogió de hombros.

–El policía con el que se acostaba, el hombre junto al que murió.

Algo en su forma de moverse en ese momento me permitió reconocerlo: era el tipo de la mochila que había salido corriendo del apartamento de McGrath.

–¿Puedo ir a un hospital, por favor? –se quejó.

–Cuando hayamos terminado de hablar –le dije–. No vas a morir por una hemorragia nasal. ¿Por qué entraste en la casa del jefe McGrath?

Tras vacilar un momento, Boynton dijo:

–Ella me lo pidió.

–Mientes.

–Es verdad.

Boynton afirmó que Edita lo había llamado; le dijo que había investigado un poco y que se creía lo del medicamento. También le dijo que tenía problemas y que necesitaba su ayuda. Quedaron y ella le pidió que robara el ordenador portátil de McGrath.

–Me dijo que McGrath tenía cosas en su ordenador que podrían ocasionarle a ella graves problemas, impedir que se convirtiera en abogada –dijo Boynton.

–¿Qué clase de cosas?

–No me lo dijo, pero fue convincente –respondió Boynton–. Podías captarlo en su voz y deducirlo de su lenguaje corporal. Le daba miedo lo que él tenía en su portátil.

Recordando los correos electrónicos que había visto en el ordenador de Edita, dije:

–¿Se suponía que debías encontrarte con ella a las diez la noche antes de que fuera asesinada?

Boynton asintió y dijo que ella se presentó más tarde, alrededor de las once, para entregarle la llave del apartamento de McGrath y mantener relaciones sexuales con él.

–¿Edita se acostaba con los dos? –preguntó Sampson enarcando las cejas.

–Iba a romper con McGrath después de que yo le entregara el portátil –dijo Boynton con expresión alicaída–. Por fin iba a ser mía.

Aquella noche, antes de abandonar el apartamento

de Boynton, Edita le dijo que a la mañana siguiente, temprano, llevaría a McGrath a una clase de yoga y que luego desayunarían en el apartamento de ella. Boynton dispondría de mucho tiempo para utilizar la llave y hacerse con el ordenador portátil. Pensé en ello y me acordé de Boynton huyendo a la carrera de la casa de McGrath con la mochila. Todo encajaba de un modo extraño.

Boynton dijo que tenía el ordenador portátil en su apartamento. Lo obligamos a ponerse de rodillas, lo esposamos y le dijimos que pasaríamos por su casa de camino al hospital.

–¿Estoy detenido? Me expulsarán de la facultad.

–De momento estás bajo custodia –le dije.

En el coche, durante el trayecto hasta su apartamento, me di la vuelta en el asiento delantero y lo miré.

–Durante tu fase maníaca, en uno de tus correos electrónicos escribiste algo así como: «Sé lo que haces, Edita, y se lo contaré a todo el mundo». ¿A qué te referías?

El miedo cruzó el rostro tumefacto de Boynton.

–Solo me estaba tirando un farol, ¿sabe? Todo el mundo tiene un secreto, de modo que pensé que...

–Me estás mintiendo, Boynton –dije lanzando un suspiro–. Cada vez que mientes, estás más cerca de ser detenido y de tu final en la facultad de Derecho. Así pues, ¿qué es lo que sabes?

–Yo... la seguí algunas veces.

–¿La acosabas? –le preguntó Sampson.

–Solo la seguía. Quería ver lo que hacía cuando no estaba en la facultad. Eso es todo.

–Al grano –dijo Sampson–. ¿Adónde iba?

–A un local de Vienna, en Virginia, el Club Phoenix. Nos dijo que Edita solía ir allí tres o cuatro días a la semana. A menudo se quedaba hasta después de la medianoche. Boynton intentó entrar una vez, pero le dijeron que era un club privado. Dejó de seguirla en cuanto se dio cuenta de que había alguien más siguiéndola.

–¿Quién? –preguntó Sampson.

–Otro policía –dijo Boynton–. Al menos, hablaba como un policía.

–¿Te pilló siguiendo a Edita?

–Dos veces. La segunda vez me dijo que la estaba vigilando y que debía dejar de seguirla o me detendría por obstrucción a la Justicia.

–¿Su nombre?

–Nunca me lo dijo.

–¿Te mostró la placa en alguna ocasión?

Boynton negó con la cabeza.

–Pero, como he dicho, se comportaba como un policía.

–¿Cómo era? –le pregunté.

–Alto, corpulento, pero no tenía buen aspecto, como si estuviera enfermo o algo así. Tosía mucho. Y llevaba una gorra roja de los Redskins.

CAPÍTULO 27

BREE SE LAS ARREGLÓ para alejarse del papeleo y tres horas más tarde Kurt Muller, ella y yo aparcamos delante del deprimente edificio de apartamentos de Terry Howard, al noreste del D. C.

Habíamos recuperado el ordenador portátil de McGrath y nos lo llevamos al centro junto con Boynton. Los detectives Lincoln y O'Donnell se hicieron cargo del portátil, con órdenes de buscar cualquier cosa relacionada con Edita o el Club Phoenix. Sampson se quedó para tomarle una declaración completa a Boynton.

Nos quedamos en el vestíbulo y llamamos tres veces al apartamento de Howard sin obtener respuesta. Tocamos los timbres de los otros cinco apartamentos, pero era un día laborable y todo el mundo estaba fuera. Nadie respondió.

–Llámalo por teléfono –dije.

Bree buscó el número de Howard y lo pulsó. Ninguna respuesta. Saltó el buzón de voz.

Estábamos a punto de irnos cuando Muller vio un destartalado Dodge de cuatro puertas aparcado al otro lado de la calle.

–Es el coche de Howard. Está aquí, solo que no contesta.

–Quizá ha ido andando a alguna parte –dijo Bree–. O en metro.

–Por la forma en que tosía y jadeaba la última vez que lo vi, no lo creo –dije.

–¿Dónde está su apartamento?

–En el tercer piso, da a la parte de atrás.

Nos metimos en el callejón y localizamos el apartamento de Howard y la escalera de incendios. Levanté a Bree, que agarró la escalera y tiró de ella hacia abajo. Subimos los tres pisos y nos quedamos fuera, delante de la ventana de la cocina.

El fregadero estaba lleno de platos. Una mesita y el resto de superficies estaban repletas de bebidas alcohólicas y botellas de cerveza. Había otra ventana, con la persiana ligeramente levantada, que daba a un pequeño comedor y a parte de la sala de estar donde Sampson y yo habíamos hablado con Howard. Vimos que la televisión estaba encendida, sintonizada en el canal de deportes ESPN.

–Vuelve a llamarlo –dije.

Bree pulsó su número otra vez y casi de inmediato oímos el timbre de un teléfono antiguo de sobremesa en el interior del apartamento. El timbre dejó de sonar.

–Buzón de voz –dijo Bree.

–Eso es una prueba suficiente para entrar y comprobar si está bien, ¿no te parece, jefa?

Bree vaciló y dijo:

–No habrá ninguna prueba obtenida ilegalmente.

Asintiendo, levanté el marco de la ventana y me encaramé a ella.

–¿Terry Howard? –grité–. Soy Alex Cross. Solo estamos comprobando que te encuentras bien.

Aunque no hubo respuesta, enseguida oí el gorjeo de un pájaro.

–Es Sylvia Plath –dije ayudando a Bree y a Muller a entrar–. Su periquito neurótico.

–Howard siempre ha tenido un sentido del humor retorcido –dijo Muller.

Entramos en el apartamento. Pasamos junto a la mesa del comedor, enterrada bajo montones de periódicos viejos, y llegamos hasta la jaula del periquito, que se movía de un lado a otro en su percha chillando, meneando la cabeza y picoteándose violentamente su piel desplumada, muy nervioso.

En la sala de estar vimos lo que había ocurrido.

Terry Howard estaba sentado en su butaca, frente al televisor; había manchas de sangre en el techo y en las paredes. Al parecer, se había introducido una pistola en la boca y se había disparado. Le faltaba una buena parte del cráneo. A su lado, en el suelo, estaba su gorra roja de los Redskins, también manchada de sangre.

Una botella vacía de Smirnoff y una pistola Remington 1911 del calibre 45, la misma arma con la que habían matado a su antiguo compañero Tom McGrath, descansaban en el regazo de Howard.

En el suelo, a su lado, había una nota escrita a mano.

«Púdrete en el infierno, Tommy McG –decía–. Tú y la puta mentirosa de tu novia».

CAPÍTULO 28

–¿CASO CERRADO? –preguntó Sampson al pasar junto al Parque Nacional para las Artes Escénicas Wolf Trap, en Virginia del Norte.

–Bree cree que sí –le dije–. Y Michaels también. Cuesta digerirlo, pero ahí está.

–¿No te convence?

–Solo estoy intentando entender toda la situación antes de que declaremos que ha sido un asesinato por venganza y un suicidio. Gira a la derecha.

Sampson lo hizo y luego giró a la izquierda. Entramos en un barrio de extensas fincas con casas carísimas, algunas de ellas con altos muros y puertas de seguridad. Estaba anocheciendo y las luces parpadeaban.

–Hacia arriba, a la derecha –le indiqué.

Sampson redujo la marcha y puso el intermitente. Subimos por una calle estrecha de unos treinta metros de largo, con jardines a ambos lados. Al final había una caseta de vigilancia, una pequeña rotonda para dar la vuelta y una puerta de seguridad de acero flanqueada por un muro muy alto.

El letrero de latón pulido de la caseta de vigilancia rezaba: «Club Phoenix. Privado. Solo para socios».

Apenas había llegado a la rotonda cuando salió de la caseta un tipo corpulento y musculoso vestido con un polo azul con el emblema del Club Phoenix en el pecho y una pistola Glock enfundada en la cintura.

Levantó la mano y se acercó a la ventanilla del conductor.

–¿Son socios? –preguntó con un marcado acento de Europa del Este.

–No –contestó Sampson mostrándole su placa y su identificación–. Tenemos que hablar con alguien sobre Edita Kravic.

–No la conozco –dijo el hombre, que no parecía demasiado impresionado por el hecho de que fuéramos policías.

–Trabajaba aquí, y ahora está muerta –dijo Sampson–. Así que entre y llame a quienquiera que la conociera y dígale que no nos iremos hasta que hayamos hablado de ella con alguien.

El guardia miró fijamente a Sampson, que le devolvió la mirada. Entonces el vigilante se mordió el labio y se metió en la caseta.

Veinte minutos más tarde se abrieron las puertas y salió un carro de golf conducido por un tipo calvo vestido con un traje azul a medida. Detuvo el carro y se bajó. Tendría treinta y tantos años, las orejas ligeramente deformadas, los ojos de color azul claro y unas manos extraordinariamente grandes cuyos nudillos se habían roto unas cuantas veces.

–Soy Sergei Bogrov –dijo dándome la mano y poniendo la otra, parecida a un mitón, encima de la mía, engulléndola–. Ayudo en la gestión del club. ¿En qué puedo ayudarlos?

–Edita Kravic –le dije–. Trabajaba aquí.

El rostro de Bogrov se ensombreció y me soltó la mano.

–Sí, nos hemos enterado. Muy triste. El personal y los socios la apreciaban mucho.

–¿Qué hacía?

–Daba una clase que combinaba el yoga con el método Feldenkrais.

–¿Instructora de nivel 2?

–Exacto –dijo Bogrov–. También trabajaba en el *spa* como masajista. Era muy buena.

–¿Y eso da mucho dinero? –preguntó Sampson.

–Si el socio es generoso con las propinas, puede ser –dijo Bogrov.

–Entonces, ¿qué es el Club Phoenix? –le pregunté–. Un *spa* y...

–Cuenta con piscinas, pistas de tenis, gimnasio, un excelente restaurante privado, una amplia bodega, el mejor bar de Virginia y la presencia de gente que ha conseguido muchas cosas en la vida y que merece más –dijo Bogrov.

–Parece que esté usted haciendo una campaña de *marketing* –dijo Sampson.

Bogrov sonrió.

–Me han pillado.

–¿Podemos echar un vistazo? –le pregunté.

–Me temo que eso no es posible –contestó Bogrov–. Nuestros socios pertenecen al club tanto por su estricta privacidad como por sus instalaciones.

–Podríamos conseguir una orden judicial –dijo Sampson.

Bogrov abandonó su actitud amable y dijo:

–¿Basándose en qué, detective?

–El asesinato de un jefe de policía del D. C. y de su confidente.

Bogrov entornó los ojos.

–Se lo vuelvo a preguntar, ¿basándose en qué? Sí, sé junto a quién fue asesinada Edita, pero ¿qué relación tiene eso con mi club?

–De momento no puedo decírselo.

–Eso significa que no tienen nada –dijo Bogrov haciendo un gesto despectivo con su gigantesca mano–. Y teniendo en cuenta que pertenecen ustedes al distrito de Columbia y no a la mancomunidad de Virginia, no tienen jurisdicción aquí. Por eso les pido con cortesía pero con firmeza que abandonen esta propiedad.

CAPÍTULO 29

ME DESPERTÉ DE UN SUEÑO PROFUNDO y vi a Jannie de pie junto a mi cama, sosteniendo sus zapatillas deportivas.

Aturdido, miré el reloj. Las seis menos diez. Entonces recordé que le había dicho que me despertara para salir a correr juntos. Había trabajado tanto que no entrenaba con la regularidad de siempre y había engordado dos kilos que no me sentaban nada bien.

Así que asentí y me levanté, dejando a Bree dormitando plácidamente. Me vestí en el baño, bajé a la cocina y me preparé una taza de café instantáneo. Mientras me la tomaba, intenté reunir fuerzas para atarme los cordones. No iba a ser una carrera divertida, sino más bien una tortura.

–¿Papá?

Reprimiendo un bostezo, alcé la vista y vi que Ali estaba allí de pie, frotándose los ojos.

–¿Qué haces levantado tan temprano, hijo? –le pregunté.

–No podía dormir –dijo acercándose para acurrucarse junto a mí, lo cual no me ayudó en mis planes para salir a correr.

Aunque podría haberme quedado dormido allí mismo con mi hijo pequeño entre mis brazos, dije:

–¿No podías dormir? ¿O no podías seguir durmiendo?

–Ambas cosas –contestó Ali–. Tengo muchos temas en los que pensar.

–¿En serio? –dije cerrando los ojos–. ¿Como cuáles?

–El tiempo –dijo Ali–. Y en que es como una curva moviéndose a la velocidad de la luz. Neil deGrasse Tyson dijo que eso es lo que sucede, así que debe ser verdad.

Abrí los ojos, pensando en lo extraño que era tener esta conversación con un niño de siete años.

–Creo que Einstein descubrió eso.

–Lo sé –dijo Ali–. Lo cual hace que sea doblemente cierto, y ese es el problema. Por eso no puedo dormir.

–No lo entiendo.

–No soy capaz de imaginármelo... Ya sabes, el tiempo como una curva.

–¿Y por eso te dormiste tarde y te has levantado temprano?

–Sí –dijo Ali acurrucándose aún más en mi regazo–. ¿Me lo puedes explicar?

Tuve que hacer un esfuerzo para no echarme a reír.

–Oh, no –dije–. La física no es mi fuerte, ni siquiera cuando he descansado.

–Oh –dijo Ali–. He pensado que quizás sea como cuando estás soñando y parece que pase muchísimo tiempo, aunque los científicos que estudian el cerebro dicen que solo sueñas entre tres y ocho minutos. ¿Eso tiene sentido?

Eso me despertó definitivamente. Me quedé mirando a mi hijo y me pregunté en qué se convertiría. Les había dicho a todos mis hijos que podían ser cualquier cosa que desearan de corazón mientras estuvieran dispuestos a luchar por ello. Pero en ese momento, Ali parecía no tener límites.

–¿Papá? ¿Eso tiene sentido?

–Jamás había oído la teoría de la relatividad de Einstein explicada de este modo y, sinceramente, no puedo decirte si tiene sentido, pero está claro que demostró tener mucha imaginación cuando se le ocurrió esa idea.

Ali sonrió y se mordió el labio.

–¿Crees que Neil deGrasse Tyson sabría si es así como funcionan los sueños? Ya sabes, ¿a la velocidad de la luz y con curvas de tiempo?

–Me imagino que si alguien lo sabe, tiene que ser Neil deGrasse Tyson.

–Pero él no está aquí –dijo Ali–. En el Smithsonian, quiero decir.

–No, está en Nueva York. En el Museo de Historia Natural, creo.

–¿Crees que podría llamarlo y preguntárselo?

Me eché a reír.

–¿Quieres llamar al doctor Tyson y hablarle de tu teoría?

–Exacto. ¿Puedo hacerlo, papá?

–No tengo su número de teléfono.

–¡Oh! –dijo Ali–. ¿Quién podría tenerlo?

Jannie apareció en el umbral de la puerta.

–Papá, ni siquiera te has puesto las zapatillas.

–Las llevo puestas, solo que no me he atado los cordones –dije dando un empujoncito a Ali.

Cuando se bajó de mi regazo, dijo a regañadientes:

–¿Papá?

–Lo investigo y te digo algo, ¿de acuerdo?

Ali, más contento, dijo:

–Voy a ver *Origins* hasta que Nana Mama se levante para preparar el desayuno.

–Excelente idea –gruñí, y me até los cordones de las zapatillas.

CAPÍTULO 30

—POR FIN —DIJO JANNIE cuando salí al porche, donde estaba haciendo estiramientos.

–Tu hermano tenía muchas preguntas.

–Como de costumbre –dijo Jannie en un tono de voz ligeramente molesto–. ¿De dónde sale con esas cosas? Sueños, tiempo y, qué se yo, ¿el universo?

–Es por esos programas que ve –dije intentando estirar las caderas y fracasando estrepitosamente en el intento–. Y también por Internet.

–Es el único niño que conozco que piensa así –dijo Jannie.

–Eso es bueno.

–Supongo que sí. Ahora ya está claro que va a ser un empollón.

–En la actualidad, los empollones son quienes gobiernan el mundo, ¿o no te habías dado cuenta de ello?

Jannie pensó en lo que acababa de decirle y contestó:

–Bueno, supongo que está bien que mi hermano estudie para gobernar el mundo.

–Por decirlo de algún modo.

–Exacto. –Jannie sonrió–. Y ahora, ¿vamos a salir a correr o no?

–Para serte sincero, preferiría no hacerlo.

–¿Tengo que recordarte los cuatro kilos que debes perder?

–¡Ay! –exclamé–. Y son dos.

Jannie se cruzó de brazos y arqueó una ceja, escéptica.

–Vale, tres –dije–. Y vámonos ya antes de que me dé por comerme unos donuts.

Jannie se volvió, empezó a moverse y se convirtió en otra persona. Era algo muy extraño, pensé cuando echó a andar a zancadas por la acera y yo ya estaba jadeando. Estaba mi hija, Jannie, que tenía que hacer un esfuerzo por quedarse quieta y triunfar en el instituto. Y luego estaba Jannie Cross, que corría sin hacer ningún esfuerzo.

Jannie siguió avanzando a su paso hasta el final de la manzana y entonces retrocedió hasta mí.

–Abusona –dije.

–Estás sudando –me dijo ella–. Eso es bueno.

–¿Hasta dónde vamos? –le pregunté.

–Correremos cinco kilómetros.

–Gracias por ser compasiva.

–La idea es que mañana quieras salir a correr otra vez.

–Vale –dije sin entusiasmo.

Pasamos por delante de los cuarteles de la Marina y oímos a los soldados entrenando. Y también dejamos atrás la tienda de comestibles de Chung Sun Chung, la mejor de toda la zona. Como de costumbre, estaba haciendo un buen negocio. En el escaparate, el cartel del Powerball decía que el bote rondaba los cincuenta millones de dólares.

–Recuérdame que pare cuando volvamos y recoja los boletos de Nana Mama –dije.

–¿Alguna vez has ganado algo?

–No.

–¿Y Nana Mama?

–Dos veces. En una ocasión ganó diez mil dólares y en otra veinticinco mil.

–¿Cuándo fue eso?

–Antes de que yo empezara a ir a la universidad.

–Entonces hace mucho tiempo.

–En el Paleolítico –dije.

–Debe ser por eso que corres como un mastodonte.

Jannie se rio, echó a correr a toda velocidad hasta el final de la manzana y retrocedió de nuevo hasta mí.

–¿Un mastodonte? –dije tratando de hacerme el ofendido.

–¿Un tigre con dientes de sable intentando ponerse en forma?

–Mucho mejor.

Corrimos durante varios minutos antes de que Jannie dijera:

–Dime, ¿por qué os peleasteis Bree y tú anoche?

–No nos peleamos –dije–. Estuvimos discutiendo.

–Una discusión subida de tono.

–El tema era peliagudo –dije–. Además, Bree está sometida a mucha presión por los jefazos para conseguir que pase algo, algo que demuestre a la gente que la Policía Metropolitana de Washington D.C. aún está por encima de todo.

–¿Algo como qué? –me preguntó Jannie cuando pasamos por delante de la armería.

–Como resolver un caso de asesinato importante. El asesinato de Tommy McGrath.

–¿Estás a punto de arrestar a alguien?

–No, porque ayer el principal sospechoso se pegó un tiro.

Jannie sacudió la cabeza.

–No sé cómo podéis hacer frente a cosas como esa.

–Como todo, es cuestión de práctica.

–¿Y por qué se pegó un tiro? ¿Porque sospechabas y sabía que ibas detrás de él?

–Eso es lo que piensa Bree –dije–. Y también el jefe Michaels.

–Pero tú no opinas lo mismo.

Hice un esfuerzo por decidir hasta dónde podía contarle.

–Hay otras explicaciones sobre por qué el sospechoso querría suicidarse.

–¿Como cuáles?

–No puedo decírtelo.

–Ah.

–Y no sigas preguntándome sobre eso, ¿de acuerdo?

–Claro, papá. Es que me interesa.

–Aprecio tu interés por ello y por sacarme esta mañana de la cama.

Fuimos corriendo hasta el National Arboretum y, de regreso, la carrera no me supuso ni la mitad de la tortura que yo había esperado. Cuando volvimos a tener delante la tienda de Chung Sun Chung, la cola para la lotería era larguísima, de modo que pasamos de largo y nos dirigimos a casa.

Nana Mama estaba preparando huevos revueltos con beicon y Ali estaba absorto en sus *Origins*. Subí a la habitación; Bree se estaba duchando.

–Eh –dijo cuando me metí en la ducha.

–Lamento la discusión de anoche.

Bree asintió, me abrazó y dijo:

–Aún sigo creyendo que Howard lo hizo: mató a Tom y a Edita y luego se pegó un tiro.

–O Howard se pegó un tiro porque estaba en la fase cuatro de un cáncer de pulmón. O decía la verdad cuando afirmaba que no tenía una Remington 1911.

–O mentía sobre eso.

–O mentía sobre eso. O no mató a nadie y lo hizo alguien relacionado con el Club Phoenix. ¿Pactamos una tregua hasta que tengamos más datos?

Bree me abrazó con más fuerza.

–Ser jefa de detectives es complicado.

–Creo que estás haciendo un gran trabajo.

–El jefe Michaels no opina lo mismo.

–Claro que sí. Solo se siente presionado por el alcalde y el ayuntamiento.

–Voy a poder con esto, ¿verdad?

–Vamos a poder con esto.

CAPÍTULO 31

EL INFORME DE BALÍSTICA sobre la Remington del calibre 45 que mató a Terry Howard llegó alrededor de las diez y cuarto de aquella mañana. Se trataba de la misma pistola que habían utilizado para matar a Tom McGrath y a Edita Kravic.

–¿Caso cerrado? –dijo el jefe Michaels–. ¿Podemos informar de esto a la prensa?

–Sí –contestó Bree.

Yo no dije nada. El jefe se dio cuenta y dijo:

–¿Alex?

–Es posible que quiera informar de que hay pruebas sólidas de que lo hizo Howard, pero antes de archivar el caso aún hay algunos cabos sueltos de los que ocuparse.

–¿Qué cabos sueltos?

–El coche que utilizaron en el asesinato de McGrath. No era el de Howard. Y me gustaría ver una factura de compra que demuestre que Howard era realmente propietario de una Remington 1911. Todos los registros que he verificado dicen que tenía una Smith and Wesson.

El jefe Michaels miró a Bree y preguntó:

–¿Estás segura?

–Terry Howard odiaba a Tom –dijo Bree–. Howard había perdido su trabajo y tenía cáncer. Tom era jefe de detectives y tenía una novia más joven que él. Así pues, el rencor de Howard se convirtió en rabia y disparó a Tom y a Edita. Y luego se pegó un tiro pensando que al final acabaríamos atando cabos.

–Suena bastante convincente.

–O certero.

–Lo siento, Alex –dijo el jefe Michaels–. Estoy de acuerdo con la jefa Stone.

–La decisión no depende de mí, pero podré vivir con ella.

–Estupendo. ¿Y la masacre del laboratorio de drogas?

–Todo el mundo ha presionado a sus confidentes, pero en la calle nadie habla de pistoleros contratados. Solo las víctimas.

–¿Y eso significa que...?

–Son una fuerza externa –dije–. Muy bien preparada. Probablemente exmilitares. O justicieros.

–Alex –dijo Bree lanzando un suspiro.

–¿Justicieros? –dijo el jefe Michaels entornando los ojos–. ¿De dónde has sacado eso?

–En ninguno de los tres ataques se llevaron las drogas. Ni tampoco el dinero. Si piensas en ello, se trata de un mensaje enviado en voz alta y clara.

–¿Qué mensaje?

–«Deja de elaborar cristal o también te mataremos a ti».

El jefe Michaels pensó en eso unos momentos antes de mirar a Bree.

–No se hablará de justicieros antes de que tengamos algo más consistente.

Bree me miró y dijo:

–Hecho, señor.

Sampson y yo vimos la rueda de prensa de Bree en nuestro despacho. Aunque ella y yo no estábamos de acuerdo en ninguno de los dos casos, pensé que manejaba la situación con habilidad, y le agradecí que cuando dijo que las pruebas indicaban que Howard había matado a su excompañero añadiera que había algunos cabos sueltos que había que atar antes de que se pudiera dar por terminada la investigación.

No obstante, al comentar el asesinato en masa de la fábrica de drogas, Bree no hizo ninguna mención a los justicieros y apoyó la teoría de que estábamos lidiando con una guerra entre bandas de narcotraficantes y mercenarios.

–Espero que Bree tenga razón –dijo Sampson.

–En realidad, yo también –le dije.

–Llevamos días sin que se haya producido otro ataque.

–Es posible que no haya nada más y que lo que había que hacer es lo que se ha hecho.

–Sí –dijo Sampson–. ¿Te lo ha dicho tu instinto de Spider-Man?

–No tengo ningún instinto de Spider-Man. Ni siquiera soy capaz de elegir un número de lotería ganador.

–Vale, ¿y qué te dicen todos tus años de experiencia?

Tras pensarlo, dije:

–Esto no ha terminado. Ni mucho menos.

El detective Lincoln llamó a la puerta y dijo:

–McGrath tenía un código muy complicado en su ordenador. Tendremos que mandarlo al laboratorio.

–Mándalo a Quantico –le dije–. Intentaré que se ocupen de él de inmediato.

–Ahora mismo –respondió Lincoln, y se fue.

–Tengo la sensación de que nos estamos dando cabezazos contra la pared en cada aspecto de todos los casos que tenemos –dijo Sampson.

–Tienes la cabeza dura; conseguirás atravesarla.

–No hay coincidencia entre el arma de Howard y la que utilizó el tirador de Rock Creek.

–Ya lo he visto. ¿Has hablado con los compañeros del *lobby* de Aaron Peters? ¿Con su familia?

Sampson asintió y dijo que el conductor del Maserati estaba divorciado desde hacía cinco años. No tenía hijos. Era un picaflor. Tenía fama de ser un tipo despiadado, aunque no hasta el punto de provocar animosidad o deseos de venganza.

–Sus colegas comentaron que Peters era capaz de que sonrieras mientras te estaba rebanando el pescuezo –dijo Sampson.

–Una imagen encantadora –dije–. ¿Ha habido otros tiroteos parecidos?

Frunciendo el ceño, Sampson dijo:

–Lo investigaré. ¿Y tú qué vas a hacer?

–Creo que saldré a cazar mercenarios.

CAPÍTULO 32

TRES DÍAS DESPUÉS, Sampson y yo recorrimos en coche la costa oriental de Maryland en dirección al sur. Mirando hacia el oeste a través de la bahía de Chesapeake vi algo pálido y de color blanco en el cielo, a lo lejos. Entorné los ojos. El sol lo reveló.

–Hay un dirigible –dije–. Un par de ellos.

–No se ven muy a menudo. ¿Se celebra algún acontecimiento deportivo importante?

–No tengo ni idea –respondí antes de perderlos de vista.

Cuarenta minutos más tarde estábamos en la calle Nanticoke en Salisbury, Maryland. Los agricultores estaban cortando heno y cosechando maíz bajo el cálido resplandor del sol.

–Tengo la sensación de que vamos a patear un nido de avispas –dijo Sampson.

–O un cesto completamente lleno de cobras escupiendo veneno –contesté.

Me pregunté si no íbamos a enfrentarnos a algo que nos superaba presentándonos allí sin un equipo completo del SWAT que nos respaldara.

–El historial de este tipo es espeluznante.

Asintiendo, dije:

–De algún modo, tiene el currículum perfecto para ser un asesino de masas.

–Es un poco más adelante a la derecha, creo –dijo Sampson señalando a través del parabrisas una amplia zona cercada, plantada de árboles, que se encontraba entre dos granjas.

En la puerta cerrada había varios carteles colgados: «Los perros son la menor de sus preocupaciones», «Ni siquiera lo piense», «Zona de detonaciones», y mi favorito, «Un lunático anda suelto».

–Deberíamos replantearnos esto –dijo Sampson.

–Dolores dijo que, en general, suele ser bueno hasta que se pone el sol –le dije deteniendo el coche patrulla en el arcén, junto a la puerta.

Salí, sentí la brisa, olí el aire salado y escuché el agudo canto de las cigarras entre la maleza. Volví a mirar los letreros de la puerta, pensé en el camino que nos había llevado hasta allí y me pregunté si Sampson no estaría en lo cierto y deberíamos replantearnos esta visita sin previo aviso.

Tres días antes había empezado a buscar mercenarios que vivieran en la zona de Washington D. C. y me sorprendió que la cifra fuera tan alta. Sin embargo, en cuanto me lo explicaron, comprendí que tenía sentido. En 2008, en el apogeo de la guerra de Irak, había ciento cincuenta y cinco mil ochocientos veintiséis contratistas privados operando en Irak para apoyar a los ciento cincuenta y dos mil soldados estadounidenses. Los contratistas privados también superaban en número a las fuerzas militares de Estados Unidos en Afganistán. Entre las dos guerras, las estimaciones más optimistas afirman que hasta cuarenta mil hombres y mujeres estuvieron implicados en operaciones de seguridad y otras actividades militares privadas. Dicho de otro modo: pistoleros de alquiler. Dicho de otro modo: mercenarios.

La mayoría de ellos eran exsoldados de élite altamente cualificados que trabajaban a través de empresas de seguridad como Blackwater, que tenía su sede en Virginia del Norte. Estas empresas y los exsoldados habían ganado mucho dinero durante casi una década.

Y entonces se cerró el grifo. El presidente Obama ordenó la retirada de las tropas de Irak, y con ello se acabó la necesidad y el presupuesto para seguir contratando a personal procedente de la seguridad privada. De repente, hombres que habían estado ganando entre ciento cincuenta mil y medio millón de dólares al año en las zonas en guerra estaban buscando trabajo.

Un amigo mío que trabajaba en el Pentágono me dijo que probablemente unos cinco mil de estos mercenarios vivían en la capital de la nación y sus alrededores. Sin embargo, eso no significaba que hubiera un directorio con sus nombres.

Le pregunté a mi amigo si había alguien que tuviera mucha información sobre ese mundo, alguien que pudiera indicarnos la dirección que debíamos seguir. Ayer me llamó y me dio un número de teléfono.

Cuando llamé, me respondió una mujer.

–No se moleste en rastrear la llamada, detective Cross. Es un móvil de prepago. Y llámeme Dolores.

–Solo estoy buscando consejo, Dolores.

–Dispare.

Le pregunté a Dolores si se había enterado de la masacre en la fábrica de droga de Anacostia. Me contestó que sí. Le expliqué hasta qué punto habían llevado a cabo una operación limpia y que creíamos que en ella estaban implicados exmilitares.

–Tiene sentido –dijo Dolores.

–¿Se le ocurre algún candidato? ¿Alguien con preparación militar y con algún tipo de animadversión contra los narcotraficantes? ¿Alguien dispuesto a saltarse la ley y arrastrar a otros a cometer un asesinato en masa?

Hubo una pausa larga, muy larga. Finalmente, Dolores dijo:

–A bote pronto, solo se me ocurre un nombre.

Sacándome de mis pensamientos, Sampson se aclaró la garganta, haciendo un gesto en dirección a la puerta.

–Tú primero, Alex.

Con una sensación agria en la boca del estómago, avancé hacia la puerta de la casa de Nicholas Condon y trepé por la valla.

CAPÍTULO

33

LA NOCHE ANTERIOR, Sampson y yo habíamos visto las cuarenta y cinco hectáreas del imperio de Condon a través de Google Earth. Al otro lado de la puerta, un camino serpenteaba a través de bosques hasta una modesta granja con varios campos.

Ahora pudimos comprobar que aquel camino no se utilizaba con demasiada frecuencia y que su mantenimiento era incluso más esporádico: a ambos lados, tratando de obstruirlo, crecían frambuesas silvestres y malas hierbas.

–Saca la placa –le dije a Sampson–. Si lo ves, levantas los brazos y te identificas.

–¿Crees que le importará que seamos policías?

–No tengo ni idea –dije–. Pero es probable que un tipo con su historial se dé cuenta de que matar a un policía sería una estupidez.

–Eso resulta muy tranquilizador cuando te dispones a hablar con alguien que se considera a sí mismo un lunático suelto.

No podía rebatir la preocupación de Sampson. Condon se había graduado en la Academia Naval y había sido un francotirador increíblemente bueno en una unidad del Equipo 6 del SEAL. Una semana después de haber abandonado el Ejército por razones médicas, una empresa llamada Dyson Security le ofreció un contrato y lo mandó a Afganistán.

La reputación de Condon de tener sangre fría incluso en las situaciones más extremas se mantuvo después de dejar el Ejército, y enseguida lideró un equipo de Dyson especializado en proteger a políticos y dignatarios y en rescatar a contratistas secuestrados por los talibanes.

Uno de esos contratistas privados era una mujer estadounidense llamada Paula Healey que trabajó para tratar de mejorar la vida de las niñas afganas, lo que la convirtió en un objetivo de los fundamentalistas. Para Condon, Healey también era el amor de su vida.

Ella y otras tres mujeres fueron conducidas a las afueras de Kandahar. Después de varios meses, Condon se enteró de dónde tenían retenida a Healey: una remota aldea en una región conocida por el cultivo de amapolas y la producción de opio.

Condon y su equipo entraron en la aldea en plena noche. Tras un tiroteo con los talibanes locales, encontró a Healey colocada de opio y con un puñal clavado en el pecho. Era la única de las cuatro mujeres que seguía con vida. La habían violado en repetidas ocasiones y murió en los brazos de Condon.

Lo que ocurrió después depende del testimonio que uno decida creer. O los talibanes contraatacaron y Condon puso en peligro su vida repetidamente para acabar con ellos y conseguir que se retiraran, o un Condon enloquecido por el dolor y la rabia mató a todos los varones mayores de catorce años que quedaban en la aldea.

Se abrió una investigación y todos los operadores de seguridad respaldaron la versión de los hechos de Condon. Las viudas y las madres afirmaron que sus muertos no eran talibanes y que habían sido masacrados.

Al final Condon fue absuelto. Sin embargo, el hecho de haber perdido al amor de su vida lo cambió, convirtiéndolo en un tipo impredecible y violento. Dyson decidió que no podía seguir trabajando y le pagó de golpe todo el dinero de sus cinco años de contrato.

Condon invirtió ese dinero en comprar la finca por la que ahora estábamos caminando.

Dolores dijo que Condon era un ermitaño al que le gustaba cultivar la tierra y salir a pescar al mar solo en su bote. No confiaba en nadie que estuviera relacionado con el Gobierno. Sus únicas visitas, muy pocas, eran los hombres y las mujeres que habían servido con él en Irak y Afganistán.

Le pregunté a Dolores por qué sabía tantas cosas sobre él. Tras vacilar, me dijo:

–En una ocasión, mucho antes de que Nicholas conociera a Paula, yo fui el amor de su vida.

En el camino había una estaca en cuya parte superior ondeaba un trozo de cinta de color naranja. La rodeamos y entramos en el campo a cuarenta metros de su extremo oriental, donde había un terraplén de tierra de unos tres metros de altura con un enorme envase rojo de detergente Tide.

El campo que teníamos a nuestra derecha estaba en barbecho. Era largo y estrecho; se extendía unos trescientos metros hasta el otro extremo y alrededor de cincuenta hasta una lejana hilera de árboles.

–¿La casa está en el siguiente campo? –dijo Sampson cuando empezamos a recorrerlo.

–Eso es lo que yo...

No oímos el disparo, solo la bala rasgando el aire antes de que el envase de detergente Tide que había en el terraplén estallara como una mina terrestre, lanzando tierra, piedras y plástico derretido en todas las direcciones. Un penacho de humo gris se elevó hacia el cielo.

CAPÍTULO 34

EN CUANTO OÍMOS PASAR LA BALA junto a nosotros, nuestro instinto se puso en marcha. Ambos nos lanzamos a tierra cuando explotó la bomba.

Sampson y yo golpeamos el suelo y colocamos los brazos sobre la cabeza mientras los escombros caían sobre nosotros. Mi oído izquierdo zumbó y durante un momento me sentí desorientado.

Entonces, igual que un boxeador recuperándose de un puñetazo en la cabeza, me puse más en alerta. Busqué la pistola que llevaba en la espalda y Sampson hizo lo mismo mientras se arrastraba hacia delante entre la hierba y la maleza.

–¿De dónde venía el disparo? –preguntó Sampson con un susurro ronco.

–¿Del rifle de francotirador de Condon?

–Quiero decir de qué dirección.

–No tengo ni idea, pero debía ser de muy lejos si no hemos oído ningún ruido antes de que explotara lo que fuera que contenía ese envase de Tide.

–Tenemos que llegar a esos árboles y pedir refuerzos –dijo Sampson.

–Primero los refuerzos –dije sacando el móvil–. Genial... No hay cobertura.

–En la carretera sí había.

–Pero aquí no –contesté, y entonces oí algo a pesar de que aún me zumbaban los oídos.

Sampson también lo oyó, se levantó para echar un vistazo y se agachó.

–Es un *quad* –dijo Sampson–. Viene a por nosotros. Está a unos doscientos metros, cerca de los árboles.

Nos miramos fijamente, pensando lo mismo: «¿Salimos corriendo hacia los árboles y nos arriesgamos a que nos dispare un francotirador o...?».

Me puse de pie, levanté la placa y apunté con la pistola a Condon, que estaba a menos de cien metros montado en un Polaris Ranger. Sampson se puso de pie a mi lado y me imitó.

Condon se detuvo a noventa metros de nosotros apuntándonos con un rifle de mira telescópica por encima del volante.

–¿Quieren que les maten? –gritó–. ¿Es que no han visto la maldita bandera naranja en el camino?

–No sabíamos qué significaba –le contesté también a gritos–. Somos detectives de la Policía Metropolitana de Washington D. C. Solo queremos hacerle algunas preguntas.

Condon estaba en cuclillas sobre el rifle, apuntándonos a través de la mira telescópica. A noventa metros, cualquier disparo que hiciéramos con la pistola sería un tiro a la desesperada. Pero a esa misma distancia, un disparo con un rifle de precisión de un francotirador sería mortal.

Tenía una sensación extraña en el pecho, como si Condon hubiera puesto su punto de mira allí. Entonces levantó la cabeza.

–¿Es usted ese tal Alex Cross? ¿El perfilador del FBI y todo eso?

–Lo era –grité–. Es correcto.

Eso pareció complacer a Condon, porque metió el rifle en una funda de plástico que estaba sujeta a un lado del *quad* y empezó a moverse hacia nosotros.

–¿Cómo es que sabe tu nombre? –me preguntó Sampson.

–Creo que ha leído nuestras credenciales a través de la mira telescópica –dije bajando mi arma aunque sin enfundarla.

Condon se detuvo a unos diez metros. De unos cuarenta años y huesudo, tenía el pelo rojizo y plateado y llevaba barba. Ambos necesitaban un corte.

–Azore –dijo–. Denni.

Dos pastores alemanes saltaron de la plataforma del vehículo y se quedaron allí, jadeando, al lado de Condon.

–¿Le importa decirnos a qué ha venido todo eso? –preguntó Sampson–. ¿Por qué nos ha disparado?

–Estaba practicando mi oficio. Han irrumpido en una zona de tiro, mi lugar de trabajo, sin previo aviso. Eso es lo que ha ocurrido.

–¿No nos vio antes de dispararnos? –le pregunté.

Me miró, parpadeó y dijo:

–¡Diablos, no! Estaba concentrado. En el mundo entero solo estaban la I, la D, el gatillo y yo.

–¿Qué son la I y la D?

–T-i-d-e –deletró Condon.

–¿Qué contenía ese envase?

–Tannerite –dijo Condon–. Un blanco explosivo. Para saber que has acertado.

–Casi nos mata con eso, que, por cierto, es ilegal en Maryland –dijo Sampson.

Normalmente, la mera presencia de un John Sampson cabreado bastaba para que el más duro de los criminales se echara a temblar. Sin embargo, Condon parecía muy relajado.

–Para mí no –dijo Condon–. Tengo un permiso federal de la Agencia de Alcohol, Tabaco, Armas de Fuego y Explosivos. Y, como ya he dicho, no sabía que estuvieran aquí. Si hubiera querido matarlos, detectives, ya estarían muertos y tendría una pala en mis manos para cavar una zanja. ¿Saben lo que quiero decir?

Sabía lo que el francotirador quería decir y creía a pies juntillas lo que decía.

CAPÍTULO 35

CONDON SE CRUZÓ DE BRAZOS y dijo:

–Vamos, adelante, pregunten.

–¿Hay algún sitio donde podamos sentarnos? –preguntó Sampson–. ¿Algún lugar donde no haga tanto calor?

Condon lo pensó y dijo:

–¿Llevan dos armas cada uno? ¿La reglamentaria y otra corta?

Asentí.

–Azore –dijo Condon–. Denni.

Los perros avanzaron a grandes zancadas y nos rodearon. Ambos vacilaron, volvieron el hocico hacia nuestros tobillos y finalmente menearon la cola. El francotirador silbó y los dos regresaron a su lado.

–Siempre les gusta asegurarse –dijo Condon arrancando el motor del Ranger–. Uno de ustedes puede sentarse delante y el otro detrás.

–Yo iré detrás –dije.

Enfundé la pistola y me instalé en la pequeña plataforma junto a varias cajas que debían contener las herramientas de trabajo de Condon.

Sampson tuvo que agachar la cabeza para sentarse en el asiento del acompañante.

Condon metió la marcha, miró a Sampson y dijo:

–Los tipos corpulentos como usted no duran mucho cuando las cosas se ponen feas.

–Por eso intento que eso no ocurra –gruñó Sampson.

Condon casi sonrió.

Los pastores alemanes corrían mientras avanzábamos en dirección a los árboles, donde otra estaca con una bandera naranja bloqueaba el camino. El francotirador se bajó del vehículo, la arrancó y me la entregó.

Un par de minutos después nos detuvimos al lado de un Ford F-150 negro, una Harley-Davidson y un tractor John Deere aparcados delante de una casa de campo blanca que necesitaba un remozado y una mano de pintura. Un bote de pesca Grady-White descansaba encima de un remolque, cerca de un granero rojo que pedía a gritos un apuntalamiento y también una mano de pintura.

En el largo campo que había frente a la casa de Condon había un maizal cuya altura llegaba hasta el hombro. Había que cortar la hierba; el aire olía a rancio y a excrementos y orina de perro.

Condon apagó el motor del *quad*, sacó el rifle de la funda negra y se bajó del vehículo. Un poco a trompicones, se dirigió a la plataforma para coger una de sus cajas de herramientas.

–Buena arma –dije.

–La diseñé yo mismo –contestó agarrando la caja de herramientas y mostrándome una Lapua del calibre 338 con disparador Timney, un Lone Wolf personalizado y un visor Swarovski 4-18.

No me extrañó que hubiera podido leer mis credenciales a cien metros de distancia.

–¿Desde qué distancia puede disparar algo así? –preguntó Sampson.

–Si no hay viento y estoy en forma, desde más de un kilómetro –dijo alejándose un poco tambaleante en dirección al porche.

Volvió con un pesado manojo de llaves que introdujo en unos cerrojos de seguridad. Después de abrir la puerta, gritó:

–¡Denni! ¡Azore!

Los perros entraron en la casa. Dos minutos después volvieron a salir.

–A dormir –dijo Condon.

Los perros se alejaron al trote hasta unos jergones de cedro y se tumbaron.

Condon hizo un gesto para que lo siguiéramos al interior y encendió la luz de una pequeña sala de estar, al lado de la cocina. La habitación apestaba a marihuana. Un montón de latas de cerveza y una botella de Jack Daniel's vacía cubrían una mesita colocada entre un sofá con los muelles rotos y un enorme televisor colgado en la pared. En la pantalla plana había una imagen congelada de la serie *Juego de tronos*.

Las cortinas estaban corridas. Condon cruzó el salón hasta un aparato de aire acondicionado instalado en la pared y lo puso en marcha.

–¿Cerveza?

–Estamos de servicio –dijo Sampson.

–Como quieran –contestó Condon, y se dirigió a la cocina.

Miré a mi alrededor y vi que Sampson se había acercado a una mesita que había en un rincón y estaba mirando varias fotografías enmarcadas, todas de la misma hermosa joven posando en varios escenarios al aire libre. En la foto más grande, de diez centímetros de ancho por quince de alto, la chica estaba en brazos de Condon y él resplandecía como si fuera el dueño del mundo.

–¿Por eso están aquí? –preguntó Condon–. ¿Por Paula y todo lo demás?

Incluso a pesar de su cojera, se había acercado a nosotros con tanto sigilo que nos había sobresaltado.

Cuando me di la vuelta, el francotirador levantó su lata de Bud y nos miró fríamente.

–Hemos oído hablar de ella. Lamento su pérdida.

Condon se ablandó ligeramente.

–Gracias –dijo.

–¿Cuándo ocurrió? ¿Hace cuatro años?

–Cuatro años, seis meses, tres días, nueve horas y tres minutos. ¿Es de eso de lo que han venido a hablar desde el D. C.?

En el coche Sampson y yo habíamos debatido cuál sería la mejor manera de acercarnos a él. Intentar acorralar o engañar a un tipo como Condon no iba a funcionar, de modo que decidí abordarlo desde ese ángulo.

–Necesitamos su ayuda –le dije–. ¿Ve usted las noticias?

–Trato de no hacerlo –respondió Condon.

–Hubo un asesinato en masa en una fábrica de cristal de Washington D. C. –dije–. Murieron veintidós personas. El asesinato parecía obra de profesionales muy bien preparados. Probablemente exmilitares.

Como si estuviera viendo a un enemigo en la distancia, la mirada del francotirador se endureció.

–Sé adónde quieren ir a parar –dijo–. Les ahorraré algo de tiempo. No he tenido nada que ver con eso. Y ahora, a menos que tenga usted una orden judicial, detective Cross, voy a tener que pedirles que salgan de mi casa y de mi propiedad.

–Señor Condon...

–Ahora. Antes de que me vuelva loco por culpa del trastorno por estrés postraumático y empiece a pensar que son ustedes los talibanes.

Tercera parte

LA REBELIÓN DE MERCURY

CAPÍTULO 36

MERCURY RARAMENTE CONDUCÍA su moto a plena luz del día.

Solo solía sacarla de noche para patrullar. Sin embargo, mientras se dirigía hacia el sur por la carretera Interestatal 97, pensó que ese día nada era capaz de agitarlo, como si el mundo y su vida estuvieran más equilibrados. Hasta entonces había sido un vengador de muchas formas, y le gustaba bastante ese personaje.

Joder, le encantaba todo lo que había estado haciendo durante las últimas semanas: tomar el mando y actuar como nadie más lo haría. Ciertamente, no la Policía. Ciertamente, no el FBI o el NCIS. Se quedaban de brazos cruzados y…

Mercury vio un Ford Taurus beis haciendo eses por el carril lento al sur del cruce de la carretera 32 de Maryland. Se mantuvo a distancia.

El Taurus se desvió y el Porsche SUV que circulaba delante de Mercury le tocó la bocina. El Taurus se reincorporó al carril.

El Porsche aceleró. Mercury también aumentó la velocidad, como si fuera a adelantar al Taurus, y se acercó lo bastante para ver qué estaba pasando.

–¡Zorra estúpida! –murmuró mientras notaba que su ira iba en aumento y se esfumaba esa sensación de equilibrio–. ¿No lees? ¿No oyes?

Aminoró la marcha, diciéndose a sí mismo que aquel no era el momento ni el lugar.

Sin embargo, cuando tomó una curva larga y lenta en la autopista, Mercury se dio cuenta de que, a excepción del Taurus, los cuatro carriles que se extendían delante y detrás de él en dirección al sur estaban vacíos, sin ningún automóbil.

Tomó una rápida decisión y abrió su chaqueta. Con la mano derecha hizo girar el acelerador y con la izquierda sacó la pistola.

La moto aceleró hasta situarse al lado del Taurus. La zorra estúpida que iba al volante no lo miró y tampoco miraba el camino que tenía por delante.

Estaba mandando un mensaje de texto con un iPhone mientras conducía a cien kilómetros por hora.

Muchos años de práctica habían hecho de Mercury un tirador ambidextro. Estaba a punto de apretar el gatillo cuando la adicta a los mensajes de texto apartó los ojos de la maldita pantalla.

Levantó los ojos. Y vio el arma.

Tiró el iPhone y viró cuando él disparó.

El extremo de la parte trasera del Taurus invadió el carril de Mercury, casi derribando su moto, y luego viró hacia el otro lado, dio un giro de trescientos sesenta grados, se deslizó por un terraplén y volcó.

Mercury guardó la pistola y siguió conduciendo a una velocidad constante de cien kilómetros por hora, tres por debajo del límite de velocidad.

No había ninguna necesidad de llamar la atención cuando las normas de circulación ya estaban siendo respetadas y él había recuperado aquella sensación de orden y equilibrio.

CAPÍTULO 37

ESA TARDE, después de haber hablado con Condon, fuimos al despacho de Bree y le entregamos nuestro informe.

–Entonces, ¿Condon ha amenazado a dos agentes de Policía? –preguntó Bree.

La vi más estresada y cansada que nunca.

–Oh, sí –dijo Sampson.

–De todos modos, es una forma de hablar –dije–. Es muy inteligente. Sabía lo que pretendíamos antes de que le mencionáramos la masacre.

–¿Le preguntasteis dónde estuvo la noche en cuestión?

–No nos lo habría dicho –explicó Sampson–. Nos dijo que había aprendido por las malas a no hablar nunca con ningún detective si no era en presencia de un abogado.

–Pero le disteis a entender que es sospechoso –dijo Bree–. Eso habría estado bien.

–Así es –le dije–. Pero no podemos vigilarlo y no tenemos ninguna prueba para solicitar una orden de registro.

–Encontrad algo que relacione a Condon con esa fábrica y me cobraré algunos favores que me debe la Policía del estado de Maryland. Haré que ellos lo vigilen.

–Si encuentro algo que relacione a Condon con esa fábrica, creo que Mahoney asumirá el mando, llamará a la caballería del FBI y el caso dejará de ser nuestro.

–Voy a comprobar si Condon dispone de un permiso para tener tannerite –dijo Sampson–. Si no es así, está almacenando explosivos y eso nos permite entrar en su casa seguidos de un ejército.

–Bien –dijo Bree.

Cuando ya nos íbamos, Bree me llamó.

–Alex, ¿podemos hablar?

–Vale –dijo Sampson–. Sé cuándo estoy de más.

Sampson se fue y cerró la puerta. Bree se recostó en su silla.

–¿Estás bien? –le pregunté.

–Hoy no –contestó–. Esta mañana el alcalde y el jefe se han turnado para utilizarme como felpudo para hablar de la masacre.

–Y hace unos días les quitaste un peso de encima al señalar a Terry Howard como el asesino de Tom. No puedes ser víctima de sus altibajos emocionales. Acepta el hecho de que recibir presiones desde arriba es parte del trabajo, aunque no lo define. Céntrate en hacerlo lo mejor que puedas. Nada más. Dentro de tres meses verás las cosas desde una perspectiva totalmente distinta.

Bree lanzó un suspiro.

–¿Tú crees?

–Estoy convencido de ello –dije situándome detrás de ella para darle un masaje en los hombros y el cuello.

–¡Ohhh, necesitaba esto! –dijo Bree–. También me duele la parte inferior de la espalda.

–Estás demasiadas horas sentada –le dije–. Estás acostumbrada a estar activa y de pie, y tu cuerpo está protestando.

–Ahora soy carne de oficina. Es parte del puesto.

–Dile al jefe que te compre uno de esos escritorios de pie. O mejor aún, un escritorio con cinta de correr.

–No es mala idea –dijo Bree.

–Hoy estoy lleno de buenas ideas.

Me incliné y la besé en la mejilla.

–Te echo de menos –dijo.

–Yo también –le contesté acariciándole el cuello–. Pero estamos bien, ¿verdad?

–Siempre.

Entonces llamaron a la puerta.

–¿Aún estáis vestidos? –gritó Sampson.

–No, estamos en pelotas –le respondió Bree–. Pasa.

Sampson abrió la puerta con cautela, me vio masajeándole el cuello a Bree y dijo:

–Lamento molestaros, pero tengo en marcha un programa de captura criminal violenta sobre conductores que fueron tiroteados como Mister Maserati en Rock Creek.

Dejé de masajearle el cuello a Bree.

–¿Tienes alguna coincidencia?

–Dímelo tú.

CAPÍTULO 38

ALGUNAS SEMANAS ANTES de que Aaron Peters fuera asesinado a tiros por un motorista en Rock Creek Parkway, Liza Crawford, una exitosa agente inmobiliaria de treinta y nueve años de Gettysburg, Pensilvania, fue encontrada muerta en su flamante Corvette en un sinuoso camino rural flanqueado, en algunos tramos, por un muro de piedras apiladas.

El investigador del caso dijo que Crawford circulaba a gran velocidad cuando chocó contra el muro de piedras. El Corvette volcó y el techo la aplastó.

Inicialmente, los numerosos daños que Crawford sufrió en la cabeza ocultaron las heridas de entrada y salida de una bala del calibre 45 que se descubrieron cuando le practicaron la autopsia. Había muerto antes del choque. La bala fue recuperada de la puerta del lado del acompañante y ahora estaba siendo analizada en el laboratorio de la Policía del estado de Pensilvania.

Samuel Tate, de veintitrés años, murió dos meses antes que Peters y Crawford. Mecánico de profesión, Tate fue encontrado muerto en el interior de su Ford Mustang tuneado, cuya parte delantera se había empotrado contra un roble en un camino rural al oeste de Fredericksburg, Virginia.

Tate era conocido por ser un excelente conductor que nunca bebía ni se drogaba. En la carretera no había marcas que dieran a entender que había derrapado, y sin embargo iba a más de ciento sesenta kilómetros por hora cuando perdió el control del vehículo. Un médico forense encontró un agujero producido por una bala del calibre 45 en el lado izquierdo de su cabeza. La bala ya había sido analizada.

–Fíjate en esto –dijo Sampson golpeando la pantalla de su ordenador, en la que ahora podía verse el informe de la bala de Tate y el de las balas de la víctima de Rock Creek–. Coinciden en todo.

–Y la bala de Crawford también lo hará –dije–. Murió a la misma distancia de Washington que Tate, solo que ella estaba al norte de la ciudad y él al sur. Es decir, en un radio de entre noventa y noventa y cinco minutos.

–Y eso significa que...

–Que nos enfrentamos a un asesino en serie. Un cazador que conduce una moto. Traza un círculo de noventa minutos a nuestro alrededor. Ese es su coto de caza.

–Maseratis. Corvettes. Mustangs.

–Coches de alta gama –dijo Sampson.

–Bueno, gente que conduce coches de alta gama.

–Y que los conduce a gran velocidad.

Pensé en todo eso mientras me golpeaba el labio con un dedo.

–¿Cuál es el objetivo? –preguntó Sampson–. ¿Se trata de un juego?

–Podría ser –dije–. El vídeo del coche de Peters demuestra que jugaban al gato y al ratón, y el motorista era mejor siendo el gato.

Sampson sacudió la cabeza.

–Los medios de comunicación también van a sacarle el máximo partido a esto. ¿Recuerdas los ataques del francotirador de Beltway?

–¿Cómo podría olvidarlos?

Aún estaba en el FBI cuando la mañana del 3 de octubre de 2002 cuatro personas fueron asesinadas a tiros al azar en los suburbios de Maryland. Aquella noche en el distrito, un carpintero de setenta y dos años fue asesinado a tiros mientras caminaba por la avenida Georgia.

La prensa los llamó «los ataques del francotirador de Beltway». Sin embargo, para el FBI pronto quedó claro que la matanza había comenzado ocho meses antes en Tacoma, Washington. En total, descubrimos que doce personas habían sido heridas o asesinadas por francotiradores antes del 3 de octubre, desde Arizona a Texas y desde Atlanta a Baton Rouge, Luisiana.

Finalmente detuvimos a los dos hombres con trastornos que tenían un rifle Bushmaster AR-15, pero antes de que todo hubiera terminado murieron diecisiete personas. Y otras diez heridas consiguieron sobrevivir.

–Malvo y Muhammad lo hicieron como si se tratara de un deporte –dijo Sampson–. Y ahora podríamos estar enfrentándonos a lo mismo.

–Es posible –dije–. Un desafío para el motorista, que persigue al coche más rápido y le pega un tiro mortal a su conductor.

–¿Y consigue salir ileso?

Asentí, pensando en lo feo que podía ponerse el asunto. El país había vivido veintitrés días de pánico mientras los francotiradores de Beltway disparaban y mataban. Esos veintitrés días habían sido de los más estresantes de mi vida.

–¿Se lo vas a contar a Bree? Ya tiene una carga muy pesada sobre sus hombros.

Antes de que pudiera contestar, mi mujer apareció en la puerta de mi despacho jadeando.

–O'Donnell, Lincoln y dos agentes han sido tiroteados hace cinco minutos con armas de fuego automáticas en el noreste de la ciudad –dijo–. Lincoln y un agente están heridos. O'Donnell dice que Thao Le era uno de los tiradores.

CAPÍTULO 39

CRUZAMOS LA CIUDAD con las luces azules encendidas y la sirena conectada. Yo iba al volante. Sampson se retorcía en el asiento del acompañante con el chaleco antibalas puesto. Bree iba en la parte de atrás contestando a las llamadas, esforzándose para hacerse una idea de la situación y coordinando con los otros jefes para saber cuántos hombres había que mandar a la escena.

Evidentemente, los detectives Lincoln y O'Donnell habían ido detrás de Thao Le a través de Michele Bui, su novia. La chica le había mandado un mensaje de texto a O'Donnell informándolo de que, esa tarde, Le estaba moviendo un cargamento de drogas en una casa adosada en el noreste de la ciudad.

Los detectives fueron a comprobarlo y pidieron refuerzos. Un coche patrulla se metió en el callejón que había detrás de la casa. Otro coche se dirigió a un extremo de la manzana y Lincoln y O'Donnell al otro. Vieron a Le y a tres de sus hombres en el porche, muy tranquilos.

O'Donnell detuvo su vehículo justo al otro lado de la casa. El otro coche hizo lo mismo. Los cuatro policías se bajaron, sacaron sus pistolas y ordenaron a los hombres que se tumbaran en el porche. Thao Le sacó un fusil AK-47 y abrió fuego.

Lincoln y un agente habían sido heridos. Dos de las balas atravesaron un muslo y una mano de Lincoln. O'Donnell consiguió lanzarlo al suelo, detrás de un coche aparcado al otro lado de la calle. El agente herido, Josh Parks, había recibido un disparo en la pelvis, pero había conseguido arrastrarse hasta la base del porche, donde no podía ser visto ni tiroteado desde el interior de la casa.

–¿Cómo estás, Parks? –preguntó Bree por radio.

–Es como si me hubieran taladrado la ingle hasta la columna vertebral, pero por lo demás estoy estupendamente –dijo el agente.

–¿O'Donnell?

–Tenemos que llevar a Lincoln y a Parks al hospital sin recibir ningún disparo.

–Te escucho –respondió Bree–. La caballería está en camino. Tiempo estimado de llegada, cuatro minutos.

Oímos gritos y disparos de armas automáticas, y se cortó la comunicación.

–¡Mierda! –gritó Bree.

Mi mujer intentó volver a marcar, pero su móvil sonó antes de que pudiera hacerlo.

–¿O'Donnell? –dijo Bree, y escuchó–. ¿Dónde estás?

Bree puso el móvil en manos libres y oímos la aterrorizada voz de Michele Bui.

–Me he escondido en un armario, en la planta de arriba –dijo la novia de Thao Le. Era evidente que estaba a punto de echarse a llorar–. Thao y sus hombres llevan días esnifando coca y cristal; están paranoicos y fuera de sí. Él los ha convencido de que serán los siguientes.

–¿Los siguientes en qué?

–Los siguientes en ser asesinados –dijo Bui–. Estaban tan colocados que pensaron que los policías eran los justicieros que mataban a los fabricantes de cristal.

–¿Quién más está en la casa contigo? –le preguntó Bree.

–No lo sé exactamente –respondió Bui–. Yo estaba arriba, durmiendo, pero durante la noche oí trabajar a algunos de los hombres que cortan y embalan la droga. Luego oí los disparos, los gritos y...

–¿Qué?

–Thao me está llamando –dijo Bui–. Tengo que irme.

La llamada se cortó.

CAPÍTULO 40

LOS COCHES PATRULLA de la Policía Metropolitana de Washington D. C. se detuvieron formando una V, bloqueando ambos extremos de la calle. Había otros oficiales en los callejones para evacuar a los vecinos más cercanos a la casa en la que se encontraba Le.

Ya habían llegado dos ambulancias. Detuvimos nuestro coche en la calle y analizamos la situación a través de los prismáticos.

A mitad de la manzana, en el lado este, vimos al oficial Joshua Parks tumbado de lado junto a la escalera de la casa, retorciéndose de dolor.

–Estamos aquí, Parks, y hay más hombres en camino –dijo Bree a través de la radio.

–Bien –contestó Parks–. Tengo un terrible calambre en la pierna echado sobre este suelo de cemento.

Bree no pudo evitar sonreír.

–Luego nos ocuparemos de ese calambre. Dime algo, O'Donnell.

El detective O'Donnell estaba al otro lado de la calle, frente a Parks, detrás de un Ford Explorer blanco. Sostenía a Lincoln, que parecía estar muy débil.

–Dime algo, O'Donnell.

–Lincoln está consciente, pero malherido. ¿Cuál es el plan?

–Estoy en ello –dijo Bree. Me miró y, en voz baja, me dijo–: Nunca me he enfrentado ni remotamente a algo como esto, Alex, pero tú sí. Soy toda oídos.

Tras analizar de nuevo la situación, dije:

–Tenemos que entrar en la casa por delante y también por detrás. Y tenemos que conseguir el número del móvil de Le.

–Intentaré volver a hablar con Michele Bui –dijo Bree.

La furgoneta del SWAT se detuvo. El capitán Matt Fuller, vestido de la cabeza a los pies con una coraza negra, se apeó y echó a correr hacia nosotros.

–Mierda –murmuré.

–¿Qué?

–Esperaba que estuviera de servicio el capitán Reagan –dije–. Fuller es bueno en lo que hace, pero quiere hacerlo tan a menudo como puede, no sé si sabes a qué me refiero.

–Hay dos heridos, capitán –dijo Bree–. Lincoln, que es uno de mis hombres, y el agente Parks. Ambos necesitan urgentemente atención médica, sobre todo Parks.

Fuller echó un vistazo a través de los prismáticos. Cuando los bajó, dijo:

–Debemos posicionarnos en la casa que hay enfrente y en la de atrás.

–Me ha quitado las palabras de la boca –dije, y entonces miré de nuevo a Bree–. Llama a Michele. Y consigue ese número de teléfono.

El capitán Fuller, cuatro de sus hombres, Sampson y yo nos metimos en un callejón para llegar a la casa que estaba justo delante de los detectives O'Donnell y Lincoln y enfrente, al otro lado de la calle, de donde se encontraba Parks. Una anciana de aspecto frágil había sido evacuada de la casa. Le había entregado la llave a uno de los agentes que la habían ayudado y la usamos para entrar en su cocina por la puerta trasera.

Pasamos junto a una empinada escalera mientras nos dirigíamos a la sala de estar, sin prestar apenas atención a los muebles viejos, las fotos de familia y un piano de media cola.

–Maxwell, Keith, vosotros arriba –dijo el capitán Fuller detrás de mí–. Quedaos junto a las ventanas; que no os vean.

Mientras los dos oficiales del SWAT subían las escaleras, Bree corrió un poco las cortinas para que pudiéramos ver a O'Donnell y Lincoln en la acera, de espaldas al Explorer, a no más de quince metros. O'Donnell había hecho un torniquete en el muslo de Lincoln con su cinturón, pero su compañero estaba pálido, como si hubiera perdido mucha sangre.

–Lincoln necesita atención médica ya –dijo Bree.

–Ambos la necesitan –dije al ver que Parks tenía una especie de espasmo que lo obligó a retorcerse de dolor.

El jefe de los SWAT permaneció en silencio hasta que dijo:

–Vamos a hacer esto por partes. Primero lo más fácil; es decir, Lincoln.

Fuller miró a sus otros dos hombres.

–¿Cuánto tardaríais en llegar a la puerta, bajar esos escalones, coger a Lincoln y regresar?

–Veinte segundos –respondió el sargento Daniel Kiniry.

–Tal vez menos –añadió el agente Brent Remer–. A menos que nos disparen.

–¿O'Donnell? ¿Cuánto tiempo ha transcurrido desde el último tiroteo? –preguntó Fuller.

–Diez minutos, puede que doce –dijo el detective.

El capitán se quedó pensativo y luego habló a través de su radio:

–¿Wilkerson?

–Adelante, capitán.

–Lanza un par de granadas.

CAPÍTULO 41

BREE Y YO MIRAMOS AL CAPITÁN FULLER como si se hubiera vuelto loco.

–¿Granadas? –dijo Bree–. ¿No es un poco excesivo?

–No –contestó Fuller, y nos explicó lo que quería hacer.

Lo consideré, decidí una vez más que el capitán Fuller era bueno en su trabajo y admití:

–Podría funcionar.

–Sí –dijo Bree–. Su turno, capitán.

Tres minutos después, bajo el mando de Fuller, se lanzaron dos granadas cegadoras en el interior de la casa adosada donde se encontraban Le y sus hombres.

A través de los prismáticos, miré hacia las ventanas de la casa, al otro lado de la calle, y percibí movimiento en su interior: siluetas corriendo para investigar las explosiones. Bree levantó la ventana de guillotina y apuntamos con nuestras armas.

–Vamos –dijo Fuller abriendo la puerta principal de la casa de la anciana.

Kiniry y Remer salieron corriendo a través del porche, saltaron el tramo de escaleras y aterrizaron al lado de Lincoln. O'Donnell soltó a su compañero.

Los oficiales del SWAT sostuvieron a Lincoln con las manos y volvieron a toda velocidad. O'Donnell se puso en pie y, al igual que nosotros, apuntó con su arma hacia la casa mientras retrocedía, cubriendo a Kiniry, Remer y Lincoln.

Los hombres de Fuller consiguieron traer a Lincoln al interior de la casa y O'Donnell casi había entrado cuando Le o uno de sus hombres abrió fuego con un arma automática. Las balas impactaron en las ventanillas del Explorer y golpearon contra el suelo y las escaleras de cemento. Sampson, Bree y yo vaciamos nuestros cargadores apuntando a la casa.

O'Donnell corrió y se metió en la casa. Fuller cerró de golpe la pesada puerta de roble mientras las balas atravesaban un lado de la casa. Luego cesó el fuego.

–¡Joder! –gritó O'Donnell arrastrándose y agarrándose un zapato–. ¡Me han dado en el pie!

–¡Atiendan a este hombre! –gritó Bree.

Dos técnicos de Emergencias Médicas acudieron corriendo desde la cocina. Mientras empezaban a hacer su trabajo, volví a cargar el arma. En nuestros auriculares sonó una voz:

–Capitán, Maxwell al habla.

–Adelante, Maxwell –contestó Fuller.

–Veo al tirador. Lo tengo en el punto de mira.

–¿Identidad?

–No lo sé, pero el sujeto está armado con un AK.

–Dispara –dijo Fuller sin titubear.

–¿Qué? ¡Espere! –exclamó Bree.

Se oyó el ruido de un rifle al ser cargado y un grito de muerte al otro lado de la calle.

–¡Relájese, capitán! –grité.

–¡No les está dando ninguna opción! –añadió Bree.

–¿Una opción? –Fuller nos miró como si estuviéramos confundidos–. Ese tirador, sea o no sea Le, acaba de intentar matar a cuatro, sí, a cuatro de mis compañeros. En mi cabeza, eso lo convierte en potencial asesino de policías en grado de tentativa, de modo que he ordenado que le disparen. Fin de la historia.

Bree empezó a discutir, pero entonces su móvil emitió un zumbido. Enojada, miró la pantalla, inclinó la cabeza hacia atrás y exclamó:

–¡Oh, Dios!

–¿Qué?

–Es un mensaje de Michele Bui. Dice que acabamos de disparar y matar a una de las rehenes.

CAPÍTULO 42

FULLER NO ESCUCHABA. Estaba dando órdenes a gritos a través de su radio mientras los técnicos de Emergencias Médicas trasladaban al detective O'Donnell, al que habían inyectado morfina, desde la cocina hasta la puerta trasera. El sonido de la sirena de la ambulancia que se había llevado a Lincoln se perdía en la distancia.

–¡Capitán! –le grité a Fuller.

El jefe del SWAT se colocó la radio en el hombro y me miró furioso.

–Detective Cross, retírese.

–No voy a retirarme, capitán –le respondí.

–Ni yo tampoco –añadió Bree–. Uno de los hombres que ha mandado arriba, el oficial Maxwell, acaba de dispararle a una rehén inocente cumpliendo sus órdenes.

Fuller palideció.

–No.

–La novia de Le, que está allí dentro, dice que sí.

El capitán recuperó la compostura y apretó un botón de su radio.

–¿Maxwell?

–Diga, capitán.

–¿Cómo ha identificado al tirador?

–Por una camiseta blanca y un arma.

–¿Y la cabeza?

–Negativo.

–¿Cuánto tiempo lo tuvo a tiro?

–Desde antes de que empezaran a dispararle a O'Donnell –contestó Maxwell–. Cuando se detuvo, desapareció de mi vista durante unos tres segundos y apareció de nuevo, como si hubiera recargado el arma.

–No recargó el arma –dijo Bree a través de su radio–. Ha matado a una rehén, oficial Maxwell.

Se hizo un largo y terrible silencio antes de que Maxwell dijera:

–¿Capitán?

–¿Maxwell?

–Pido permiso para retirarme, señor.

Fuller fulminó con la mirada a Bree y dijo:

–Permiso denegado. Te necesito ahí arriba.

–Capitán –dijo Bree–, a partir de ahora usted va a retirarse y va a dejar que yo intente salvar al oficial Parks y evitar más derramamiento de sangre. ¿O llamo al jefe Michaels para que le releve del mando?

Fuller parpadeó muy despacio, mirando a Bree, y dijo:

–Supongo que es su turno, jefa.

–No, es el turno del doctor Cross –dijo Bree mirándome–. Tengo el número de teléfono de Le. Intenta hablar con él.

Tardé un momento en adaptarme mentalmente a la situación, en ser no tanto un detective de la Policía como un psicólogo criminal. Entonces marqué el número de teléfono y pulsé la tecla de llamada.

El teléfono sonó tres veces antes de que Le contestara en un tono nervioso, con una voz propulsada por la cocaína.

–¿Quién coño es?

–La única oportunidad que tiene usted de no morir hoy, señor Le –dije–. Soy Alex Cross.

CAPÍTULO 43

A TRAVÉS DEL TELÉFONO me llegaba la respiración rápida y jadeante de Le.

–¿Lo ha entendido, señor Le? –le pregunté–. Hay agentes del SWAT preparados para irrumpir en la casa y matarlo. Le estoy ofreciendo una salida.

Después de una pausa muy muy larga, me dijo:

–¿Cuál es su propuesta?

–Empiece por no empeorar las cosas –le dije–. Dos oficiales de Policía han sido heridos y una rehén ha muerto.

–Eso no ha sido cosa mía –respondió Le–. Un policía le ha disparado.

No iba a objetar nada ni a matizar que él la había situado en la línea de fuego empuñando su arma; necesitaba que siguiera hablando, establecer una relación fluida con él.

–Es usted un motorista endiabladamente bueno –le dije–. Hace poco le vi en acción en el Eden Center.

Thao Le se rio entre dientes.

–Seguro que nunca había visto a nadie hacer algo tan acojonante.

–Nunca –dije–. Posee usted un talento único. Y ahora, dígame, ¿cómo vamos a evitar que usted y su talento mueran hoy?

Durante la larga pausa que siguió, oí cómo esnifaba cristal o coca o ambas cosas. Luego dijo:

–No lo sé, Alex. Dígamelo usted.

–¿Qué tal si me demuestra que se puede confiar en usted? –le pregunté–. Deje que nos llevemos al agente herido.

–¿Y qué consigo con eso? –respondió Le.

–Estamos juntos en esto –le dije.

–Deme un puto respiro –continuó–. No estamos juntos en esto. Hemos tomado caminos diferentes.

–Caminos diferentes que han llegado a un cruce. Estoy intentando evitar un choque al que no sobrevivirá. ¿Es eso lo que quiere?

Thao Le guardó silencio durante casi un minuto.

–¿Señor Le? –dije.

Cuando Thao Le habló, su voz sonó más suave, más reflexiva.

–Pensé que las cosas serían distintas.

–¿Cuál era su sueño? Todos tenemos uno.

Thao Le se echó a reír.

–Los X Games, tío.

–¿En moto?

–Eso es –dijo Le–. Solo pensaba en eso. Era lo único que hacía.

–¿Cuándo renunció a ese sueño?

–Tuve muchos accidentes y necesitaba algo lo bastante fuerte como para aguantar el dolor –dijo–. Meterse en el negocio de las drogas tenía sentido.

Thao Le era inteligente, elocuente y se mostraba muy seguro. No me extrañó que hubiera sido capaz de levantar un pequeño imperio.

–¿Podemos llevarnos al agente Parks? Si muere, las cosas se pondrán mucho más feas para usted.

Tras pensarlo unos segundos, dijo:

–Adelante. No dispararemos.

CAPÍTULO 44

–GRACIAS, SEÑOR LE –DIJE–. Le estamos muy agradecidos.

Puse el teléfono en silencio y les dije a Bree y a Fuller:

–Iré hasta allí con el equipo de emergencias. Seguiré hablando con Le hasta que Parks esté a salvo.

–No me gusta –dijo Fuller.

–A mí tampoco –dijo Bree.

–Thao Le necesita verme. Eso cambiará las cosas.

No esperé ninguna respuesta. Desactivé el silencio del móvil y dije:

–¿Señor Le? ¿Sigue ahí?

Volví a oír que esnifaba algo.

–Sí. ¿Va a venir?

–Sí –contesté–. Seré el hombre alto y desarmado que irá en la ambulancia.

Una pareja de Emergencias Médicas llegó empujando una camilla. Volví a silenciar el móvil.

–Ha dicho que no disparará –dije–. Pero la decisión es vuestra. Si es necesario, iré solo.

El hombre del equipo médico, Bill Hawkins, preguntó:

–¿Es mentalmente estable?

–Sorprendentemente, en este momento sí –dije–. Pero está claro que hace una hora pensaba que el agente Parks y los demás formaban parte de una banda de justicieros y les dispararon. O sea que allí debe haber cierto descontrol.

–¿Confía en él? –preguntó Emma Jean Lord, la compañera de Hawkins.

–Lo bastante como para entrar el primero –dije.

La pareja de Emergencias Médicas se miró y ambos asintieron.

–No pierdan el tiempo –les dijo Bree–. Dejen que sea Alex quien hable. Vayan directamente hacia Parks, actúen con rapidez y profesionalidad, como lo harían si hubiera sufrido un ataque al corazón en el jardín de su casa.

–De acuerdo –dijo Hawkins–. Vamos.

Mirando al capitán Fuller, Bree dijo:

–¿Los cubrirá?

–¿Cuáles son las reglas del juego? –dijo en un tono ligeramente desdeñoso.

–Protegerlos.

–De acuerdo –contestó Fuller–. Puedo vivir con eso.

–Bien –dije activando de nuevo el sonido del móvil–. Vamos para allá, señor Le. Actuaremos con rapidez para llevarnos al agente Parks.

–Vamos, entonces –dijo Le.

Enfundé mi arma, abrí la puerta y salí trotando al porche.

–¿Pueden verme? –pregunté.

–No estamos mirando a través de las ventanas; no queremos que nos disparen –respondió Le–. Haga lo que tenga que hacer.

Aun así, no pude evitar la sensación de que la mira de su arma estuviera en mi frente mientras los tres nos disponíamos a rescatar al agente Parks, que tenía la tez grisácea y estaba sudando por el dolor.

Hawkins giró la camilla para colocarla al lado de Parks.

–¿Siente las piernas? –le preguntó Lord arrodillándose junto a él.

–Sí, demasiado –contestó Parks entre dientes–. Es como si estuvieran en llamas, y siento un dolor terrible alrededor y por encima de las caderas. Creo que me he roto la pelvis por ambos lados. Y tengo mucha sed.

–Porque le han disparado –dijo Lord comprobando sus constantes vitales.

–¿Voy a morir?

–Haremos todo lo posible para que eso no ocurra –dijo Hawkins.

Lord y Hawkins trabajaron muy deprisa. Pusieron una vía en el brazo de Parks y lo colocaron encima de una tabla. Luego lo levantaron hasta la camilla, lo sujetaron y enfilaron la calle.

Esperé hasta que estuvieron a cubierto y dije:

–Ha hecho una buena obra, señor Le. El agente Parks vivirá. ¿Por qué no hace otra buena obra y sale al porche para hablar conmigo cara a cara?

Hubo un breve silencio antes de que Le contestara.

–Debe pensar que soy idiota –dijo–. Si pongo un pie en ese porche..., bum-bum..., saldré volando por los aires.

–No si yo me ocupo de esto –le dije–. Al menos, deje que se vayan algunos de los rehenes.

–No.

–¿No saldrá a hablar o no dejará que se vayan los rehenes?

–Los rehenes se quedan –dijo Le, y oí cómo soltaba el móvil.

Y cómo esnifaba de nuevo.

Una voz femenina, desde el fondo de la habitación, dijo:

–Sal a hablar con él. ¡Haz algo, porque no pienso morir por ti y por la paranoia que te provoca el cristal!

Al cabo de unos instantes, Thao Le cogió de nuevo el móvil y, con una voz rara y pausada, dijo:

–¡Oooh, claro, Cross! Saldré y charlaremos un poco.

–¿Cuándo?

–Joder, ¿por qué no lo hacemos ahora mismo?

Antes de que pudiera contestarle, se cortó la llamada y se oyó a una mujer gritando en el interior de la casa.

CAPÍTULO 45

LA VOZ DE BREE RETUMBÓ en mi auricular.

–¿Qué está ocurriendo ahí?

–No tengo ni idea... –empecé a decir, y entonces se abrió la puerta principal.

Una aturdida Michele Bui salió al porche; su rostro era una telaraña de sangre a causa de una herida en la cabeza. Thao estaba detrás de ella; tenía un brazo alrededor de su cuello, y con la mano del otro empuñaba una pistola 1911 del calibre 45 con la que presionaba la sien de la chica.

Parecía estar más colocado que cualquier cocainómano que jamás hubiera visto. Tenía los ojos hundidos en las cuencas, y el blanco era del color de una caja de alarma contra incendios recién pintada. De su fosa nasal izquierda salía un hilillo de sangre y sus labios se habían vuelto tan cerosos por el efecto de las drogas que podrían haber sido los de un cadáver, a no ser por los extraños espasmos de las mejillas y de la boca agrietada.

Levanté las palmas de las manos para mostrar que no iba armado y dije:

–¿Señor Le?

Desde el porche, a dos pasos de la puerta, Le me observó.

–¿Es usted... Cross?

–Sí –dije–. ¿Qué está haciendo? Habíamos decidido hablar de hombre a hombre.

–¿Acaso esperaba que iba a salir solo? ¿Sin un escudo? ¿Dejar que todos sus hombres me dispararan? Sus agentes llevan años intentando detenerme.

–¿Por qué no deja que Michele se vaya? Está sangrando. Necesita atención médica.

Thao Le parpadeó y ladeó la cabeza, pero no dijo nada.

–Vamos, señor Le. Ella es su novia. ¿De verdad quiere...?

–¿Sabe su nombre, Cross? –dijo Le–. ¿Y sabe que es mi novia?

Thao Le se echó a reír y presionó el cañón de la pistola con más fuerza contra la cabeza de Michele Bui, que hizo amago de encogerse, pero él la sujetó.

–No soy estúpido, Cross –dijo Le–. Si sabe su nombre, significa que ha hablado con ella, y que ella ha hablado con usted. Y, por cierto, ¿mi novia? No, joder. Esta zorra es una muñeca hinchable de usar y tirar; no significa nada para mí.

Algo empezó a cambiar en la expresión de Michele Bui. Salió de su confusión y su mirada se endureció.

–Michele solo parece interesada en que usted siga con vida –dije–. En mi opinión, eso es cariño, señor Le. Eso es amor.

Thao Le miró a su novia y se echó a reír.

–No… Eso es instinto de supervivencia. Sin mí, estaría en la calle vendiendo su culo.

–Entonces, ¿qué es lo que quiere?

–Un modo de salir de aquí –dijo Le.

–Eso podemos arreglarlo.

–Pero no esposado. No en un coche de la Policía. Me refiero a huir de aquí.

–Eso no va a ocurrir. Pero puede hacer algo por usted mismo. Deje ir a la chica.

–No –dijo Le–. Sé cosas. Tenemos que hacer un trato. Yo le digo lo que sé y usted deja que me vaya.

–Tendría que saber algo que tuviera mucho valor para que eso llegara a ocurrir –le dije.

–¿Como qué?

–¿Como quiénes son los justicieros? ¿Son mercenarios contratados por bandas de narcotraficantes rivales?

–Eh, no lo sé, tío –dijo Le–. En serio. Sé muchas cosas, pero eso no.

Reflexioné durante un momento.

–¿Mató usted a Tom McGrath?

–Qué va –contestó Le–. Quería hacerlo, pero no lo hice, y puedo probarlo, ¿verdad, Michele?

Bui me miró y asintió.

–Estábamos en la cama cuando sucedió –dijo.

–¿Lo ve? –dijo Le relajando el brazo que tenía alrededor de su cuello–. Las muñecas hinchables sirven para otras cosas. ¿Qué más quiere saber?

Estaba haciendo todo lo posible para que siguiera hablando cuando se me ocurrió algo.

–¿Le tendió una trampa a Terry Howard? –pregunté–. ¿Fue usted quien puso la cocaína y el dinero?

Está muerto, ¿sabe? Eso podría ayudarnos a aclarar las cosas.

–No –dijo Le con una sonrisa–. Nunca hice nada que...

Entonces Michele Bui abrió la boca y mordió a Le en el antebrazo.

Thao Le aulló de dolor y retiró el brazo. Se le había desgarrado un mugriento trozo de carne y tenía la extremidad llena de sangre. Agitado por el efecto de las drogas, se miró la herida con recelo y empezó a temblar a causa de la adrenalina.

Bui sonrió, escupió y dijo:

–¡Una muñeca hinchable de usar y tirar que muerde!

La chica intentó darle una patada a Le en las pelotas, pero erró el golpe, lo que le hizo perder el equilibrio y caer al suelo, entre el porche y la mitad de las escaleras del patio delantero.

Thao Le levantó el arma y gritó:

–¡Voy a librarme de ti ahora, zorra! ¿Lo ves?

–¡No lo haga, Le! –grité.

Pero ya era demasiado tarde.

Desde la segunda planta de la casa de enfrente, se oyó el disparo de un rifle de francotirador.

Thao Le se movió a trompicones al recibir el impacto y disparó su arma, pero la bala pasó a poca distancia de las piernas de Bui y astilló uno de los extremos del porche. El mafioso se tambaleó hacia atrás, se golpeó contra la jamba de la puerta y se deslizó lentamente hasta el suelo.

Salí corriendo hacia el porche, salté por encima de Bui y llegué hasta Le, que, entre jadeos, dijo algo en vietnamita.

Me arrodillé a su lado y dije:

–Hay una ambulancia en camino.

Thao Le se echó a reír.

–No llegará a tiempo.

–¿Le tendió una trampa a Terry Howard?

Thao Le me miró, sonrió y me pareció que intentaba guiñarme un ojo antes de que la sangre brotara de su boca y sus ojos se volvieran de un color gris opaco.

CAPÍTULO 46

A JOHN BROWN LE GUSTABAN las noches nubladas como esa, cuando estaba tan oscuro que no podía ni ver su mano delante de su cara. A ciegas, el resto de sentidos de Brown se agudizaban. Olía el estiércol y el tabaco maduro, oía el grito de una lechuza común y saboreaba el grano de café que estaba masticando para mantenerse alerta.

La voz de Cassie sonó en su auricular:

–Faltan cinco kilómetros.

–Recibido –contestó Brown cambiando el peso de su cuerpo de un pie a otro sobre el acero corrugado–. ¿Hobbes?

–Estamos listos.

–¿Fender?

–Afirmativo.

Brown se inclinó para rebuscar en la mochila que había en el suelo. Sintió una punzada de dolor en la rodilla y maldijo al notar el espasmo.

Consiguió sacar su iPad y ponerse en pie mientras notaba cómo crujían y se asentaban los huesos de su rodilla. En medio de un sudor frío, Brown encendió la tableta y se metió en una página web segura.

–Van hacia ti –dijo Cass–. El primer coche es un Mustang azul con matrícula de Florida. Detrás de los camiones va un Dodge Viper negro con matrícula de Georgia.

–Recibido –dijo una voz de hombre.

Brown clicó en un enlace que abrió un canal de vídeo privado de una cámara que llevaba uno de los hombres de Hobbes. La imagen mostraba un cruce de la Interestatal 95, cerca de la ciudad de Ladysmith, Virginia, a unos ciento ochenta y cinco kilómetros al sur de Washington D. C.

El cruce de la I-95 estaba en obras. Había equipos trabajando bajo unas cegadoras luces. Un desvío obligaba a todo el tráfico procedente del norte a utilizar la rampa de salida de Ladysmith. Otro de los hombres de Hobbes estaba en lo alto de la rampa.

Llevaba un uniforme de trabajo, un chaleco reflectante amarillo y un casco, y sostenía una linterna con un filtro naranja que utilizaba para desviar el escaso tráfico en dirección oeste, hacia Ladysmith y la autopista Jefferson Davis.

Entonces apareció el Mustang azul, seguido por el primero de los tres camiones frigoríficos de dieciocho ruedas con el logotipo de la Littlefield Produce Company of Freehold Township, de Nueva Jersey. El Dodge Viper negro se colocó detrás cuando el hombre de Hobbes lo obligó a dirigirse al este, hacia la Estatal 639.

Cuando el hombre de Hobbes hizo lo mismo con Cass, que conducía un Ford Taurus blanco, Brown cambió la señal a una cámara que tenía uno de los hombres de Fender, que estaba dirigiendo el tráfico a un kilómetro y medio al oeste de la interestatal. Desvió el pequeño convoy en dirección al norte, hacia la carretera 633 de Virginia.

Cuando las luces traseras del coche de Cass se desvanecieron, Brown dijo:

–Ceñíos al plan y llevadlo a cabo. Quiero precisión quirúrgica en cada movimiento.

Brown no se molestó en mirar la imagen de los hombres con las linternas desviando el convoy de la carretera 633 hacia un poco frecuentado camino rural sin asfaltar que discurría a través de zonas arboladas y campos de cultivo. Vio los faros del Mustang apagándose en el camino rural, siguiendo las señales de desvío.

–Ven con papá –dijo Fender.

Tras oír el ruido de las pistolas al cargarse, Brown observó que los camiones daban la vuelta en dirección al camino rural y al Viper avanzando detrás de ellos. Aunque sabía que iba a pasarlo mal, se arrodilló y apretó los dientes al sentir el dolor en la rodilla. Los faros se acercaron, iluminando a Brown en el techo de acero corrugado de un viejo cobertizo para secar tabaco.

En total, había seis cobertizos largos y bajos como ese, tres a ambos lados del camino. El Mustang redujo la marcha al ver la luz roja parpadeante junto a la señal que habían colocado un poco más allá del cobertizo situado más al sur, que decía: «Paso estrecho. 25 km/h».

Brown observó el avance del Mustang a través de una máscara negra. Podía ver al conductor y al pasajero. Ambos llevaban camiseta y miraban a su alrededor como preguntándose: «¿Adónde diablos nos lleva este desvío?».

–Paciencia –dijo Brown cuando el Mustang pasó por debajo de él y por delante del cobertizo situado más al norte.

Echó un vistazo a los camiones pero se centró en el Mustang cuando tomó una curva del camino y se detuvo junto a un alto terraplén, frente a un callejón sin salida.

El tráiler del primer camión casi había sobrepasado los cobertizos cuando se detuvo. El segundo se encontraba entre los cobertizos, y el tercero tenía la cabina y la mitad del tráiler entre ellos.

Brown esperó hasta que oyó los gritos de los hombres que iban en el Mustang y entonces dijo:

–A por ellos.

Vio cómo se desarrollaba todo entre el resplandor de los faros y las sombras.

Antes de que el conductor del Viper que iba detrás de los camiones pudiera bajarse del vehículo, Cass se acercó corriendo por detrás y le disparó en la cabeza con un rifle AR del calibre 223 con silenciador. Desde el techo del cobertizo situado más al sur, un hombre de Hobbes que sujetaba un arma idéntica le pegó un tiro al pasajero a través del parabrisas.

Otros hombres posicionados en los techos de los cobertizos dispararon a los conductores y pasajeros de los tres camiones. Los seis hombres murieron en sus asientos mientras los dos ocupantes del Mustang se daban cuenta de lo que estaba ocurriendo. Se bajaron a toda prisa del coche armados con pistolas automáticas.

Fender apareció detrás del terraplén, delante del Mustang, y disparó a los dos hombres a menos de veinte metros.

–Despejado –dijo Fender.

–Despejado –dijo Hobbes.

–Dejad los camiones y los coches en marcha –dijo Brown–. Recoged los casquillos, limpiadlo todo; nos encontraremos en el camino.

–¿Estás seguro de que no deberíamos revisar la mercancía? –preguntó Cass.

Brown hizo una mueca mientras intentaba ponerse en pie. Ya habían hecho eso antes y ella aún seguía insistiéndole en lo mismo.

–Negativo –dijo Brown enfáticamente–. Que nadie toque el cargamento.

CAPÍTULO 47

A MEDIA MAÑANA, un helicóptero del FBI nos recogió a Sampson y a mí en la azotea de la sede de la Policía Metropolitana de Washington D. C. El agente especial Ned Mahoney, serio y sin decir nada, iba en el asiento delantero.

Noventa minutos antes, un ayudante del *sheriff* del condado de Caroline circulaba cerca de unas instalaciones de secado de tabaco al noreste de Ladysmith, Virginia. Una pesada cadena solía bloquear la entrada, pero se dio cuenta de que estaba tirada en el barro, junto a los tráileres de varios camiones muy grandes.

El ayudante del *sheriff* pensó que era extraño, porque aún faltaban varias semanas para la cosecha, y se acercó. Lo que vio fue suficiente para que decidiese llamar a la Policía estatal y al FBI.

–¿Quién más ha estado allí aparte del ayudante del *sheriff*? –pregunté.

–Nadie –contestó Mahoney–. En cuanto me enteré, llamé a la Policía del estado de Virginia para que acordonara la zona. La escena debería estar casi intacta.

Cuarenta y cinco minutos más tarde estábamos descendiendo sobre una mezcla de campos de cultivo y bosques en un terreno bastante ondulado con algunos cauces de arroyos y ríos. Después de que el helicóptero sobrevolara una última extensión de altísimos robles, el bosque terminó, abriéndose a una zona con parches de forma ovalada que rodeaba la escena del crimen.

La rejilla de un Mustang azul estaba aplastada contra una barrera de tierra y las puertas estaban abiertas. Tendidos en la hierba, cerca del vehículo, vimos los cadáveres de dos hombres. Entre los largos cobertizos de secado había tres camiones con tráileres frigoríficos de color gris en fila, como elefantes en un desfile. Las ventanillas y los parabrisas de los camiones estaban rotas a causa de los disparos. Detrás del último tráiler había un Dodge Viper negro con dos hombres muertos en el asiento delantero.

El piloto aterrizó en el camino, donde se había establecido un perímetro. Después de presentarnos al teniente de la Policía estatal de Virginia y al *sheriff* del condado, nos acercamos andando hasta la escena del crimen.

Hacía calor. Se oía el tamborileo y el zumbido de los insectos en el bosque, alrededor de las instalaciones de secado de tabaco. Los motores de los camiones al ralentí silenciaban el ruido de las moscas que volaban alrededor del Viper.

–Lo han vuelto a limpiar todo –dijo Mahoney cuando nos encontrábamos a diez metros del Dodge.

Observé el reluciente camino que nos separaba del Viper y descubrí unos débiles surcos en la tierra húmeda.

–O lo han rastrillado –dije.

La puerta del coche estaba entreabierta. La ventanilla, bajada. El conductor había recibido un disparo en la parte posterior del cráneo, en el occipital izquierdo. La sangre había salpicado el parabrisas y casi cubría los dos agujeros del proyectil, el de entrada y el de salida. El otro ocupante del Viper había quedado echado hacia atrás en el asiento del copiloto; su ojo izquierdo convertido en una cuenca sangrienta cuyo interior era una carnicería.

Dos tiros, dos muertos –dijo Sampson–. El conductor recibió el disparo por la espalda.

–Y desde una posición ligeramente inclinada –le dije–. Al acompañante le dispararon desde uno de esos tejados, probablemente el de la izquierda.

Seguimos avanzando y vimos los camiones aparcados uno detrás de otro y los logotipos que los identificaban como pertenecientes a la Littlefield Produce Company of Freehold Township, de Nueva Jersey. Dos hombres muertos en cada cabina. Todos tenían un solo disparo.

–Quedaron atrapados aquí y fueron ejecutados desde arriba –dije preguntándome si Nicholas Condon y sus amigos podrían haber ideado esa emboscada. «Sí –decidí–, y seguramente con relativa facilidad».

–Les dispararon desde los techos de los cobertizos –convino Mahoney–. Aunque los techos están inclinados hacia nosotros, no hemos visto ni un solo casquillo en el suelo.

–Si cada francotirador disparó solo una vez, no tuvo que recargar, por lo que no hay casquillo –dije.

Pasamos por delante del primer tráiler y miramos el Mustang y a los dos hombres muertos que yacían sobre la hierba rodeados por una cinta adhesiva y por un equipo de criminalistas del FBI analizando la escena del crimen. Pensando que sería mejor no molestarlos, nos dirigimos de nuevo hasta el último tráiler, el único que no tenía una parrilla detrás del parachoques.

El ayudante del *sheriff* Max Wolford, que había descubierto la masacre, nos estaba esperando con unas tenazas para cortar cadenas.

–¿Cuánto apostáis a que ahí dentro no encontramos rábanos ni espinacas? –dijo Sampson.

–Yo apuesto por drogas y dinero –dijo Mahoney.

Le hizo un gesto a Wolford, que agarró el candado con las tenazas y lo cortó. Sampson tiró de la palanca y abrió la puerta.

Una nube de aire frío y húmedo salió del remolque frigorífico y la luz del sol iluminó su interior. No vimos lo que estábamos esperando. Ni por asomo.

–¡Por Dios! –exclamó Sampson–. Esto no me lo esperaba.

Reprimí mi reacción, desenfundé el arma, levanté la placa y subí al tráiler.

CAPÍTULO 48

CUATRO CADÁVERES EN ROPA INTERIOR y con la piel azulada yacían sobre unas lonas colocadas encima de cajas de madera con carteles en los que podía leerse «Pepinos, tomates y lechugas». Tres eran de mujeres jóvenes, de alrededor de veinte años. El cuarto era de un niño que, como mucho, tendría un año más que Ali.

Detrás de los cuerpos y las cajas, en la parte posterior del tráiler, se podían ver los hombros, las cabezas y los ojos aterrorizados de al menos treinta personas de diversas razas y colores de piel, en su mayoría chicas y chicos jóvenes vestidos con harapientas prendas de invierno; estaban apiñados y les castañeteaban los dientes, intentando no morir congelados.

–Ordene que muevan los camiones para que podamos abrir todos los tráileres –le dije a Mahoney–. Hay que avisar a los equipos de Emergencias Médicas.

–Y mucha más ayuda –dijo Mahoney sacando su móvil.

Cogí una de las lonas, se la entregué a Sampson y le dije:

–Cubre el Viper. No tienen por qué ver eso.

Sampson cogió la lona y empecé a despejar el paso entre las cajas de verduras.

–Soy de la Policía –dije–. Hemos pedido ayuda.

Todos me miraron con timidez o carentes de expresión.

–¿Alguien habla mi idioma? –les pregunté.

Algunos movieron los ojos, pero nadie respondió.

Cuando llegué junto a ellos, algunos se echaron a llorar y otros se encogieron, pero no me miraron, como si tuvieran miedo y, por alguna razón, se sintieran avergonzados al mismo tiempo. Intenté sonreír tranquilizadoramente y les hice un gesto señalando a Sampson. Nadie se movió.

Entonces una joven muy guapa de pelo negro vestida con una parka gris se separó del grupo y pasó a toda velocidad junto a mí. La siguieron unos cuantos más. Tan solo unos pocos miraron los cadáveres.

Sampson los ayudó a bajar. Se echaron sobre la hierba, bajo el sol ardiente, más allá del Viper cubierto. Lloraban, se abrazaban y se consolaban mutuamente en al menos cinco idiomas distintos.

La Policía estatal trajo jarras de agua y cajas de barritas energéticas, cuyos envoltorios rasgaron con voracidad los rescatados. Después de haber sacado fotografías de las cabinas de los otros camiones, llevamos a cabo la desagradable tarea de sacar los cadáveres y colocarlos en el suelo de madera de los cobertizos de secado.

En los otros dos tráileres encontramos un total de cinco cadáveres y sesenta y siete supervivientes.

–No tenemos ni idea de cuánto tiempo han estado ahí dentro –dijo Sampson frustrado cuando quedó claro el alcance de la situación–. No tenemos ni idea de dónde vienen ni quiénes son los muertos. No llevan ningún documento encima.

Estábamos de pie mirando cómo empezaban a llegar los servicios de Emergencias Médicas y de ayuda humanitaria. Vi pasar junto a nosotros a la chica de pelo oscuro vestida con la parka gris que fue la primera en bajar del tráiler. Se había quitado la gruesa prenda de abrigo y los pantalones; ahora llevaba unos *shorts* y una camiseta rosa de manga larga con unas lentejuelas plateadas que formaban la palabra «Diosa». Estaba a una distancia desde la que podía escuchar lo que hablábamos y no dejaba de mirarnos.

Le sonreí y le hice un gesto con el dedo para que se acercara. La diosa se comportó como si no me entendiera, por lo que me acerqué y me agaché a su lado.

–¿Puedes dejar de fingir que no entiendes mi idioma? –le dije.

Ella se miró el regazo.

–Estamos aquí para ayudaros –le dije–. Pero a cambio necesitamos vuestra ayuda.

No se produjo ningún cambio en su actitud; solo levantó la vista con indiferencia, como si estuviera mirando a lo lejos a través de mí.

–Como quieras –dije–, pero el Servicio de Inmigración de los Estados Unidos no tardará en intervenir. Si quieres tener la oportunidad de quedarte en este país, tienes que empezar a hablar.

Sus pupilas se dilataron y su respiración se aceleró. La miré, me encogí de hombros como si eso fuera todo, me levanté y di varios pasos en dirección a Sampson.

Entonces la chica me llamó con un marcado acento:

–Tráigame un paquete de Marlboro e intentaré ayudarlo.

CAPÍTULO

49

–¿**LA CREES?** –me preguntó Bree cuando llegué a casa sobre las once de la noche, después de uno de los días más terribles de mi vida.

–No tengo ninguna razón para no creerla –le contesté mientras me comía las sobras de los kebabs de cordero con una sabrosa salsa de cacahuete dulce que había preparado Nana Mama–. Varias chicas que también hablaban nuestro idioma contaron una historia parecida. Y los chicos también.

–Es inhumano –dijo Bree.

–Totalmente –dije.

Pensé de nuevo en Mina Codrescu sentada sobre su parka y dando una larga calada a su primer Marlboro antes de hablar.

Mina tenía diecinueve años y era de la ciudad de Balti, en el norte de Moldavia, un pequeño país empobrecido situado entre Hungría y Ucrania. Su madre había muerto, nos había dicho, y su padre era un borracho. Lo único que tenía era su capacidad para hablar nuestro idioma y el sueño de viajar algún día a América; así pues, cuando un ruso al que conoció en un bar le dijo que había una forma de que pudiera llegar a los Estados Unidos, ella le dijo que estaba interesada. Aquel hombre la llevó a Chisináu, la capital de Moldavia, donde conoció a otro ruso.

–Dijo que me llevaría a América a cambio de cinco años de trabajo –me dijo Mina expulsando el humo del cigarrillo y apartando la mirada.

–¿Qué clase de trabajo? –le preguntó Sampson.

–Prostitución –respondió ella con una actitud desafiante.

–¿Y aceptaste?

–Estoy aquí, ¿no? –dijo dando otra calada.

No dije nada.

Mina agitó el cigarrillo y, en el mismo tono desafiante, dijo:

–Ha merecido la pena. Por eso, volvería a hacerlo. Estoy aquí, en América. Aquí puedo oler mi sueño. Si no hubiera aceptado, nada de esto habría ocurrido.

–No te estamos juzgando, Mina –le dije–. Solo te estamos escuchando. Dime qué pasó después de que aceptaras el trato.

Mina dijo que se había acostado con el segundo ruso durante tres días y que este le había dado un pasaje para Miami. Una mujer a la que ella conocía como Lori la recogió en Florida.

Lori se quedó con su pasaporte y su móvil. Le dijo que se los devolvería al cabo de cinco días, después de que la asignaran un local. Lori llevó a Mina en plena noche a una terminal de camiones de donde salían vehículos. Llegaron más chicos y chicas.

Tiraron por el suelo montones de prendas de invierno viejas y les ordenaron que se las pusieran. Lori había apartado la parka, unos pantalones y unas botas para Mina; la ayudó a subir al camión frigorífico asegurándole que su vida sería mucho mejor cuando llegaran a su destino. Lujosa, incluso.

–No lo pasé mal, porque en el lugar de donde vengo hace frío –dijo Mina–. Pero los demás apenas llevaban ropa. Intentamos que no cogieran frío, pero algunos estaban enfermos y demasiado débiles para viajar, y murieron.

–¿Cuánto tiempo estuviste en el camión?

–No lo sé. No tenía reloj ni teléfono. ¿Dos días? Puede que más.

–¿Había más chicas de Moldavia?

–Dos –dijo Mina–. Hay más de Hungría y Eslovaquia.

Varias muchachas habían sido reclutadas como ella, me dijo, mientras que otras habían trabajado en burdeles de Alemania antes de ser *transferidas* a los Estados Unidos y...

–Es triste –dijo Bree sacándome de mis pensamientos– que en algunos países del mundo haya tan pocas esperanzas como para que chicas jóvenes y niños desesperados por conseguir una vida mejor se sometan voluntariamente a la esclavitud sexual.

–Sonaba más como una servidumbre por contrato.

Bree arqueó una ceja.

–¿Piensas sinceramente que esos rusos iban a soltar a Mina después de cinco años? Ni hablar. Después de explotarla, se habrían librado de ella. Alguien la habría encontrado en una cuneta.

–Tal vez, pero ahora tiene una oportunidad –le

dije–. Cuando llegó la agente al mando del Servicio de Inmigración de Virginia Beach le dije a Mahoney que Mina era crucial para la investigación y que necesitaba asilo político.

–Eso la ayudará.

Asentí tratando de sentirme bien por ese gesto, en vez de cansado y sensible. Mi agotamiento debía ser evidente, porque Bree me preguntó:

–¿Estás bien, Alex?

–Lo cierto es que no –le contesté–. Durante todo el viaje de regreso en helicóptero estuve pensando en Jannie y en Ali, en nosotros. A todos nos tocó la lotería por nacer y crecer aquí, en América, y no en algún lugar donde tendríamos que prostituirnos para salir de la miseria. Es decir, lo siento, pero hay algo que no funciona o que está desequilibrado cuando existen cosas así. ¿O estoy dándole demasiadas vueltas a todo?

–Solo estás indignado –dijo Bree–. O quizás escandalizado.

–¿Y eso es malo?

–No. Demuestra una pasión y un noble sentido de la justicia, que es algo que adoro en ti.

Sonreí.

–Pues gracias.

–De nada –dijo Bree, sonrió y bostezó–. Necesito dormir.

–Espera... ¿Cómo te ha ido el día, jefa?

Bree se levantó, me hizo un gesto con la mano y me dijo:

–Estoy haciendo todo lo posible por olvidarlo y empezar de cero mañana por la mañana.

–Me gusta la idea –dije.

–Estoy llena de buenas ideas –dijo Bree, y me dio un beso en la mejilla.

CAPÍTULO 50

EL VIERNES, a última hora de la tarde, antes del fin de semana del Día del Trabajo, cincuenta miembros de las fuerzas del orden público abarrotaban la sala de reuniones de la Policía Metropolitana de Washington D. C. para asistir a la sesión informativa del agente especial Ned Mahoney sobre las masacres.

Me complació ver los mismos rostros tanto de Justicia y de la DEA como de la Agencia de Alcohol, Tabaco, Armas de Fuego y Explosivos. Era bueno que estuvieran las mismas personas y que mantuvieran las líneas de comunicación abiertas y claras.

Si no conociera tan bien a Mahoney, probablemente no habría notado la ligera inclinación de sus hombros y las arrugas alrededor de sus ojos. El caso le pesaba. O le estaban exprimiendo, seguramente con más fuerza que a Bree.

–No ha habido más ataques –dijo Mahoney–, y hemos hecho algunos progresos. Sin embargo, las filtraciones a la prensa y el frenesí que rodea esta ola de asesinatos han obstaculizado nuestro trabajo.

Eso era cierto. La cobertura de los medios estaba al

rojo vivo y era constante después de la cuarta masacre. Se habían publicado historias o se habían emitido reportajes declarando que «fuentes anónimas próximas a la investigación» aseguraban que el FBI creía que exmilitares, probablemente mercenarios, estaban llevando a cabo esos ataques y que trabajaban para un cártel o actuaban como justicieros.

También se había filtrado el hecho de que, además del cargamento humano, en los camiones también había un millón de dólares en efectivo y noventa kilos de cocaína escondidos en las cajas de verduras. La Policía Metropolitana de Washington D. C. y el FBI esperaban que esa información no saliera de las cuatro paredes de aquella sala.

–No debe haber más filtraciones –dijo Mahoney–. Nos están paralizando.

Eché un vistazo a los asistentes y no vi a nadie que demostrara una actitud culpable o de disimulo. Pero eso no importaba. Las filtraciones ya habían conseguido que los policías desconfiaran de la agencia federal en su conjunto. Habíamos decidido retener algunas de las nuevas pruebas que habíamos encontrado, al menos de momento.

–Más cosas –dijo Mahoney–. No existe ninguna Littlefield Produce Company en el municipio de Freehold, Nueva Jersey. Y seis de los traficantes asesinados han sido identificados por sus huellas digitales en el sistema IAFIS.

En la pantalla que había detrás del agente del FBI aparecieron seis fotos policiales.

–Los dos de la izquierda son rusos relacionados con los sindicatos del crimen organizado de San Petersburgo y Brighton Beach –dijo Mahoney–. Hay agentes de Nueva York y Rusia trabajando en ello. Los otros cuatro son más familiares para los cuerpos de seguridad. ¿Correcto, George?

George Potter, el agente especial de la DEA al mando, asintió.

–Los cuatro tienen numerosos antecedentes en el sur de Florida y Texas. Los dos de la derecha, Chávez y Burton, están vagamente relacionados con el cártel de Sinaloa.

–¿Alguno de ellos ha participado en el tráfico de personas? –preguntó Bree.

–No, que sepamos –dijo Potter–. Pero podrían haber diversificado sus actividades.

–O esto podría ser tan solo una rama de algo mucho mayor –dije–. Estas conexiones con la mafia de los cárteles de la droga rusos y mexicanos sugiere una posible alianza que, cuando piensas en ella, resulta aterradora.

Potter asintió.

–Como un supercártel.

–O puede que sea tan solo un equipo de agentes de carga que transporta tres tipos diferentes de productos a la vez: drogas, dinero y personas.

–Te refieres a esclavos –dijo Bree.

Bob Taylor, un inteligente afroamericano de la Agencia de Alcohol, Tabaco, Armas de Fuego y Explosivos, preguntó:

–¿Eres un esclavo si firmas un contrato por voluntad propia?

–Los compraron y les pagaron –dijo Bree–. Aun cuando las vendedoras fueran las propias chicas. Llamemos a esto por su nombre: explotación sexual.

Taylor levantó las manos en señal de rendición y dijo:

–Solo estaba intentando aclarar las cosas, jefa. Si usted me pregunta, sean quienes sean esos pistoleros, están haciéndole un favor al mundo eliminando defectos del acervo genético.

En la sala hubo gestos y murmullos de asentimiento.

En cierto modo, no podía discutir ese sentimiento. Había tenido la oportunidad de repasar los antecedentes de los muertos, y la maldad, la crueldad y la depravación se entrelazaban en sus vidas.

Me da igual que la gente crea en Jesús, en Dios, en Alá, en el karma, en el espíritu del universo o en un poder superior, porque el grupo de matones que había muerto en Ladysmith, Virginia, había estado pidiendo a gritos un final violento como ese: ser tiroteados sin piedad. Creía que eso era así, aunque también creía que quienquiera que hubiera acabado con las vidas de esos matones merecía ser juzgado y condenado.

En mi opinión y a los ojos ciegos de la Justicia, el hecho de que un hombre se lo busque no hace que matarlo sea correcto. Sobre todo si ha muerto en una emboscada. Eso, desde cualquier punto de vista, es premeditación.

Mahoney retomó la sesión con algunos informes preliminares del laboratorio. Las víctimas fueron tiroteadas con balas del calibre 223, posiblemente con rifles de estilo AR.

–¿Militares? –preguntó el agente especial Taylor–. ¿Expansivas?

–No –respondió Mahoney–. La mierda que se puede comprar en Walmart.

Sampson se inclinó hacia mí.

–Tengo que irme. Cena de aniversario con Billie.

–Enhorabuena a ti y a Billie. ¿Cuántos años?

–Seis de los grandes, y gracias.

Sampson se escabulló.

Seis de los grandes. De algún modo, aquello tenía gracia.

Unos momentos después, Bree se inclinó hacia mí y me dijo:

–Tengo un montón de papeleo en mi escritorio, necesito revisarlo.

–Me quedaré aquí y te diré si hay alguna novedad –le contesté.

Pero no había nada nuevo, al menos desde mi punto de vista. Mahoney despachó el resto de la sesión informativa en veinte minutos y la gente abandonó la sala.

–Tienes pinta de necesitar un fin de semana de tres días –le dije a Ned.

–Eso sería fantástico –contestó Mahoney.

–Ve a tu casa de la playa; el martes lo verás todo de otra manera.

–No creo que a los dioses del FBI les gustara mucho que estuviera tomándome tranquilamente una cerveza fría si se produce otro ataque a los bajos fondos durante el fin de semana.

–Siempre puedes dejar el móvil encendido –le dije–. Nadie dice que tengas que quedarte en tu despacho esperando una llamada. Además de para consultar Facebook y mandar mensajes de texto, esos teléfonos sirven para más cosas, ¿no?

Mahoney inclinó ligeramente la cabeza con la mirada distraída.

–Esta noche el tráfico será un infierno. Quizás podría salir mañana a primera hora.

–O sea que te lo estás planteando.

–¿Y qué me dices de ti? ¿Y Bree? ¿Por qué no os venís con los niños? Sería un bonito fin de semana.

–Nada me haría más feliz, pero Jannie tiene una carrera en la Johns Hopkins, y también pensábamos ir a visitar a Damon.

–Son tres días de fiesta. Podríais venir el domingo por la mañana, o incluso el sábado por la noche.

–Resulta tentador. Deja que lo hable con la nueva jefa de detectives.

CAPÍTULO 51

LA TEMPORADA DE COMPETICIONES de atletismo suele terminar a mediados de agosto, pero en los Estados Unidos la organización Track and Field había lanzado un programa para promover a jóvenes talentos, invitando a atletas de institutos de todo el país a reunirse en el campus de la Johns Hopkins en un esfuerzo por ayudar a los entrenadores a detectar a los que tuvieran potencial.

El hecho de que Jannie hubiera sido invitada teniendo solo quince años y ocho meses fue una sorpresa para nosotros. En principio, ella no se encontraba entre las atletas convocadas para el encuentro. Pero Ted McDonald, el respetado entrenador de atletismo que trabaja con mi hija, mostró vídeos de Jannie a la gente adecuada y al final fue seleccionada.

Nos habíamos sentado en las gradas a la sombra una hora antes de la carrera de Jannie. En la pista había niños calentando. Aunque pocos de ellos parecían niños.

–¿Qué les dan de comer? –preguntó Bree.

–Cereales de hormona del crecimiento con leche de esteroides –dijo Nana Mama, y se echó a reír a carcajadas.

–Por su bien, espero que no –dijo Bree–. Jannie comentó que todos deben entregar muestras de sangre y orina.

–Que pueden ser manipuladas –contestó Nana Mama.

Eso era algo que sabíamos muy bien. A principios de verano, en Carolina del Norte, una adolescente celosa y vengativa había intentado que acusaran a Jannie de doparse. Desde entonces, siempre hemos exigido muestras de cualquier prueba antidopaje a la que ha tenido que someterse.

Un grupo de atletas avanzaba a dieciséis kilómetros por hora. Los observé tratando de mantener a raya los recuerdos de la tarde anterior. Era una jornada festiva, y había leído que era importante aceptar los días libres y disfrutarlos, porque si no lo hacías, corrías el riesgo de quemarte.

–¿Puedo tomarme una Coca-Cola? –preguntó Ali quitándose los auriculares, que estaban conectados al iPad de segunda mano que habíamos comprado en eBay.

–Un agua sería mejor –le dijo Nana Mama.

–Pensaba que hoy era un día de fiesta –protestó Ali–. En vacaciones se supone que hay que pasarlo bien. Sabes que es pasarlo bien, ¿no?

Mi abuela se retorció en la grada y se quedó mirándolo fijamente con expresión enfadada.

–¿Te estás burlando de tu bisabuela?

–No, Nana Mama –respondió Ali.

–No toleraré ninguna insolencia –dijo mi abuela–. Sabes qué significa insolencia, ¿no?

–Sí, señora.

Bree y yo observamos divertidos la maestría con la que Nana Mama manejaba a Ali.

–¿Qué estás escuchando? –le preguntó Nana Mama en un tono más suave.

El rostro de Ali se iluminó.

–Un pódcast sobre delfines. Al igual que los murciélagos, tienen ecolocalización, solo que en el agua.

–¿Cuál es la cosa más sorprendente que has oído hasta ahora?

Sin dudarlo, Ali dijo:

–Que los delfines tienen el mejor oído del mundo.

–¿Eso es cierto? –preguntó Bree.

–Los humanos pueden oír como unos veinte *kilohersos*. Y los perros como cuarenta y cinco.

–Hercios –dijo Nana Mama–. Cuarenta y cinco kilohercios.

–Hercios –dijo Ali–. Los grandes felinos, como los leones, pueden oír hasta setenta y cinco, creo. Pero un delfín puede oír sonidos de hasta ciento veinte kilohercios. Y tienen como un campo eléctrico a su alrededor. Dicen que puedes notarlo si nadas con ellos. Yo quiero hacerlo, papá; quiero nadar con delfines.

–Pensaba que tenías algunas preguntas para Neil deGrasse Tyson.

–Eso también –dijo Ali–. ¿Puedo tomarme una Coca-Cola, papá?

–Sí –le dije.

–¿Cómo? –dijo Nana Mama.

Sonreí.

–El argumento de las vacaciones siempre puede conmigo.

Alguien me tocó el hombro. Me di la vuelta y vi que era Damon.

–¡Eh! –exclamé poniéndome en pie para darle un abrazo–. ¡Mirad quién ha venido!

–Hola, papá –dijo Damon sonriendo de oreja a oreja y dándome también un abrazo.

Hubo una ronda de besos y abrazos. Oímos hablar de orientación y Ali consiguió su Coca-Cola y una bolsa de patatas fritas con sal y vinagre. La vida era bonita, tranquila y equilibrada. La presión que Bree sentía por su nuevo puesto también se había esfumado. Me di cuenta por su forma de reírse mientras Damon contaba una de sus historias.

Bree se sentía a gusto. Y yo también. Algo extraño en esos días.

–¡Eh, papá!

CAPÍTULO 52

JANNIE ME ESTABA LLAMANDO desde la valla, así que me levanté y me acerqué a ella.

–Tú puedes, Jannie –dijo Damon siguiéndome–. Mis amigos de la residencia han venido a ver cómo las haces picadillo a todas.

Jannie se echó a reír y dio un puñetazo en el aire antes de abrazar a Damon. Nunca ha tenido pánico escénico, al menos cuando se trata de correr. A lo largo de este último año se ha enfrentado a chicas que aspiraban a competir en la División 1 de la NCAA de institutos, y había corrido lo suficientemente bien como para estar aquí.

–¿Estás bien? –le pregunté.

–Siempre –me contestó ella relajada–. El entrenador McDonald tiene buenos contactos y las estrategias de entrenamiento han funcionado.

–¿Cuál es la diferencia?

–Ya lo verás. Os quiero.

–Yo también te quiero –le dije–. Nana Mama dice que corras como si Dios te hubiese otorgado un don y que des las gracias por cada paso que das.

Ella sonrió, aunque un poco confundida.

–Dile a Nana Mama que lo intentaré, papá. Por cierto, tienes al entrenador McDonald detrás de ti.

Jannie se alejó y subimos de nuevo a las gradas.

Vestido con su característico chándal gris y una sudadera con capucha azul y con unos prismáticos colgados del cuello, Ted McDonald movía nerviosamente un pie y luego el otro mientras hablaba con Bree y Nana Mama. A sus cincuenta y tantos años, con un mechón de pelo gris rojizo que desafiaba a la gravedad, el entrenador McDonald hacía gala de una sencillez que me encantaba.

–Doctor Cross –dijo McDonald estrechándome la mano.

–Doctor McDonald.

El entrenador tenía un doctorado en Psicología del deporte.

–¿Listo para asistir a un pequeño momento histórico? –preguntó McDonald.

Aunque Ali estaba escuchando su pódcast, se quitó los auriculares y preguntó:

–¿Qué momento histórico?

–Durante una carrera puede ocurrir cualquier cosa, pero he estado siguiendo los entrenamientos de Jannie. Son impresionantes. Hoy, aquí, podría hacer algo que pusiera en pie a la gente y conseguir que se fijaran en ella.

–¿Qué clase de gente? –preguntó Nana Mama.

McDonald hizo un gesto en dirección a la pista.

–Pues esa gente que está ahí con un cronómetro en la mano. Todos son entrenadores de la División 1. De

Oregón, Texas, Georgetown, California, Standford... Y todos verán correr a Jannie.

–¿Y ella lo sabe? –pregunté.

–No. La he hecho correr contra reloj y contra ella misma.

–¿Qué significa eso? –preguntó Bree.

–Te lo diré si ocurre –contestó el entrenador mirando hacia la pista y aplaudiendo–. Vamos allá. Calma y tranquilidad.

Jannie se situó en la calle número cuatro. Cuando sonó el pistoletazo de salida, empezó a correr con su paso largo y fluido y siguió el ritmo de dos estudiantes de último curso de instituto, una de California y otra de Arizona.

Iba tercera cuando cruzaron la línea de meta y no parecía haberse quedado sin aliento.

–Ha estado al ochenta por ciento –dijo McDonald después de consultar su cronómetro. Inclinándose sobre mí, me dijo en voz baja–: Con esta carrera ha despertado suficientemente el interés de todos los entrenadores como para empezar a recibir llamadas en los próximos meses. Es posible que incluso la vayan a visitar a su casa.

–Pero solo es una estudiante de segundo curso –dije.

–Lo sé –repuso McDonald–. Pero más adelante, si corre como lo hizo el otro día en el entrenamiento, podría tener a todos los entrenadores acampando en vuestro patio delantero.

No insistí. No le pedí detalles. Toda la conversación me puso nervioso de un modo agridulce. Sentí orgullo, nervios y luego más orgullo.

Dedicamos el descanso de dos horas para comer con Damon y dos de sus nuevos amigos: William, su compañero de habitación, y un chico de Boston, Justin Hahn, que jugaba con él al baloncesto. Ambos eran buenos chicos, muy divertidos y capaces de engullir una asombrosa cantidad de comida, igual que Damon. Comieron tanto que casi nos perdimos las finales.

Jannie y otras siete chicas se dirigían a la pista mientras corríamos hacia nuestros asientos. Ella ocupó la tercera calle de ocho. Las chicas se situaron en sus marcas. Sonó el pistoletazo de salida.

Jannie arrancó con pasos entrecortados, trastabilló, tropezó y cayó al suelo apoyándose en las manos y las rodillas.

–¡No! –gritamos todos antes de que diera un brinco y siguiera corriendo.

–¡Oh, vaya mierda! –exclamó Damon.

–Adiós a la beca –dijo el compañero de habitación de Damon, lo cual me molestó aunque no lo suficiente como para obligarme a bajar los prismáticos.

–¿Qué ha pasado? –preguntó Ali.

–Ha perdido el equilibrio –dijo el entrenador McDonald, que también miraba a través de sus prismáticos–. Se ha golpeado en el talón y... Está unos veinte metros por detrás de Bethany Kellogg, la chica de Los Ángeles que corre por la calle uno. Es la que tiene más posibilidades de ganar.

Las atletas de las calles exteriores estaban casi a mitad de camino cuando, por fin, Jannie salió de la curva en último lugar. Pero no parecía molesta. Aceleró, corriendo con eficacia y fluidez.

–Así no lo vas a conseguir, señorita –dijo McDonald.

Fue casi como si Jannie pudiera oírlo, porque sus pasos se hicieron más largos y sus pisadas pasaron de ser flexibles a explosivas. Más que correr, devoraba la pista; sus piernas parecían muy largas y sus articulaciones elásticas y con una fuerza arrolladora.

A través de los prismáticos pude verle bien la cara: se estaba esforzando, pero sin romperse.

–Acaba de adelantar a la chica de Kentucky que corre por la calle cuatro –dijo McDonald cuando las corredoras entraron en la curva más alejada de la línea de meta–. No va a llegar en último lugar. ¡Vamos, jovencita, demuéstranos lo que eres capaz de hacer!

Aunque aún seguía tambaleándose, las distancias entre las atletas se iban reduciendo a toda velocidad a medida que progresaban en la curva. Jannie ganaba posiciones con cada paso. Cuando entró en la recta final, adelantó a una chica de Florida que corría por la calle dos.

–¡Está volando! –gritó el compañero de habitación de Damon.

Ahora estábamos todos de pie, mirando a Jannie, que estaba echando mano de toda su reserva de coraje y determinación. Tras avanzar treinta metros, adelantó a la chica de Texas que corría por la calle seis y luego dejó atrás a otra chica de Oregón que corría por la ocho.

–¡Va en cuarta posición! –gritó Ali.

Las tres chicas que encabezaban la carrera iban parejas. Bethany Kellogg estaba ligeramente por delante, y solo diez metros separaban a Jannie de la chica de Alabama, que iba en tercera posición.

Cuando faltaban treinta metros para la meta, Jannie redujo esa distancia a seis metros. Cuando faltaban quince, la había reducido a tres.

Cuando cruzaron la línea de meta, veinte centímetros separaban a Jannie de la competidora de Alabama.

El entrenador McDonald bajó los prismáticos y sacudió la cabeza maravillado.

–Se ha quedado sin fuerzas, eso es lo que ha pasado –dijo.

Mis prismáticos seguían pegados a Jannie, que cojeaba a causa del dolor, lejos de la línea de meta. Un cámara de televisión se movió hacia ella por la pista cuando se inclinó y se echó a llorar.

CAPÍTULO 53

CUATRO HORAS DESPUÉS vivimos la increíble experiencia de ver la carrera de Jannie en el canal ESPN. Vimos las imágenes en una pantalla plana, en la casa de la playa de Ned Mahoney, en la costa de Delaware.

El montaje del vídeo mostraba el inicio de la carrera, la caída de Jannie y la recta final, cuando cruzó la línea de meta en cuarta posición; a continuación, el vídeo saltaba a la última curva y al momento en que puso toda la carne en el asador para el esprint final.

Una segunda cámara había grabado a Jannie cojeando en la línea de meta e inclinándose; luego la imagen volvía a la mesa del *SportsCenter* de la ESPN.

Carter Hayes, el copresentador del sábado, miró a su compañera, Sheila Martel, y dijo:

–¡Esa chica ha corrido tan deprisa después de caerse que se ha roto el pie al cruzar la línea de meta!

Martel, con una cara de asombro, señaló con el dedo al copresentador y dijo:

–¡Esa chica corrió tan deprisa después de caerse que no quedó tercera por ocho centésimas de segundo, y primera por cuatro décimas de segundo!

Entonces Hayes apuntó con el dedo a Martel y contestó:

–Esa chica corrió tan deprisa que si restas los dos segundos que perdió en la caída, habría ganado por un segundo y seis décimas y habría figurado en el libro de los récords con el séptimo mejor tiempo de una atleta de instituto en los cuatrocientos metros. Una actuación increíble. Sin lugar a dudas, ha sido lo más destacado de la jornada.

Sheila Martel señaló a la cámara con el dedo y dijo:

–Recupérate, querida Jannie Cross. Tenemos la sensación de que muy pronto volveremos a oír hablar nuevamente de ti.

El programa pasó a la siguiente información. Todos vitoreamos y aplaudimos.

–Mientras veía correr a Jannie, os juro que casi se me paró el corazón –dijo Nana Mama–. Pero ahora, cuando acaban de pronunciar su nombre, casi se me ha vuelto a parar.

–¿Papá? –dijo Ali–. ¿Jannie es famosa?

–Esta noche, sí –le contesté.

¿ESPN? ¿Lo más destacado de la jornada? ¿Jannie?

–¿Cómo demonios se enteró ESPN de la carrera? –preguntó Mahoney.

–Algunos cámaras que trabajan por su cuenta y que venden imágenes a ESPN estaban allí –explicó Bree–. Lo grabaron todo.

Entonces sonó mi móvil. Era Jannie, que llamaba desde algún sitio muy ruidoso.

–¿Lo habéis visto? –gritó.

–Por supuesto que lo hemos visto. ¿Dónde estás?

–En una fiesta con Damon, sus amigos y gente que he conocido en la competición. Todo el mundo me ha aplaudido, papá.

–Aquí también te hemos aplaudido todos –dije emocionado–. Te lo merecías.

–Sí, pero ahora Damon me está presentando a las chicas con las que está intentando ligar.

–Demasiada información –le dije–. Iremos a recogerte mañana por la tarde. Mantén ese pie en alto, no lo fuerces.

–Es lo que me ha dicho el médico –contestó Jannie–. Me alegro de que estuvierais allí.

–Yo también. Y ahora, diviértete.

Bree y Ali fueron a la playa, más allá de las dunas. Nana Mama y yo estábamos pelando mazorcas de maíz en el porche trasero de la casa de Mahoney. La había heredado de su tía, una devota católica que iba a misa todos los días.

–Estoy convencido de que esa fue la razón de que sobreviviera al huracán Sandy –dijo Mahoney mientras metía carbón en una barbacoa Weber–. Al norte de aquí hubo muchas casas que fueron destruidas; gran parte de ellas quedaron reducidas a astillas.

–O sea que este sitio tenía buen karma –dije.

–Si estuviera de acuerdo contigo en eso, es probable que mi tía me lanzara un rayo –dijo Mahoney–. Pero sí, este lugar me relaja.

–¿Cómo no iba a hacerlo? –dijo mi abuela–. La fresca brisa del océano. El ruido de las olas. Es muy tranquilo.

–Me alegro de que hayas podido venir, Nana Mama

–dijo Mahoney–. ¿Cuándo fue la última vez que estuviste en la playa?

–No soy capaz de recordarlo –contestó mi abuela mientras acababa de pelar la última mazorca de maíz–. Últimamente es algo que me ocurre a menudo. Voy a poner el agua a hervir.

Sabía que era mejor no discutir con ella cuando se levantó. Se dirigió a la cocina, su lugar favorito en cualquier casa.

–¿Es muy grave la lesión de Jannie? –me preguntó Mahoney encendiendo el carbón.

–Fractura capilar de uno de los huesos metatarsianos. Deberá llevar muletas durante dos semanas y una bota dura otras tres. Podrá volver a correr dentro de dos meses.

–Es una lástima que no haya podido venir.

–Entre ir a la playa con su madrastra, su padre, su bisabuela y su hermano pequeño o salir una noche con los nuevos amigos que ha hecho en el mundo del atletismo y su hermano mayor que está en la universidad...

–No hay más que decir.

Vimos a Bree y a Ali caminando por el sendero desde las dunas. Ali llevaba una toalla alrededor de los hombros y mostraba una sonrisa que hizo que me alegrara de estar vivo.

–Es como un delfín –dijo Bree subiendo al porche–. Deberías haberlo visto en las olas.

–Mañana –dije–. Es lo primero que haré.

Ali se dirigió hacia las puertas correderas, pero Mahoney lo detuvo.

–Ahí detrás hay una ducha al aire libre. Quítate la

arena y sécate antes de entrar en casa o mi amiga se enfadará.

–Nunca he utilizado una ducha al aire libre –dijo Ali.

–Es toda una experiencia –dijo Mahoney volviendo a la barbacoa.

–Yo iré después de ti –le gritó Bree a Ali cuando desapareció en dirección a la ducha.

Fui a la nevera y saqué dos botellas de cerveza Dominion frías, la favorita de Delaware, y las abrí.

–Necesitaba esto –dijo Bree cogiendo su cerveza–. Descansar de todo.

–Creo que todos lo necesitábamos –dijo Mahoney.

–¿Vamos a conocer a tu misteriosa amiga? –le preguntó Bree.

–¡Aquí estoy! –exclamó una guapa morena vestida con un pantalón pirata, sandalias y un top azul transparente que apareció en una esquina de la casa con una fuente de galletas recién horneadas.

Dejó la fuente, nos sonrió y dijo:

–Soy Camille.

–¿No Camille, la amiga? –dije.

Camille se echó a reír.

–Eso es. Camille, la amiga.

–Estás animando la fiesta –dijo Mahoney.

–Eso intento –respondió Camille, y nos dio la mano–. Ned me ha hablado mucho de vosotros; tengo la sensación de que ya os conozco.

Camille era una agente inmobiliaria de la zona, viuda y llena de chispa. Ned y ella se conocieron en una marisquería del pueblo después de que uno se fijara en el otro al haber ido a cenar solos dos noches de sábado consecutivas. El tercer sábado, Mahoney se acercó a ella y le enseñó su placa.

–Me dijo que estaba llevando a cabo una investigación del FBI y que tenía que hacerme algunas preguntas –dijo Camille–. Después de decirle mi nombre, la primera pregunta que me hizo fue si siempre comía sola. Fue la misma pregunta que le hice yo.

Estaban bien juntos. Nos reímos, comimos y bebimos, posiblemente un poquito más de la cuenta. Salió la luna. Nana Mama se acostó. Ali se quedó dormido en el sofá. Mahoney y Camille dieron un paseo por la playa, hacia el norte, y Bree y yo caminamos hacia el sur mientras contemplábamos el reflejo de la luna en el océano y las olas.

–Es genial estar contigo –le dije a Bree mientras nos envolvíamos con una manta.

–En momentos como este es difícil pensar en el trabajo –dijo Bree.

–Eso significa que has desconectado y le has dado a tu cerebro el respiro que necesitaba.

–La operación de Parks ha ido bien –dijo–. Y la de Lincoln también.

–Estupendo –dije, y le susurré algo al oído.

–¿Qué? –Bree se rio por lo bajo–. ¿Aquí?

–En algún sitio, entre las dunas. Tenemos una manta. Sería una lástima desaprovechar la ocasión.

Bree me besó y me dijo:

–Suena como el final perfecto de un día perfecto.

CAPÍTULO 54

AL CABO DE CINCO DÍAS, el jueves después del Día del Trabajo, Sampson y yo nos bajamos de nuestro coche camuflado en el aparcamiento del Hospital General de Bayhealth Kent en Dover, Delaware.

–Esperemos que esa chica esté lo bastante consciente para ayudar –dije.

–Sabíamos que era cuestión de probar suerte –contestó Sampson–. Si no lo está, nos vamos.

La víspera habíamos recibido dos informes que nos habían llevado hasta el Hospital Bayhealth. El primero, archivado la semana anterior por un policía del estado de Maryland, describía un Ford Taurus que habían encontrado volcado en Maryland, al sur de Millersville.

La conductora, una camarera de veintinueve años, murió a causa de una herida en la cabeza provocada por una bala del calibre 45. Aunque el tiroteo se produjo a plena luz del día, no había aparecido ningún testigo.

El segundo informe, del departamento del *sheriff* del condado de Kent, Delaware, se refería a un Mustang blanco descapotable que se había estrellado contra un árbol en la carretera 10, entre Willow Grove y Woodside East. Su conductora, Kerry Rutledge, de veinticuatro años, una encargada de compras para la cadena de tiendas de ropa Nordstrom, fue hallada inconsciente pero con vida alrededor de las dos de la madrugada del Día del Trabajo. Rutledge tenía varias costillas rotas, lesiones en la cara, conmoción cerebral y una herida de diez centímetros de longitud en la parte posterior de la cabeza.

La señorita Rutledge recuperó la conciencia al cabo de unas horas, pero estaba confundida y no era capaz de recordar nada del accidente. Un detective del departamento del *sheriff* habló con ella al día siguiente y le dijo que creía que había recibido un disparo, pero que no podía recordar cómo había ocurrido ni por qué. Era posible que la herida en la parte posterior de la cabeza la hubiera producido el roce de una bala, por lo que pensamos que merecía la pena hablar personalmente con esa chica.

En la recepción nos informaron de que Kerry Rutledge ya había abandonado la unidad de cuidados intensivos y que estaba en observación, a la espera de los resultados de unas pruebas neurológicas. Cuando llegamos al mostrador de las enfermeras, sacamos las placas. La enfermera jefe nos dijo que los padres de Rutledge habían estado allí hacía poco para ver a su hija y que la última vez que habían atendido a la paciente estaba dormida.

Sin embargo, cuando golpeamos suavemente la puerta y entramos en su habitación, la encargada de compras de Nordstrom estaba recostada, bebiendo un vaso de agua fría y mirando la televisión en silencio. Era una chica muy delgada de piel pálida y pecosa y un fino pelo cobrizo que le colgaba alrededor de las vendas que cubrían su magullado rostro.

–¿Señorita Rutledge? –dije, y le presenté a Sampson y le dije también quién era yo.

–Están aquí porque me dispararon –dijo ella sin ninguna expresión.

–Así es –contestó Sampson–. ¿Vio a la persona que le disparó?

Movió ligeramente la cabeza hacia la derecha y hacia atrás.

–Me cuesta recordar las cosas.

Vacilé, pensando cuál era la mejor manera de proceder, y dije:

–¿Cómo sabe que le dispararon, señorita Rutledge?

Movió de nuevo la cabeza y la mantuvo inclinada hacia la derecha mientras parpadeaba y fruncía los labios.

–Él estaba allí... Él..., él tenía un arma. La vi.

–Muy bien. ¿Qué clase de arma?

–¿Una pistola?

–Genial. ¿Dónde estaba ese hombre? ¿Y dónde estaba usted?

La mirada de Rutledge se suavizó y su cabeza empezó a moverse incluso más lentamente antes de que frunciera el ceño y dijera:

–Soy idiota. Yo estaba...

–¿Señorita Rutledge?

–Estaba mandando un mensaje de texto –dijo–. Había ido a una fiesta y volvía a casa de mis padres, en

Dover. Había abierto la capota y las ventanillas. Hacía una noche espléndida y le estaba mandando un mensaje a una amiga. Eso sí lo recuerdo. Justo antes de que me dispararan.

–¿Qué hora era?

–No lo sé. Tarde.

–Entonces, estaba conduciendo –dijo Sampson–. Y no miraba la carretera porque estaba escribiendo.

Aunque abrió un poco la boca, asintió levemente con la cabeza.

–He conducido por esa carretera en miles de ocasiones. Puede que más. ¡Oh, Dios! ¿Cómo ha quedado mi coche?

–Muy mal –le dije–. ¿Estaba mandando un mensaje de texto y vio la pistola?

–Sí. Es decir, eso creo.

–¿Qué pasó entre una cosa y la otra? ¿Entre antes de que viera el arma y después de que dejara de escribir?

Me miró con cara de no entenderme y decidí optar por otro enfoque.

–¿A qué velocidad cree que iba?

–No muy deprisa. ¿A ochenta kilómetros por hora? Yo... –dijo Rutledge, y se interrumpió, como si le vinieran recuerdos lejanos y borrosos.

–¿Qué está viendo? –le pregunté.

–Había un faro –dijo–. Solo uno, en el retrovisor.

–¿El faro de una moto?

Al oír eso, Rutledge abrió los ojos. Respiró profundamente y se apoyó con fuerza en el colchón elevado, sin pensar en el dolor que sentiría en las costillas.

–Aaah –gimió–. Aaah..., ¡cómo duele!

Rutledge cerró los ojos. Pasó un minuto, luego otro, y, poco a poco, el espasmo de dolor remitió hasta que empezó a respirar tan rítmicamente que temí que se hubiera quedado dormida.

Pero entonces abrió los párpados y nos miró con unos ojos más claros.

–Estoy recordando más cosas –dijo–. El hombre se situó a mi lado, como si fuera a adelantarme, pero retrocedió y volvió a colocarse detrás de mí. Guardé el móvil en la guantera, agarré el volante con las dos manos y entonces fue cuando volvió a situarse a mi lado, montado en una de esas motos enormes con cúpula. Miré a mi izquierda y allí estaba, a un metro y medio o dos de distancia, con un casco negro con visera, apuntándome con el arma. Él..., él...

Rutledge nos miró con creciente incredulidad.

–Antes de que apretara el gatillo, ahora lo recuerdo, me gritó algo así como: «Que esto te sirva de lección. Nunca mandes mensajes mientras conduzcas».

CAPÍTULO 55

EL JUEVES POR LA TARDE, en su despacho del edificio Daly, Bree se dio cuenta de que cuando aceptó el puesto de jefa de detectives también había aceptado navegar entre un tsunami de circulares, solicitudes de horas extraordinarias y estresantes reuniones a las que era convocada para defender su forma de abordar un trabajo que no había podido aprender del todo porque no le habían dado tiempo suficiente.

Los buenos momentos en la costa de Delaware viendo a Alex y a Ali jugando en las olas parecían un recuerdo tan lejano que Bree tenía ganas de lanzar algún objeto solo para oír cómo se rompía.

El ruido de unos nudillos en su puerta la sacó del bajón. El detective Kurt Muller agachó la cabeza y dijo:

–Buenas, jefa Stone.

Mirando su bigote encerado, Bree no pudo evitar una sonrisa.

–¿Buenas?

–Hoy he sacado a pasear al tipo de Oklahoma que llevo dentro –dijo Muller–. En fin, sé que ahora eres la jefa y todo eso, pero voy a echar un vistazo al almacén que Terry Howard tenía alquilado. Su exesposa me ha dado permiso y también las combinaciones de dos cajas fuertes que él le entregó en el caso de que falleciera.

–Ni siquiera sabía que Howard tuviera una exesposa –dijo Bree.

–Patty –dijo Muller–. Se divorciaron hace siete años. Ella se volvió a casar con un veterinario. Vive en Pensacola. Me dijo que está conmocionada por el suicidio de Howard y el cáncer. Él nunca se lo contó a ella ni a su hija de nueve años. Bueno, quería saber si te apetecería acompañarme.

Bree casi desestimó la oferta sin pensárselo dos veces. El caso estaba cerrado. ¿Por qué iba a revolver en el almacén de un hombre que había muerto?

Pero entonces recordó la discrepancia de Alex cuando el jefe Michaels dio por resueltos los homicidios de Tommy McGrath y Edita Kravic atribuyéndolos al expolicía amargado que se había volado la cabeza con un modelo de arma que nunca había tenido y que no le gustaba usar.

–Claro, iré contigo, Muller –dijo Bree poniéndose en pie–. Me ayudará a aclarar las ideas y a salir del remolino en el que estoy atrapada.

–En una ocasión me sentí así –contestó el detective–. Una infección del oído interno. Tenía la sensación de estar en la cubierta de un barco en alta mar, en medio de un huracán, o de estar borracho como una cuba. Me sentía totalmente desorientado.

Mientras se dirigían al almacén, en Tacoma Park, Bree disfrutó oyendo hablar a Muller del papel de la trompa de Eustaquio en la regulación del equilibrio.

Cortaron el candado del almacén y levantaron la persiana. Junto a la pared, a su derecha, había una cuna con un colchón, móviles y varias mantas dobladas llenas de polvo. Detrás de la cuna había cajas apiladas, una bicicleta vieja, una red de voleibol enrollada y dos enormes cajas fuertes Cannon 54.

–¿Tienes las combinaciones? –preguntó Bree.

–Sí, las tengo en algún sitio –respondió Muller sacando su móvil.

Bree se acercó a las cajas fuertes. Encima de una vio que había cuatro cajas de munición del Ejército.

–¿Aún sigues creyendo que Howard se pegó un tiro? –preguntó Bree cogiendo una caja de munición.

Muller se encogió de hombros sin dejar de revisar su móvil.

–Retrospectivamente, parece que tiene bastante sentido –dijo–. McGrath y Howard se llevaban muy mal. Howard mató a McGrath y se pegó un tiro porque tenía cáncer y porque ya se había vengado.

–Todo encaja a la perfección, ¿verdad?

Bree abrió la caja. En su interior vio cajas de cartón más pequeñas que contenían balas del calibre 40 cuidadosamente colocadas. En la segunda caja, medio vacía, había balas de nueve milímetros. Y en la tercera, balas del calibre 30-06 y otra cajita de cartón con balas Federal para una pistola del calibre 45.

CAPÍTULO 56

BREE COGIÓ ESA ÚLTIMA CAJA de munición y la abrió.

Faltaban seis de las veinte balas en la rejilla de plástico que había dentro.

Pero allí estaban: catorce balas del calibre 45. Munición para una pistola que Terry Howard afirmó no haber utilizado nunca.

–Ya tengo las combinaciones –dijo Muller–. ¿Preparada, jefa?

–Dame un segundo –respondió Bree sacando una bala y comprobando que era expansiva y que tenía una marca hueca en la punta. Tras observar la imprimación y el borde que la rodeaba, vio algo que le llamó la atención.

Se metió la mano en el bolsillo, sacó una bolsa de plástico con cierre hermético y guardó la bala en ella.

–¿Preparada?

–Déjame que termine con esto –dijo Bree abriendo la cuarta caja de munición.

Bree encontró un kit de limpieza de pistolas con varios frascos de disolvente; aunque todos estaban muy bien cerrados, su peculiar olor flotaba en el aire. Metió la mano en la caja y sacó una botellita de Hoppe's 9. Abrió la tapa y la olfateó. El líquido para limpiar el orificio del arma olía tal y como ella lo recordaba: su olor era dulce, casi como el de un caramelo caliente. Era extraño que algo que olía tan bien sirviera para limpiar la pólvora y las incrustaciones metálicas.

En un rincón de su cabeza algo detuvo su flujo de pensamientos. Se quedó mirando el frasco de Hoppe's 9 y lo olió de nuevo; intentó recordar algo, aunque no sabía exactamente por qué.

–¿Ya estás lista o quieres un poco de pegamento para olerlo?

–Muy gracioso –respondió Bree. Guardó el kit de limpieza de armas y se colocó delante del teclado electrónico de una de las cajas fuertes–. Dime.

Muller recitó una serie de números que Bree pulsó en el teclado. Enseguida se escuchó un clic cuando cedieron las cerraduras. Bree abrió la caja fuerte e iluminó su interior con una linterna.

Muller emitió un silbido.

–Aquí guardaba todo un arsenal.

Entre las dos cajas fuertes, contaron un total de sesenta y tres armas. En un estante de la primera caja encontraron pistolas Smith and Wesson del calibre 40 y Magnums del calibre 357 y 44. En otro, un rifle de caza de cerrojo Winchester modelo 70, de 1962, del calibre 30-06. Las cincuenta y cinco armas restantes que contenían las cajas fuertes eran relucientes escopetas de dos cañones bien alineadas.

Bree las ignoró y empezó a abrir los cajones que había debajo del estante de la pistola. Muller iluminó con su linterna una de las escopetas. Se puso unas gafas de lectura, se arrodilló y observó más de cerca el cañón.

–¡Virgen santa! –exclamó Muller rebuscando en su bolsillo para sacar unos guantes de látex.

–¿Qué pasa?

–Déjame que compruebe algo –dijo Muller cogiendo la escopeta como si fuera de cristal fino. Tras echar un vistazo a lo que estaba impreso en el cañón, sacudió la cabeza maravillado–. Esta escopeta fue fabricada por Purdey e Hijos.

–Nunca he oído hablar de ellas –dijo Bree.

–Son las mejores –continuó Muller–. Un tío mío de Oklahoma que se había hecho rico con el petróleo tenía una. Apuesto a que esta escopeta vale entre veinticinco y cincuenta mil dólares.

Bree dejó de abrir los cajones.

–¿Tú crees?

–Las Purdey están hechas a mano en Londres –explicó Muller–. Nunca pierden valor. Si todas las armas que hay aquí están en buenas condiciones, podríamos estar hablando de dos millones de dólares, puede que más.

–¿Dos millones? –dijo Bree atónita–. ¿Cómo diablos consiguió Howard...?

Y entonces lo supo. Claro. Howard era culpable. Las drogas. El dinero. Pero ¿por qué escopetas?

Bree siguió abriendo cajones. Los dos siguientes estaban vacíos. Pero en el tercero encontró un sobre enorme de papel manila. Bree lo sacó. En la parte delantera vio que había algo escrito con la letra de Howard: «Abrir en caso de fallecimiento».

En el cajón quedaba otro sobre blanco, de tamaño oficio.

También tenía algo escrito.

Decía así: «Para el jefe Thomas McGrath, Policía Metropolitana de Washington D. C.».

CAPÍTULO 57

BASÁNDONOS EN LA INFORMACIÓN consignada en el informe del accidente de Kerry Rutledge, Sampson y yo encontramos el árbol contra el que había chocado el Mustang, un viejo roble en la carretera 10 en el que habían labrado una inscripción obscena.

–¿Ochenta kilómetros por hora? –dijo Sampson en todo dubitativo–. Yo diría que más.

–La chica dijo que pisó el acelerador justo antes de que ese tipo le disparara –le recordé–. Asi que podría haber ido a cien o a ciento diez si reaccionó ante la bala que le rozó la cabeza, se quedó rígida y pisó el acelerador hasta el fondo.

Cuando volvimos al coche camuflado, Sampson dijo:

–No puedo dejar de pensar en la voz amplificada de ese tipo.

Rutledge nos había dicho que cuando el hombre que le disparó le dijo que nunca mandara mensajes cuando condujera, lo hizo en voz muy alta, como si le estuviera hablando a través de un altavoz que llevaba en la moto.

–Sé lo que estás pensando –dije sentándome en el

lado del copiloto–. Los patrulleros de carretera utilizan una especie de megáfono que va incorporado a la moto, pero estoy bastante seguro de que ahora pueden comprarse para cualquier clase de moto.

–Bueno, quienquiera que sea ese tipo y sea cual sea la modificación que le haya hecho a su moto, está matando gente por no respetar las normas de circulación –dijo Sampson mientras ponía el coche en marcha–. Tres iban a toda velocidad. Y apuesto a que esa chica de la semana pasada también estaba mandando un mensaje de texto.

–Es posible –convine–. De repente, me muero de hambre.

–De repente, yo también.

Mientras avanzábamos hacia el oeste, en dirección a Willow Grove, volví a ver algo que brillaba en el cielo.

–Otra vez esos dirigibles –dije–. ¿Para qué sirven esos cacharros?

–Es uno de los grandes misterios de la vida –dijo Sampson deteniéndose en Brick House Tavern and Tap para comer.

Me llevé un mapa conmigo, y después de pedir un sándwich de pollo con ensalada y patatas chips, saqué un bolígrafo y apunté dónde y cuándo habían tenido lugar los cinco tiroteos.

El primero ocurrió al oeste de Fredericksburg, Virginia, hacía unos meses. El segundo, unas semanas después, al sur de Pensilvania. El de Rock Creek Parkway había sido hacía dos semanas. El de Millersville, Maryland, cuatro días después. Y el de Willow Grove, hacía tres días.

–Ese tipo está reduciendo cada vez más el tiempo entre un ataque y otro –dije dibujando un círculo–. Podría volver a matar en cualquier momento, y le gusta hacerlo aquí, en esta zona. Se siente a gusto cazando en el este del D. C.

La camarera nos sirvió la comida. Sampson cogió el mapa y le dio un bocado a su sándwich de atún mientras lo estudiaba.

Al cabo de unos minutos se echó a reír y, sacudiendo la cabeza, dijo:

–Lo teníamos ante nuestras narices, pero estábamos demasiado cerca para verlo.

Tomé un trago de Coca-Cola y dije:

–¿Para ver qué?

Sampson volvió el mapa hacia mí, cogió mi bolígrafo y trazó unas líneas cortas desde cada uno de los lugares de los accidentes hasta Denton, Maryland. El sitio donde había chocado Rutledge era el más cercano, estaba a unos treinta kilómetros. Y el local en el que nos encontrábamos estaba incluso más cerca.

Media hora más tarde, mientras conducíamos por un camino de tierra al sur de Willow Grove, Sampson dijo:

–No creo que presentarse allí otra vez para decir hola sea lo más inteligente.

–Sin embargo, aparecer por sorpresa siempre es bueno –dije.

–A menos que vayas a darle una sorpresa a un francotirador de élite lunático agazapado en el suelo con un chip en el hombro –dijo Sampson.

–Si vemos alguna bandera naranja, daremos la vuelta.

–¿Y qué tal si llamamos primero?

Tomamos una curva que desembocaba en una recta de unos trescientos metros y nuestras opciones se redujeron. La puerta de la propiedad de Nicholas Condon estaba al final de esa recta y parecía estar abriéndose, girando hacia el camino.

Estábamos a unos cincuenta metros de la puerta cuando en el camino de la granja apareció una Harley-Davidson. Aunque el motorista llevaba una chaqueta de piel oscura, casco y gafas de protección, deduje por su barba que se trataba de Condon.

Miró a la izquierda, hacia nosotros. Quizás fuera su instinto de mercenario, no lo sé, pero el francotirador vio algo que no le gustó, se agarró al embrague y aceleró. La rueda trasera de la moto giró sobre la grava, deslizándose de un lado a otro y levantando una espesa nube de polvo que hizo desaparecer el camino detrás de él.

–¡Maldito hijo de perra! –exclamó Sampson antes de pisar el acelerador.

CAPÍTULO 58

LAS PIEDRAS Y LA GRAVA golpearon el parabrisas de nuestro coche y tuvimos que reducir la marcha por miedo a estrellarnos. Afortunadamente, el camino de tierra enseguida dio paso al asfalto de la carretera del condado 384. Por las marcas que las ruedas de la moto habían dejado en la tierra, supimos que Nicholas Condon se había dirigido hacia el norte. Sampson aceleró para ir tras él.

–No superes el límite de velocidad –le dije–. Aquí no tenemos jurisdicción.

–No creo que a Condon le importe.

–Me imagino que no, pero...

El francotirador avanzaba entre el escaso tráfico. Se dirigió hacia un semáforo que había en el cruce de la carretera 44 de Maryland. La luz cambió a rojo y Condon se detuvo. Era el primero de la fila. Nosotros estábamos cuatro coches por detrás cuando bajé y eché a correr hacia él.

Condon miró por encima del hombro, y cuando vio que yo estaba a dos coches de distancia detrás de él, le dio gas a la Harley un segundo antes de que la luz del semáforo cambiara a verde. Salió zumbando por la 404 en dirección oeste.

Sampson redujo la velocidad cuando llegó a mi altura y subí al coche.

–Tengo que correr más –dije jadeando cuando giramos para seguir a Condon.

–Ya lo hacemos –respondió Sampson–. Los chupatintas, no.

Aunque en dirección oeste había mucho más tráfico, Condon llevaba la Harley como todo un profesional, la hacía rugir y adelantaba a un coche cada vez que tenía la oportunidad mientras intentábamos seguirlo por Hillsboro y Queen Ann.

Iba diez coches por delante de nosotros cuanto tomó la rampa de acceso a la U. S. 50, una autovía de cuatro carriles. Parecía tener controlada nuestra presencia, y cada vez que recortábamos la distancia, hacía alguna temeraria maniobra y volvía a distanciarse.

Condon salió en la 30 para dirigirse de nuevo al oeste cruzando el puente de la bahía. Lo perdimos durante un minuto, pero volvimos a verlo cuando tomaba la salida hacia la 450 Sur en dirección al río Severn. Iba delante de nosotros cuando entró en Annapolis y recorrió la mitad de la calle mientras nosotros nos quedábamos atascados. Abrí la puerta y me quedé de pie sobre el chasis, así pude ver que giraba a la izquierda en la avenida Decatur. Pasaron tres minutos hasta que pudimos hacer lo mismo.

–Se dirige a la Academia Naval –dijo Sampson–. Está ahí mismo.

–Alumno de la Academia –dije–. Se dirige a su hogar.

–Sí, pero ¿adónde exactamente?

Eché un vistazo a la calle buscando a Condon o su Harley. No veía...

–Lo tengo –dijo Sampson señalando un aparcamiento en forma de triángulo en la esquina de Decatur y McNair, justo al lado del College Creek–. Esa es su moto; está aparcada allí, junto a otras.

Nos metimos en el aparcamiento. Un oficial del cuerpo de marines estaba montando en su moto, una Honda Blackbird de color azul oscuro con media cúpula. Nos detuvimos a su lado y bajé del coche.

–Disculpe –dije.

El oficial se volvió con el casco en la mano. Rondaba los cuarenta años y tenía la robusta constitución de alguien que llevaba mucho tiempo en el cuerpo. Eché un vistazo a su placa de identificación: «Coronel Jeb Whitaker».

–Coronel Whitaker, soy el detective Alex Cross, de la Policía Metropolitana de Washington D.C.

–¿Sí? –dijo frunciendo el ceño y mirando mi identificación y mi placa–. ¿En qué puedo ayudarlo?

–¿Ha visto al hombre que ha entrado montado en una Harley-Davidson?

El coronel Whitaker parpadeó y asintió exasperado.

–Nick Condon. ¿Qué ha hecho aparte de aparcar donde se supone que no debía volver a hacerlo?

–Que sepamos, nada –contestó Sampson–. Pero ha evitado tener una conversación con nosotros.

–¿Sobre qué?

–Una investigación de la que no estamos autorizados a hablar, señor –dije.

El coronel reflexionó sobre lo que le acababa de decir.

–Esto no va a perjudicar a la Academia Naval, ¿verdad?

–No tengo ni idea –le respondí–. ¿Qué hace Condon en la Academia?

–Da clases de tiro. Tiene un contrato, lo que supone que debe dejar su moto en el aparcamiento para los visitantes y no donde se exige tener una pegatina de la Academia.

Señaló un adhesivo de color azul celeste con un ancla y una cuerda que estaba pegado en la esquina inferior derecha de la cúpula de su moto.

–Entonces, ¿no podemos aparcar aquí?

–Supongo que si dejan algo en el salpicadero que diga «Policía» podrían hacerlo –dijo Whitaker.

Miré a Sampson, que se encogió de hombros y se metió en una de las plazas.

–¿Dónde podemos encontrar al señor Condon? –pregunté.

–¿En el campo interior? –dijo Whitaker, que me explicó cómo llegar hasta allí.

–Gracias, coronel –dije estrechándole la mano.

–De nada, detective Cross –respondió Whitaker–. Espere, ahora que lo pienso, lo he visto en las noticias de la noche en un reportaje sobre esos tiroteos a bandas de narcotraficantes. ¿Se trata de eso?

Sonreí.

–Se lo repito, coronel, no estoy autorizado a hablar de ello.

–Oh, claro, por supuesto –dijo Whitaker–. Bueno, que tengan un buen día, detectives.

El coronel se puso el casco e hizo intención de montarse en la moto. Pero se detuvo y se dio unas palmaditas en los bolsillos.

–He vuelto a olvidarme las llaves –dijo corriendo hacia nosotros–. Pensarán que alguien que da clases de Estrategia Militar debería ser al menos capaz de no olvidarse las llaves.

–Eso pasa en las mejores familias –dije.

Whitaker agitó la mano para despedirse y trotó con porte marcial hacia el interior de la Academia Naval. Ya le habíamos perdido de vista cuando pasamos junto a un letrero que rezaba «Dios bendiga a América» y llegamos a Radford Terrace, un exuberante patio interior cubierto de césped y abarrotado de guardiamarinas y de jóvenes que estaban cursando su primer año en la que era la primera semana real de clases.

–Para –dijo Sampson señalando hacia el otro lado de Blake Road–. ¿Ese de allí no es Condon?

CAPÍTULO 59

VISLUMBRÉ FUGAZMENTE AL FRANCOTIRADOR antes de que entrara en la capilla de la Academia Naval, una imponente construcción de piedra caliza con una desgastada cúpula de cobre. Nos apresuramos a cruzar la calle y seguimos a Condon.

El interior de la capilla era espectacular: tenía un impresionante techo abovedado, palcos y unos brillantes vitrales con temas marítimos. Dentro del recinto había por lo menos cincuenta personas; algunas de ellas eran alumnos y otras turistas que estaban visitando el lugar. No vimos a Condon hasta que pasó por debajo de la cúpula y entró por una puerta situada en el extremo derecho del altar.

Aunque tratar de permanecer en silencio mientras avanzábamos entre la quietud de aquella famosa iglesia no fue tarea fácil, lo logramos y seguimos a Condon por aquella puerta. Accedimos al rellano de una escalera. Frente a nosotros había una puerta cerrada y unas escaleras que conducían al piso inferior.

Imaginamos que la puerta debía ser la de la sacristía y bajamos las escaleras. Deambulamos por los pasillos del sótano. No encontramos a Condon, pero vimos la tumba del almirante John Paul Jones antes de volver sobre nuestros pasos.

Cuando estuvimos de nuevo en el rellano, me detuve un momento preguntándome adónde podría haber ido Condon, y entonces lo oí gritar con su característica voz al otro lado de la puerta de la sacristía.

–Pero ahora me están siguiendo, Jim –dijo Condon–. Esto es una persecución.

Eso fue suficiente para que yo golpeara la puerta, la abriera y dijera:

–No estamos persiguiendo a nadie.

Condon y un capellán estaban en una estancia bien equipada, con una alfombra de felpa de color púrpura, muy limpia y ordenada. Condon retorció el rostro, furioso.

–¿Qué significa esto? –preguntó el capellán–. ¿Quiénes son ustedes?

–¿En serio, doctor Cross? –dijo Condon dando un paso hacia nosotros, apretando los puños de sus manos enguantadas–. ¿Me ha seguido hasta aquí? Me había hecho otra idea de usted.

–Solo queríamos hablar –dijo Sampson–. Y usted salió huyendo. De modo que lo seguimos.

–No salí huyendo –replicó Condon–. Llegaba tarde a una reunión con el capellán.

–Nos vio y estuvo jugando al gato y al ratón –dije en tono escéptico.

–Tal vez –dijo Condon–. Pero eso solo fue por diversión.

–¿De qué va todo esto? –preguntó el capellán exasperado.

–¿Es usted su consejero espiritual? –preguntó Sampson.

Condon y el capellán se miraron antes de que este respondiera:

–Es algo más complicado que eso, ¿detective...?

–John Sampson –contestó mi compañero enseñándole su placa y sus credenciales.

–Alex Cross –dije mostrándole las mías.

–Capitán Jim Healey –dijo el capellán.

–¿Qué es complicado, capitán Healey? –le pregunté.

–Eso no es asunto suyo, Jim –dijo Condon.

El capellán posó su mano en el brazo del francotirador y dijo:

–Sí, soy el consejero espiritual de Nicholas. Y también era el padre de Paula, su difunta prometida.

Eso no me lo esperaba; perdí algo de confianza y, tartamudeando, dije:

–Yo... Lamento su pérdida, capitán. La pérdida de ambos.

–Quedamos para hablar de Paula una vez a la semana –dijo el capellán sonriéndole tímidamente a Condon–. Nos sienta bien.

Por un segundo no supe qué decir.

–Siento haberlos interrumpido –dije finalmente–. Solo queríamos hablar un momento con él, capitán.

–¿Sobre qué? –preguntó Condon nuevamente agresivo–. Ya les dije que no tenía nada que ver con esos asesinatos.

–En realidad, nunca respondió a nuestras preguntas sobre eso, pero de lo que queríamos hablarle es del caso de seis automovilistas que fueron tiroteados por un motorista solitario en un radio de una hora en coche desde su casa.

–Uno de ellos fue tiroteado justo en el camino que conduce a su casa –dijo Sampson–. Más allá de Willow Grove.

El francotirador sacudió la cabeza.

–No sé de qué me están hablando.

–¿Tiene una pistola del calibre 45? –le pregunté.

–Debe estar en alguna parte –respondió Condon.

–¿Nos permitiría analizarla?

–¡Diablos, no! –exclamó Condon y ladeó la cabeza–. Espere, ¿cree que yo disparé a esa gente desde mi Harley? ¿Por qué motivo haría algo así?

–Por no cumplir las normas de circulación –dijo Sampson–. Por exceso de velocidad. Por conducir y enviar mensajes al mismo tiempo.

–Esto es de locos, Jim –le dijo el francotirador al capellán, desesperado–. Cada vez que un chiflado aparece en escena vienen a por mí, aun cuando un rápido vistazo a mi historial médico demuestra que no soy capaz de disparar una pistola del calibre 45 desde una moto, vaya despacio o deprisa.

–¿De qué está hablando? –preguntó Sampson.

Condon miró al capellán y se quitó los guantes. Llevaba unas muñequeras que también se quitó y que dejaron al descubierto unas muñecas llenas de cicatrices.

–Nick se rompió las muñecas en un entrenamiento cuando estaba en el Equipo 6 del SEAL. Aunque todavía es capaz de disparar un rifle mejor que cualquier otro hombre, sus muñecas y sus manos son demasiado débiles para disparar una pistola con precisión. Esto es lo que le proporcionó su baja médica.

CAPÍTULO 60

SAMPSON APARCÓ DELANTE DE MI CASA justo cuando se estaba poniendo el sol.

–Cambia esa expresión abatida –me dijo–. Mañana ya se nos ocurrirá un nuevo plan de ataque.

–Creo que teníamos ideas preconcebidas sobre Condon –le contesté abriendo la puerta–. Era el tipo más fácil en el que fijarse, y por eso lo hicimos.

–Teníamos que hacerlo –repuso Sampson–. Es nuestro trabajo.

–Pero no es nuestro trabajo insultar a un héroe de guerra y manchar su reputación –dije saliendo al porche.

–¿Hicimos eso?

–De manera indirecta, sí.

–¿Se supone que debemos ser remilgados o algo así en la investigación de un asesinato?

–No lo sé –dije frotándome las sienes–. Solo necesito comer y dormir antes de intentar aprender algo de lo que ha ocurrido hoy.

–Pues yo también. Saludos a la jefa.

–Saludos a Billie –dije subiendo los escalones del porche.

Cuando entré, me llegaron un olor a curri y los ruidos de la casa. Jannie estaba en el salón, con el pie en alto y con hielo.

–¿Cómo te encuentras?

–Como si ya pudiera correr –dijo Jannie.

–Ni se te ocurra. Ya oíste lo que dijo el médico.

–Lo sé. –Jannie lanzó un suspiro–. Pero me están empezando a doler las piernas por culpa de la inactividad.

–Dijeron que puedes empezar la terapia en la piscina el lunes y la de la bicicleta el martes. Mientras tanto, estira. ¿Dónde está todo el mundo?

–Bree está arriba dándose una ducha –dijo–. Y Nana Mama está en la cocina con Ali. Están intentando escribir una carta a Neil deGrasse Tyson.

–Ali no se va a rendir con eso, ¿verdad?

Jannie sonrió.

–Es como alguien a quien conozco cuando se le mete algo en la cabeza.

–Ídem –dije.

Le guiñé el ojo y crucé el comedor hasta la cocina nueva y la enorme sala que habíamos inaugurado hacía un año.

–¡Dios, qué bien huele! –exclamé dándole un beso a mi abuela mientras agitaba una cazuela que hervía a fuego lento.

–Cordero Bangalore –dijo Nana Mama golpeando la cuchara de madera contra el borde y volviendo a tapar la cazuela–. Una receta nueva.

–Me muero por probarla –dije, y entonces me acerqué a Ali–. ¿Qué tal va esa carta?

–Es difícil –dijo Ali, cabizbajo, estudiando su iPad–. Debes pensar muy bien lo que quieres decir, ¿sabes?

–Sigue trabajando –dije despeinándolo–. ¿Tengo tiempo de darme una ducha? –le pregunté a Nana Mama.

–La cena estará en la mesa dentro de media hora exacta –contestó ella.

Subí las escaleras, llamé dos veces a la puerta de nuestra habitación y entré. Bree estaba sentada en la cama con su túnica leyendo unos papeles que tenía sobre el regazo. No levantó la vista hasta que estuve casi a su lado.

–Hola –dijo en voz baja y en un tono un poco triste.

–¿Qué pasa? –le pregunté.

–Muller y yo fuimos al almacén de Howard para echar un vistazo a sus cosas en nombre de su exesposa y su hija. Encontramos dos sobres y... Bueno, saca tus propias conclusiones.

Bree me tendió los sobres.

–El primero contiene su testamento y una explicación de su teoría sobre cómo invertir.

–¿Terry Howard tenía una teoría sobre cómo invertir? –dije cogiendo los sobres.

–Está todo aquí –dijo Bree volviéndose hacia el armario–. Se lee en cinco minutos... o menos.

Lo leí todo mientras ella se vestía. Cuando hube terminado, levanté la vista. Bree volvía a tener esa mirada triste.

–Entonces, es posible que yo tuviera razón –le dije.

–Eso parece –respondió ella–. Y esa es la razón de que empiece a pensar que soy una jefa de detectives bastante mala.

CAPÍTULO

61

BREE SE LLEVÓ LA MANO A LA BOCA y las lágrimas inundaron sus ojos.

Me levanté de la cama y fui hacia ella.

–Sabes que eso no es cierto.

–Sí lo es –contestó atragantándose y echándose en mis brazos–. Estaba haciendo política cuando dije que Howard era el responsable de la muerte de Tommy, intentando resolver un asesinato para poderme quitar de encima al jefe y al alcalde.

–¿Era eso lo que estabas haciendo?

–Bueno, indudablemente no me estaba asegurando de que fuera capturado el asesino de Tommy McGrath.

–Entonces, lo máximo de lo que eres culpable es de ser humana –dije frotándole la espalda–. Estabas entre la espada y la pared, y Howard parecía un buen candidato para un suicidio. El jefe estuvo de acuerdo.

–Pero tú no –dijo Bree.

–Pensaba que el caso merecía seguir siendo investigado. ¿Y sabes qué? Tú lo investigaste más a fondo. Encontraste unos documentos que nosotros deberíamos haber descubierto hace semanas; fuiste tú quien dio con ellos. Cometiste un error, pero lo corregiste. Has vuelto a meterte en el partido, jefa Stone.

–¿De veras? –preguntó no muy convencida.

–Tengo fe en ti –dije.

–Gracias. Eso lo significa todo para mí.

Nos besamos.

Bree arrugó la nariz y dijo:

–Eres el amor de mi vida, Alex, pero necesitas una ducha.

–Ahora mismo –dije, y me dirigí al cuarto de baño.

Mientras dejaba que el agua caliente me golpeara el cuello, pensé en los dos documentos que había dejado Terry Howard. El primero era un mero testamento que el desdichado detective había escrito de su puño y letra y validado ante un notario. En él legaba todas sus posesiones, incluida su colección de escopetas, a Cecilia, su hija de nueve años.

Con el testamento se adjuntaba una carta en la que Howard explicaba que había empezado a invertir en escopetas de calidad después de haberse enterado de que tendían a aumentar rápidamente de valor y de que eran una apuesta más segura que la bolsa. Empezando con una pequeña herencia que había recibido cuando tenía poco más de veinte años, había estado comprando y comerciando con escopetas durante mucho tiempo. Recomendaba a un comprador de armas de Dallas que podría determinar el valor de la colección después de su fallecimiento.

El segundo documento era una breve carta dirigida a Tommy McGrath, su excompañero. En ella, Howard decía que no sentía animadversión por McGrath y que sabía que su desgracia era producto de sus actos.

> El cáncer ha podido comigo, Tommy, o no estarías leyendo esto. No pude decírtelo porque no quería que sintieras lástima de mí. Te vi con tu joven amiga -bribón- y me di cuenta de que las cosas te iban muy bien. Y te mereces mucho más. Deseo que tengas una vida larga y fantástica. Recuérdame con cariño. T.

No parecía un hombre que estuviera enfadado y dispuesto a cometer un asesinato. En mi opinión y en la de Bree, parecía un hombre que intentaba hacer las paces consigo mismo y con su antiguo compañero. Si hubiese matado a McGrath y luego se hubiese suicidado, ¿por qué habría dejado una nota como esa? Evidentemente, la había escrito antes de la muerte de McGrath, porque de lo contrario la habría recuperado y destruido antes de suicidarse. ¿O es que simplemente se había olvidado de ella?

Mi lado más cínico jugó con la idea de que Howard había dejado la carta allí para despistarnos, pero, a la luz del suicidio, eso era algo que carecía de sentido. ¿No habría dejado alguna clase de diatriba condenando a McGrath?

Así pues, es posible que Howard no se suicidara. En ese escenario, quienquiera que matara a McGrath también había matado a Howard y luego incriminó a este.

No era un crimen perfecto, pero le faltaba poco. Si podíamos demostrarlo, claro.

Salí de la ducha y me sequé. Bree entró en el baño.

–El jefe Michaels va a necesitar pruebas más contundentes que esa carta para reabrir oficialmente el caso –le dije.

–Lo sé –respondió Bree–. ¿Me echarás una mano con el almacén de armas?

–¿Cuándo?

–Mañana.

–Veré lo que puede hacer.

–Gracias. Por cierto, ¿qué tal tu día?

Se lo conté mientras me vestía.

Cuando terminé, Bree lanzó un suspiro.

–O sea que no estamos más cerca de encontrar al asesino de Tommy ni de descubrir al tirador cabreado de la carretera.

–Y tampoco a los justicieros, sean quienes sean.

CAPÍTULO
62

«**GRACIAS A DIOS POR ALEX Y NED MAHONEY**», pensó Bree la tarde siguiente, mientras ella y Muller avanzaban a toda prisa por un pasillo hacia el almacén de armas, en la parte del laboratorio de Criminalística del FBI dedicada a la Unidad de Armas de Fuego y Herramientas. La espera para las pruebas del FBI era de varias semanas, y sin embargo, allí estaban, en Quantico, cruzando la puerta principal tras haber avisado con menos de tres horas de antelación.

–Hemos venido a ver a Noble, la especialista en municiones –le dijo Bree a la recepcionista, que estaba examinando sus pases de visitantes.

La recepcionista hizo una llamada y unos minutos después una mujer bajita de unos cuarenta años vestida con una falda azul, una blusa blanca y una bata blanca de laboratorio, y con gafas de lectura sujetas con una cadena salió a su encuentro.

–Judith Noble –dijo secamente–. Tiene amigos en las altas esferas, jefa Stone.

–Tenemos suerte –contestó Bree–. Y gracias por acceder a ayudarnos.

–No acceder no era una opción –dijo Noble con frialdad–. ¿Qué puedo hacer por ustedes?

Bree le entregó la bolsa de pruebas que contenía las balas del calibre 45 que habían encontrado en el almacén de Howard, así como las que habían matado a Howard, Tommy McGrath y Edita Kravic.

–Necesitamos que las compare –dijo Bree–. Solo para asegurarnos de que lo hemos comprobado todo.

La especialista en municiones miró su reloj y asintió.

–Mientras las cosas no se compliquen demasiado, puedo hacerlo.

Noble los acompañó hasta su lugar de trabajo, que estaba impoluto.

–¿Cómo puede hacer su trabajo? –preguntó Muller–. Yo necesito estar en medio del caos para pensar con claridad.

–Gracias a Dios no trabaja usted en mi campo, detective Muller –dijo la técnica en municiones–. Los abogados de la defensa lo crucificarían en el estrado.

–¿Y eso por qué?

–El análisis de armas de fuego es como la ingeniería –respondió Noble poniéndose unos guantes–. Requiere precisión, no caos.

–Como ya he dicho, no conseguiría hacer nada –dijo Muller sonriéndole a Noble de un modo que a Bree le pareció algo extraño.

Noble no respondió y se limitó a sacar las tres balas que habían matado a Tommy McGrath, las dos que había recibido Edita Kravic y la que acabó con la vida de Terry Howard.

–Todas coinciden con este arma –dijo Muller tendiéndole a Noble la bolsa de pruebas que contenía la pistola del calibre 45 utilizada en el suicidio.

–¿Quién lo dice?

–No lo sé –contestó Muller–. Alguien.

–Puedo llamar para pedir el informe –dijo Bree sacando el móvil.

Noble levantó la mano.

–La creo. Entonces, todo lo que andan buscando es la confirmación de que la munición que hay en esta caja coincide con estas seis balas.

–Exacto –repuso Bree.

–Debería ser fácil –dijo la técnica–. En el Archivo de Municiones Estándar tenemos todo lo que fabrica Federal.

Noble echó un vistazo a la caja.

–Defensa personal, quince gramos. Bastante habitual para una semiautomática del 45.

La especialista abrió la caja, sacó una de las catorce balas que quedaban en su interior, la examinó y frunció el ceño.

–Esto no coincide.

CAPÍTULO

63

–¿CÓMO? –DIJO MULLER–. Ni siquiera ha examinado las demás.

–No necesito hacerlo –respondió Noble molesta–. Puede que estas balas que no han sido disparadas coincidan con las de los asesinatos, pero no coinciden con el etiquetado de la caja de Federal.

–No hay marcas alrededor de la imprimación, ¿verdad? –dijo Bree.

Noble ladeó la cabeza, agradecida, y asintió.

–Correcto, jefa Stone. Todas las municiones de armas de fuego que se comercializan tienen un sello que indican la fabricación y el calibre en el latón que hay alrededor de la imprimación.

–¿Lo cual significa que...? –preguntó Muller.

–Lo cual significa que esta munición es artesana –dijo la técnica–. Alguien compró los componentes: el latón, la pólvora, la imprimación y las balas..., y las fabricó siguiendo instrucciones personalizadas.

–No vimos ningún equipo de carga manual en el apartamento de Howard ni en su almacén –dijo Muller.

–Pudo haber contratado a alguien que le fabricara las balas –dijo Noble.

–Entonces, ¿todas coinciden? –preguntó Bree.

–Denme unos minutos –dijo Noble y miró a Muller–. ¿Es usted lo bastante pulcro para ir a por unos cafés y traerlos hasta aquí?

–Cuando tengo un buen día, sí –respondió Muller dedicándole a Noble otra sonrisa boba.

Mientras Noble le explicaba a Muller cómo llegar a la cafetería, él siguió poniéndole ojitos. Bree se fijó en la mano izquierda de la técnica. No llevaba anillo.

Hizo un esfuerzo por no echarse a reír. ¡Muller se había enamorado!

Una parte de ella quería hablar de los cálculos renales o de alguna de las otras dolencias de Muller, pero se compadeció y no dijo nada cuando se fue.

–Es un tipo muy raro –dijo Noble empezando a trabajar con las balas.

–Poco a poco le vas tomando cariño –dijo Bree.

–¿Casado? –preguntó la técnica.

–Divorciado.

–Ah –dijo Noble siguiendo con su trabajo.

Veinte minutos más tarde regresó Muller. La especialista en munición no lo miró. Estaba examinando la imagen de una bala en la pantalla de su ordenador.

Muller dejó el café delante de ella.

–Las balas de la caja coinciden con las que se utilizaron –dijo Noble–. Todas son Bear Creek RNHB recubiertas de molibdeno, de trece gramos. Lo cual las sitúa lo más lejos posible de las especificaciones de la caja. Estas balas fueron fabricadas por y para un experto con especificaciones exactas para un nivel de competición.

–¿Se refiere a competiciones con tres tipos de armas diferentes? –preguntó Muller.

–O de pistola en un campo de tiro –dijo la técnica.

–Entonces, tenemos un problema –dijo Bree–. Por lo que sabemos, Terry Howard nunca compitió con una pistola, nunca fabricó sus propias balas y no era un fanático de las armas. Bueno, al menos no un fanático de las pistolas.

–Howard podría haber conseguido esa munición personalizada con la pistola –dijo Noble–. Pudo habérselas comprado a su propietario.

–O puede que un tirador experto, alguien que compite con un arma de fuego del calibre 45 y fabrica su propia munición, los matara a los tres y tratara de culpar a Howard para salirse con la suya.

CAPÍTULO

64

ESPERARON HASTA QUE FUE NOCHE cerrada para conectar las gafas de visión nocturna y escalar la puerta de aluminio sellada con candados.

Hobbes y Fender se acercaron sigilosamente, sin hacer ruido. La rodilla mala de John Brown seguía dando la lata. Cuando se sentó a horcajadas en la puerta, la cadena tintineó.

Brown aterrizó al otro lado, en el camino de tierra. Un perro ladró una vez, hacia el sur, puede que a unos quinientos metros. A través de las gafas de visión nocturna, Brown vio que Hobbes levantó la mano para que no se moviera.

Otro ladrido, y luego nada durante cinco largos minutos.

–Ahora, como un gato –susurró Fender a través de su micrófono, y empezó a recorrer el camino.

Fender llevaba unos calcetines forrados de lana sobre sus zapatillas. Todos se los habían puesto, y apenas hacían ruido a medida que se adentraban en la propiedad. El perro seguía sin ladrar.

Eso no habría durado demasiado con un can amaestrado que escuchara y oliera el viento. De momento, el tema de los olores estaba de su parte. Una fuerte brisa soplaba en sus rostros. El olfato del perro estaba fuera de juego.

Pero tarde o temprano algunos de los pastores alemanes oiría algo o quizás los vería tomando posiciones. Si el ruido era notorio o el perro los miraba fijamente, estaba claro que ladraría y sonaría una alarma. Entonces las cosas se podrían feas, aunque la situación no sería insostenible.

Sin embargo, si los movimientos y ruidos que hacían eran tenues e irregulares, los perros vacilarían y acudirían a husmear. Y eso les facilitaría las cosas.

Cruzaron un claro sin alertar a los perros y se acercaron un poco más, a rastras. Las luces de la casa eran visibles a través de los árboles cuando Hobbes pisó una piedra, que rodó y cayó en una zanja.

El perro ladró una vez. Brown y sus hombres permanecieron inmóviles, escuchando; les llegó un gruñido sordo y luego el de las uñas de un perro grande arañando el suelo de madera del porche. Había previsto algo así y se ciñeron al plan. Hobbes salió del lado derecho del camino y se dirigió hacia la zanja. Se inclinó sobre el borde, empuñando con ambas manos una pistola con miras nocturnas de tritio.

Brown y Fender hicieron lo mismo en el lado izquierdo del camino, espalda contra espalda. Brown estaba delante de la casa con su pistola, y Fender cubría su avance con un rifle.

En lugar de dar vueltas para captar su olor en el viento, el perro fue directamente hacia ellos trotando confiadamente por el camino y entre los tupidos pinos donde lo estaban esperando.

Cuando el perro estaba a unos quince metros de distancia, Hobbes apretó el gatillo; se oyó un estallido de aire presurizado y un dardo tranquilizante se clavó en el hombro del animal.

El perro emitió un leve sonido, se tambaleó hacia su izquierda, jadeando, y se desplomó.

Nadie se movió durante otros largos cinco minutos. Mientras transcurrían, Brown captó un leve rumor de... ¿vítores? ¿Dónde estaba el segundo perro? ¿Dentro de la casa?

Hobbes fue el primero en moverse. Avanzó con sigilo hasta el borde del patio, con Brown justo detrás de él. Fender pasó junto a ellos y se adentró en las sombras, moviéndose hacia la derecha, en dirección a un montículo de tierra desde donde podría vigilar mejor la fachada.

Brown se detuvo junto a Hobbes. Oyó las voces de unos locutores y vio el parpadeo de un televisor a través de las persianas parcialmente abiertas de la habitación que había a la derecha de la puerta principal.

–¿Ves algo ahí dentro? –murmuró.

CAPÍTULO 65

POCOS MINUTOS DESPUÉS, Fender dijo:

–Lo más destacado del fútbol universitario en una enorme pantalla, pero no hay nadie viéndolo. Está oscuro. Hay muchas sombras. Es difícil de decir.

–Voy para allá –dijo Brown avanzando lentamente por el patio.

Pasó junto a un bote de pesca Grady-White hasta llegar a una moto. Se agachó junto a ella y abrió una mochila de piel con las manos cubiertas con unos guantes de piel. Sacó de su chaqueta una bolsa de plástico desechable de cierre hermético que contenía un paquete. Lo sacó de la bolsa y lo metió detrás del juego de herramientas que había en la mochila.

Entonces Brown metió la mano en un bolsillo superior, sacó un bote para guardar un carrete de película y vertió su contenido en el depósito de combustible.

–Lo tengo –susurró Fender en el auricular de Brown–. Está inclinado hacia delante, sentado en una silla. Acaba de cambiar de canal.

–Si puedes, mátalo –dijo Brown cerrando la mochila.

El rifle ultraligero de Fender emitió un ruido parecido al de una pistola de aire comprimido. La bala tintineó cuando atravesó la persiana y la ventana, y enseguida se oyó el ruido del plomo al impactar en la carne y el hueso.

–Hecho –dijo Fender.

–Hecho –dijo Brown alejándose de la Harley y agachándose en el patio.

En el interior de la casa, una mujer empezó a gritar.

–¡Mierda! –exclamó Hobbes–. El tipo no estaba solo.

–Demasiado tarde –contestó Brown–. Ve hacia al coche.

Corrieron hacia los pinos y a través del claro. Cuando entraron en la parcela plantada de árboles cercana a la carretera, Brown pensó que iban a conseguirlo. La mujer había dejado de gritar. Seguramente debía estar llamando al 911, pero les quedaban menos de cien metros para llegar al coche. Nada podía...

Una forma emergió del bosque, a la derecha de Brown, y saltó sobre él emitiendo un gruñido gutural. El segundo perro le atrapó el brazo derecho y lo mordió rabiosamente.

–¡Aaah! –gritó Brown.

Notó que se desgarraba la piel cuando el perro sacudió la cabeza y lo arrastró. Aunque Brown quedó tendido de lado, aún seguía empuñando la pistola con la mano derecha.

El perro lo soltó y volvió a moderle, esta vez con más fuerza. Antes de que Hobbes o Fender pudieran hacer algo para ayudarlo, Brown soltó la pistola, la cogió con la mano izquierda y, a muy poca distancia, disparó un dardo tranquilizante apuntando al estómago del animal, que aulló y arañó la nuca de Brown y se alejó de él. No dio más de seis pasos antes de desplomarse, jadeando.

Cuarta parte

LOS REGULADORES

CAPÍTULO 66

UNA HORA DESPUÉS DEL AMANECER, Ned Mahoney, John Sampson y yo estábamos rebuscando en una mochila abierta sujeta a la Harley-Davidson de Nicholas Condon. En su interior había un paquete de forma rectangular envuelto en una tela oscura.

–¿Qué había dentro? –preguntó Mahoney.

–No lo he mirado –respondió Condon–. En cuanto lo he visto, he llamado al doctor Cross.

–¿Antes o después de que alguien le disparara? –le preguntó Mahoney.

–¿Se refiere a antes o después de que alguien le disparara en la cabeza a mi maniquí? –dijo Condon–. Esa es precisamente la razón de que tenga una pequeña manivela con un temporizador ahí. Hace que el maniquí se mueva cada cuatro o cinco minutos durante toda la noche. Un artilugio de fabricación casera.

No comenté el hecho de que el francotirador tuviera que recurrir a un señuelo para poder dormir profundamente; solo me centré en el paquete.

–¿No hay indicios de una bomba? –preguntó Sampson.

–No –contestó Condon–. Después de que Azore se despertara, hice que lo oliera.

–¿Es posible que los efectos persistentes de la droga afecten al olfato del perro? –pregunté.

–Será un placer coger el paquete si usted no está capacitado para hacerlo.

–Yo lo haré –dijo Mahoney metiendo una mano enguantada en la mochila y sacando el paquete–. Pesa.

Mahoney lo dejó en el suelo y empezó a deshacer el nudo que sujetaba la tela.

–Ha dicho que se asustaron porque una mujer gritó –dijo Sampson.

–He dicho que se asustaron por el grito de una mujer –dijo Condon–. Una aplicación de mi iPhone. Está conectada al Bluetooth y a mis altavoces. Jurarías que está ahí gritando, fuera de sí.

–¿Cómo está el otro perro? –pregunté–. El que usted dijo que había mordido a uno de esos hombres.

–Denni. La perra está dentro descansando.

–Aún no hemos encontrado rastros de sangre en el camino –dijo Mahoney cuando terminó de deshacer el nudo.

–Debe de haber sangre por alguna parte –dijo Condon–. Pude oír a ese tipo gritando. Denni lo mordió con ganas antes de que la drogara.

–¿La baña?

–No, pero pillé a Azore lamiéndole el hocico, de modo que no sé qué podrá conseguir de ella.

–Bien –dijo Mahoney.

Abrió la tela, que dejó al descubierto algo serigrafiado en su parte interna y una caja de cartón. Mahoney la levantó. Entonces pudimos ver que la tela era un trozo de una camiseta con dibujos del Reggae Sunsplash, un festival de música jamaicana.

–Me pregunto de dónde ha salido eso –dijo Condon.

–¿Se la robaron?

–O me la dejaría en el gimnasio. En cualquier caso, tendrá mi ADN por todas partes.

Mahoney abrió la caja de cartón. Dentro había un sobre grande y una Remington del calibre 45 modelo 1911.

–¿Es suya? –le pregunté a Condon.

–No –respondió–. Bonita arma, aunque yo prefiero la Glock del calibre 40.

–En realidad, yo también –dijo Mahoney abriendo el sobre.

De su interior sacó varias hojas con planos de arquitecto y diagramas.

–¿Esto es suyo? –preguntó Sampson.

Condon echó un vistazo a las hojas y negó con la cabeza.

–No. ¿Qué son?

Mahoney se encogió de hombros y me entregó las hojas. Las estudié y antes de dárselas a Sampson se me ocurrió lo que representaban.

–Son planos de los lugares de los ataques –dije–. Este es de la fábrica donde mataron a los fabricantes de cristal. Y aquí hay una vista aérea de los cobertizos de secado de tabaco y del camino que los cruza.

–Antes de que digan nada, esto no es mío –aclaró Condon–. Se suponía que esto iba a ser una maniobra de distracción. Querían matarme y dejar pruebas que me incriminaran para desviar la atención de la verdadera banda de justicieros.

Cuanto más lo pensaba, más consciente era de que Condon tenía razón..., a menos, claro está, que hubiera disparado a su maniquí y hubiese colocado las pruebas en su mochila para que no sospecháramos que formaba parte del grupo de justicieros.

Por el momento, seguiría confiando en él.

–Entonces, quienesquiera que sean creen que usted está muerto –dijo Sampson.

–Una suposición lógica –dijo Condon.

–Dejemos que lo sigan pensando –dije.

Mahoney me miró con una ceja enarcada.

–¿Para qué?

–Para hacerles creer que han logrado su objetivo y que la investigación ha cambiado de rumbo para centrarse en el círculo de amigos mercenarios de Condon.

–Y empezamos a buscar sin hacer ruido a un tipo al que le ha mordido un perro –dijo Sampson.

–Entre otras cosas –dije tratando de considerar el incidente en su conjunto.

¿Por qué implicar a Condon? ¿Por qué no a otro? ¿Por qué habían querido matarlo?

La única respuesta consistente que se me ocurría era que esos tipos conocían el pasado de Condon y habían decidido que sería el cabeza de turco perfecto.

–He estado pensando en eso mientras esperaba a que llegaran –respondió Condon–. Pero quizás sea algo más que eso. Quizás querían matarme porque sé algo sobre sus justicieros. Sobre dos de ellos, al menos.

CAPÍTULO 67

ESA MAÑANA, mientras Alex, Sampson y Mahoney estaban hablando con Condon, Bree se esforzaba por establecer conexiones entre el fallecido jefe de detectives Tom McGrath, Edita Kravic y un tirador de pistola de competición.

En la pantalla de su ordenador tenía los últimos informes de servicio de Terry Howard. A lo largo de su carrera profesional, Howard había obtenido malos resultados en la prueba anual de tiro. En su mejor día, había sido calificado como un tirador medio.

«Difícilmente podría haber sido alguien que compitiera», pensó Bree cerrando el archivo.

Sin embargo, había muchos policías que competían y demostraban tener buena puntería. Así pues, no podía descartar la posibilidad de que un policía, un expolicía o un exmilitar, quizás alguien a quien McGrath y Howard conocieran, fuera el tirador.

Entonces sonó el teléfono de su escritorio.

–Stone –dijo Bree.

–Michaels –dijo el jefe de Policía–. Estoy de mal humor.

–¿Jefe?

–He oído rumores de que has reabierto el caso McGrath.

–Es cierto –contestó Bree mientras su corazón empezaba a latir más deprisa.

–¡Maldita sea, Stone! Me van a crucificar por esto. Howard es nuestro hombre. Tú misma lo dijiste.

–Y cuando lo dije lo creía, jefe –dijo Bree–. Pero ahora ya no.

Le contó su visita al laboratorio del FBI y al final dijo:

–Así pues, aunque creo que recibiremos duras críticas por haber llegado a una conclusión equivocada, nos aplaudirán cuando se den cuenta de que fuimos lo bastante testarudos como para admitir nuestro error y descubramos al verdadero asesino.

El jefe Michaels lanzó un suspiro y dijo:

–Puedo vivir con eso. ¿Algún sospechoso?

–Todavía no.

–¿Aún no tenemos nada en el caso de un policía asesinado?

–Algo tenemos –dijo Bree–. Tenemos nuevas pistas en las que estamos trabajando.

–Manténme informado, por favor.

–Será el primero en saberlo todo, jefe –dijo Bree, y colgó.

Bree pensó que la conversación había ido mejor de lo que esperaba. Puede que estuviera mejorando en su trabajo, que no se sintiera tan afectada por cada crisis.

Cuando Sampson y yo volvimos después de haber hablado con Condon, entré en el despacho de Bree.

–Hemos averiguado algunas cosas que deberías saber.

Bree sonrió.

–Me vendrían bien algunas buenas noticias.

–Bueno, tenemos muchas noticias –dijo Sampson entrando después de mí–. Pero no sabría decir si son buenas o malas.

Mientras le contábamos nuestra visita a la casa de Nicholas Condon, las falsas pruebas que habían colocado para incriminarlo y la posibilidad de que el francotirador pudiera conocer a dos de los justicieros, mandé dos fotografías a la pantalla que Bree tenía en la pared.

Una fotografía mostraba a un hombre delgado vestido con un elegante traje y un rostro que era una fusión de Asia y África. Lucía una barba incipiente y estaba apoyado en un coche fumándose un cigarrillo... Parecía ese tipo de persona que encajaría en cualquier parte. La otra foto mostraba a un oficial de los Boinas Verdes de piel pálida y rostro demacrado.

–El del traje es Lester Hobbes, exmiembro de la CIA. El soldado convertido en mercenario es Charles Fender.

Los dos hombres habían firmado contratos con empresas de seguridad internacional que habían operado en Afganistán desde los primeros tiempos en que Condon estuvo allí. Aunque no habían trabajado directamente con el francotirador, todos se conocían lo bastante bien como para tomarse un par de copas de vez en cuando. Tanto Fender como Hobbes eran tipos intransigentes que estaban en contra de la política exterior de los Estados Unidos en Oriente Medio y que cuando volvieron a casa fueron de mal en peor.

–Condon dice que no había visto a Fender ni a Hobbes durante años –dije–. Entonces, después de la muerte de su novia, de la investigación en Afganistán y de su exilio en la costa este, un buen día Condon recibió una llamada de Lester Hobbes.

Hobbes le dijo a Condon que pensaba que había recibido un trato injusto y le trasladó sus condolencias. Le preguntó al francotirador si le apetecería que comieran juntos. Condon aceptó y un día quedaron en un restaurante de Annapolis.

Charles Fender también acudió. Los tres tomaron más cerveza de la cuenta mientras recordaban los viejos tiempos y la conversación giró en torno a las cosas malas acerca de los Estados Unidos. Hobbes y Fender dijeron que la falta de convicción y de acción de la gente había permitido que se apoderaran del país nuevas formas de esclavitud.

–¿Esclavitud? –dijo Bree.

–«Gente controlada por otras personas de forma criminal», así es como ellos lo expresaron –dijo Sampson–. Del mismo modo que un adicto a las drogas es esclavo de los cárteles o una prostituta es esclavizada por los tipos que la manipulan. O ciudadanos de a pie de los Estados Unidos esclavizados por políticos corruptos.

–Hobbes y Fender le dijeron a Condon que formaban parte de un grupo en el que había cada vez más gente que pensaba así. Se compararon con John Brown y con los hombres que lideró en un levantamiento armado contra la esclavitud.

–Los abolicionistas violentos –dijo Sampson–. Dispuestos a matar y a morir para que los demás fueran libres.

–¡Dios mío! –exclamó Bree.

–Sí, ¿verdad? –dije–. Se hacen llamar los Reguladores, y le pidieron a Condon que se uniera a ellos. Pero Condon rechazó la oferta; dijo que lo que deseaba era llevar una vida más tranquila, y lo dejaron ahí.

–¿Por qué no os lo contó la primera vez que hablasteis con él? –preguntó Bree.

–Dice que no se le ocurrió hasta que se produjo el segundo ataque. Incluso entonces no pensó que el hecho de que hubiera menos cárteles de droga y traficantes de personas en el mundo fuera algo malo.

–Hasta que Fender y Hobbes decidieron incriminarlo y matarlo –dijo Bree.

–Correcto –dijo Sampson.

Bree se quedó sentada procesando la información. Luego, inclinándose hacia delante, dijo:

–Han matado a traficantes de drogas y de personas, pero no a políticos corruptos.

–Exacto –dije–. Por eso debemos dar con Lester Hobbes y Charles Fender cuanto antes.

CAPÍTULO 68

JOHN BROWN SE HABÍA REUNIDO con gente en su casa. Notaba cómo le palpitaba el brazo a causa de la mordedura del perro. Trató de ignorar el dolor mientras contemplaba las imágenes de las noticias de la noche que mostraban el coche de los forenses cruzando la puerta de la propiedad de Nicholas Condon en Denton.

Una joven reportera apareció de pie y dijo:

–WBAL-TV Channel Eleven les ofrece esta información en exclusiva. El FBI y la Policía Local nos han dicho que las pruebas encontradas en la escena de este asesinato que parece obra del crimen organizado indican que hay una relación entre la víctima, el francotirador Nicholas Condon, exmiembro del Equipo 6 del SEAL, y las masacres de los traficantes de drogas y personas que han tenido lugar a lo largo de este último mes.

»El FBI también afirma que las pruebas han orientado la investigación en una nueva dirección; todos los conocidos y antiguos colaboradores de Condon serán investigados en los próximos días.

–Ha funcionado –dijo Cass apagando el televisor

con el mando a distancia–. Debo admitir que tenía mis dudas.

–Pues yo no –dijo Hobbes–. Bien jugado.

Fender y las otras once personas que se habían reunido en casa de Brown aplaudieron.

–Ahora podremos disfrutar de un respiro –dijo Brown–. Lo cual nos será de ayuda para nuestro siguiente objetivo.

El grupo prestó atención a Brown mientras este exponía el plan. Una tras otra, las expresiones de sus rostros se volvieron sombrías y luego escépticas.

–No sé –dijo Fender cuando Brown hubo concluido–. Parece una fortaleza.

–No habrá minitemporizadores vigilando el lugar. Nos enfrentaremos a profesionales con talento.

–Es probable –dijo Brown–. Pero si quieres cortarle la cabeza a una serpiente, tienes que acercarte a sus colmillos.

–¿Y cómo está tan seguro nuestro amigo de que se trata de la cabeza de la serpiente? –preguntó Fender.

–Dice que es la cabeza de la serpiente de la costa este. Si se la cortamos, destruiremos por completo su organización. Si se la cortamos, podremos pasar a la siguiente fase de la limpieza.

–¿No nos estaremos precipitando? –dijo Cass–. ¿La información de nuestro amigo es fiable?

–De primera –contestó Brown–. El lugar ha estado vigilado por satélite y drones durante los últimos diez días.

–Entonces, ¿cuál es el plan? –preguntó Hobbes–. Tú eres el estratega.

Brown mostró unas fotografías obtenidas por satélite y diagramas de su siguiente objetivo. Sus seguidores lo escuchaban atentamente. Tenían que hacerlo. Sus vidas y su causa dependían de ello.

Cuando terminó, Brown abrió el turno de preguntas, comentarios y sugerencias. Estuvieron hablando durante horas, hasta mucho después de la medianoche, alterando y retocando el plan hasta que todos estuvieron de acuerdo en que podría funcionar a pesar de que, por primera vez, era probable que hubiera víctimas en su grupo. Parecía algo inevitable, pero nadie se echó atrás.

–¿Cuándo será? –preguntó Cass.

–La reunión es dentro de tres días –respondió Brown.

–Eso nos ayudará –dijo Fender–. Habrá luna nueva.

CAPÍTULO 69

SEGUIR LA PISTA de potenciales asesinos de masas puede resultar una ardua tarea en estos tiempos de información instantánea y de aplicaciones que alertan a la gente cuando se accede a determinado tipo de datos. Esto es especialmente cierto cuando los sospechosos son antiguos miembros de la CIA y de las Fuerzas de Operaciones Especiales de los Estados Unidos.

Todo lo concerniente a esta parte específica de la investigación, nos dijo Mahoney, debía llevarse a cabo sin llamar la atención. El resto de ese día y del siguiente, Sampson y yo nos centramos en los archivos públicos. Hobbes y Fender tenían permisos de conducir de Virginia con direcciones que resultaron ser apartados de correos del condado de Fairfax. Ambos pagaban sus impuestos desde esas direcciones y definían su trabajo como «asesor de seguridad». Más allá de eso, no existían.

–Esos tipos son dos profesionales –dijo Sampson–. No dejan rastro.

–Seguramente están utilizando nombres falsos y llevan vidas secretas.

–Una forma paranoica de vivir.

–A menos que alguien vaya detrás de ti.

–Vale, pero me siento como si estuviéramos atascados hasta que a Mahoney se le ocurra algo.

Entonces sonó mi móvil. Llamaban desde un número desconocido.

–Alex Cross –dije.

Al otro lado de la línea, una mujer preguntó gimoteando:

–¿Quién mató a Nick? ¿Estaba usted allí?

Por un momento me sentí confundido, pero enseguida lo recordé.

–¿Dolores?

La mujer dejó de lloriquear y resopló.

–Yo lo quería. No puedo... No puedo creer que haya muerto. ¿Estaba usted allí, doctor Cross? ¿Sufrió? ¿Qué cree que pasó? ¿Es cierto que formaba parte de ese grupo de justicieros?

Me sentía presionado e inseguro acerca de qué debía responderle. Finalmente dije:

–¿Cuál es su habilitación formal de seguridad, Dolores?

–Yo lo ayudé, doctor Cross –dijo con voz muy temblorosa–. Ahora ayúdeme usted. Así es como funciona esta ciudad. Necesito saber.

Pensé en la estrategia de investigación de Mahoney y en la necesidad de limitar el número de personas que debían conocer la verdad y consideré el evidente sufrimiento que debía sentir Dolores.

–No está muerto.

Hubo una larga pausa antes de que ella susurrara:

–¿Cómo?

–Ya me ha oído. Hágame caso. Espere. Hay una explicación.

Dolores se atragantó, se echó a reír, resopló y se echó a reír otra vez. Me la imaginé secándose las lágrimas con la manga.

–Estoy segura de que la hay –dijo–. ¡Oh, Dios! No sabe cómo... Estuve despierta toda la noche después de enterarme. Nunca había sentido tanto arrepentimiento, doctor Cross. Por lo que pudo haber sido.

–Creo que tendrá la oportunidad de decírselo dentro de poco –le dije.

–Gracias –dijo Dolores. Parecía sofocada y al mismo tiempo extasiada–. Desde el fondo de mi corazón, gracias. Y si hay algo más que pueda hacer por usted, dígamelo.

–En realidad, sí hay algo. Dígame lo que sabe sobre Lester Hobbes y Charles Fender.

CAPÍTULO
70

HUBO UNOS MOMENTOS DE SILENCIO antes de que Dolores dijera:

–Una pareja interesante. ¿Puedo preguntar a qué viene esto?

–Hoy no –le dije–. Y por favor, no meta las narices en algún archivo con habilitación de seguridad relacionado con esos dos tipos. Solo cuénteme lo que sabe.

–Me parece justo –respondió Dolores–. Solo le diré lo que está en mis archivos.

–¿Tiene archivos sobre Hobbes y Fender?

–Tengo archivos de casi toda la gente que está en este negocio.

–¿Puedo preguntarle cómo?

–Solo si está dispuesto a pagarme por mis servicios.

Sonreí.

–Entonces, ¿es usted una especie de agente de mercenarios?

–Alguien que negocia sería más exacto –dijo Dolores muy seria–. Soy la persona a la que se recurre cuando se quiere reclutar a un mercenario con talento como Fender o a un asesino como Hobbes.

–¿A eso se dedica Hobbes?

–Y con bastante éxito. Un profesional muy recto. Solo acepta objetivos que se lo merezcan.

Por un momento me pregunté por el sentido de la moral y la justicia de Dolores, pero dejé de lado esas preocupaciones.

–¿Puede decirme dónde puedo encontrar a Hobbes y a Fender?

Dolores se echó a reír.

–¿Quiere hablar con ellos?

–Más bien interrogarlos.

Se echó a reír de nuevo.

–Pues buena suerte.

–¿No me ayudará a dar con ellos?

–No sé cómo encontrarlos. Solo nos ponemos en contacto cuando tengo una oferta, y eso se hace a través de un correo electrónico seguro. A decir verdad, nunca nos hemos visto en persona.

Reflexioné sobre ese método.

–¿Podría hacerles una oferta en nuestro nombre?

–Bueno, no lo sé. En mi forma de trabajar hay ciertas normas éticas.

–Trabaja representando a mercenarios.

–Así es.

–Y ahora me dirá que en esta ciudad hay una asociación de agentes de mercenarios.

–Podría ser.

–¿Recuerda cómo empezó esta conversación que estamos manteniendo? –dije.

Después de hacer una pausa, Dolores dijo:

–Sí, y le doy las gracias por la paz de espíritu.

–Y me imagino que querrá evitar más derramamiento de sangre, ¿verdad?

–Eso también.

–Entonces, ¿nos ayudará a encontrar a Hobbes y a Fender?

Hubo un silencio más largo antes de que Dolores dijera:

–Voy a redactar una propuesta en su nombre. A ver si muerden el anzuelo.

–Que sea una oferta muy lucrativa –le dije–. Así, seguro que lo muerden.

CAPÍTULO 71

EN LA ENTRADA DE LA BAHÍA DE MOBJACK, donde esta se une a la de Chesapeake, el bote de pesca de John Brown se balanceó a un kilómetro y medio al norte de un recinto cerrado y vigilado de veintidós hectáreas.

Cass iba a bordo. Y también Hobbes y Fender, que sostenían sendas cañas de pescar con anzuelos para peces de fondo mientras estudiaban el lugar.

–Si lo hacemos bien, será una sorpresa total –dijo Brown pasándole los prismáticos a Fender–. Entraremos y saldremos en veinte minutos como máximo.

–Bueno, si el plan funciona –dijo Hobbes subiendo y volviendo a bajar la caña.

El comentario enojó a Brown.

–¿Qué significa eso?

–Significa que a veces pasan cosas –dijo Hobbes–. Y hay ocasiones en que uno debe improvisar. Me refiero, no sé, a que si estalla una maldita tormenta y nos encontramos con un fuerte oleaje, puede que tengamos que improvisar algo y hacerlo de otra manera. Eso es lo único que estoy diciendo.

Brown estaba nervioso y no sabía por qué. El brazo

ya no le palpitaba tanto, aunque lo despertaba por las noches. Y, evidentemente, seguro que habría contingencias *in situ,* pero en una situación como esa requería movimientos precisos para avanzar como un reloj y que todo el equipo entrara y saliera como si fueran fantasmas.

–Esas lanchas son enormes –dijo Cass pegada a sus prismáticos.

Brown se protegió los ojos para observar las enormes grúas que mantenían las embarcaciones fuera del agua.

–Es un sitio perfecto para sacar provecho a las rutas marítimas orientales. A menos de trece kilómetros del Atlántico. Unas embarcaciones así de rápidas pueden recorrer treinta kilómetros en pocos minutos, descargar en plena noche y regresar a toda velocidad.

–Hay otro guardia –dijo Fender, que también estaba pegado a los prismáticos–. Hasta ahora son tres. Al parecer, están patrullando constantemente.

–Y reforzarán la seguridad para la reunión –dijo Brown–. Pero somos una fuerza de combate superior.

–Hay que ir directos al grano –dijo Fender–. Si todo sale según lo planeado, nunca sabrán qué les pasó.

Apenas había dicho eso cuando el móvil de Fender emitió un zumbido. Y el de Hobbes lo hizo un segundo después.

Fender soltó los prismáticos para echar un vistazo a su teléfono. Hobbes sostuvo su caña de pescar con una sola mano para leer el mensaje.

Brown cogió los prismáticos de Fender para observar el recinto. Había estudiado su vista aérea en las fotos que tomaron los drones, pero ver con sus propios ojos el objetivo tenía sus ventajas, sobre todo en un ataque tan ambicioso. Cuando bajó los prismáticos, vio que Fender y Hobbes aún seguían ocupados con sus teléfonos.

–Levantad la cabeza –dijo Brown–. Hay que tener los ojos en el objetivo.

Hobbes levantó la vista.

–Lo siento... Un trabajo urgente y muy bien pagado.

–Yo también –dijo Fender–. Dice que se necesita un equipo de seis personas.

Brown se enfureció.

–Os necesito aquí. ¿O es que no creéis en lo que estamos haciendo?

–Creo en lo que estamos haciendo –dijo Hobbes–. Pero a veces un hombre tiene que comer antes de conseguir que el mundo sea un lugar mejor, lo cual significa que a veces tiene que ganar dinero antes de conseguir que el mundo sea un lugar mejor.

La piel de la parte inferior del ojo izquierdo de Brown se contrajo.

–Del lugar de donde vengo, la deserción en tiempos de guerra se castiga con la pena de muerte, Hobbes.

–¿Y quien está desertando? –dijo Fender–. Si conseguimos el curro, no estaríamos fuera ni un mes. Y volveríamos. Piensa en ello como si se tratara de un permiso sin sueldo.

Aunque a Brown no le gustaba, dijo:

–Acabemos esta fase antes de que os vayáis a ninguna parte. Nos lo debéis.

Después de dudarlo mucho, Hobbes dijo:

–Estoy de acuerdo.
–Yo también –dijo Fender.
Brown miró a Cass, que asintió.
–Entonces, vámonos a casa –dijo Brown–. Nos quedan treinta y dos horas hasta...
–¡Mierda! –exclamó Hobbes peleándose con su caña de pescar–. ¡Ha picado uno de los grandes! ¡Un monstruo!

CAPÍTULO 72

DESPUÉS DE DOS DÍAS IMPRODUCTIVOS y agotadores tratando de seguir el rastro de Lester Hobbes y Charles Fender, caminaba fatigosamente por la calle Cinco, con ganas de llegar a casa, estar con mi familia y descansar de la presión a la que había estado sometido sin tregua.

Si Condon estaba en lo cierto, los políticos serían el siguiente objetivo. Políticos corruptos, pero políticos al fin y al cabo, lo que significaba que estábamos intentando frustrar un magnicidio.

Pero ¿el magnicidio de quién? ¿Y de cuántos? ¿Y a qué nivel?

¿Federal? Mahoney había alertado a la Policía del Capitolio de la creciente amenaza, aunque sin detalles no era mucho lo que podían hacer.

¿Estatal? ¿Municipal?

La verdad es que podíamos estar hablando de cualquier político en doscientos cincuenta kilómetros a la redonda de la capital de la nación. Y si se limitaba el grupo a los que no eran honrados, se podía dar una patada a cualquier azalea de Washington y saldría corriendo un político corrupto. El número de objetivos potenciales era abrumador.

Recibí un mensaje de Judith Noble en mi móvil justo cuando empezaba a subir las escaleras de mi casa, donde retumbaba un tema de música sinfónica.

–¡Baja el volumen de la televisión! –gritó Nana Mama.

Guardé el móvil en el bolsillo, entré encogiéndome de hombros por lo alta que estaba la música y llevándome los dedos a los oídos. Ali estaba sentado en el sofá mirando unas imágenes del espacio exterior en la pantalla y manteniendo el mando a distancia lejos de mi abuela.

–Dámelo –le dije a Ali extendiendo la mano.

Ali hizo una mueca pero me lo entregó. Pulsé el botón de silencio.

Gracias a Dios, la casa enmudeció. Nana Mama se había enfadado tanto que estaba temblando.

–No me ha hecho caso. Me ha desafiado sin contemplaciones.

–No quería seguir oyendo llorar a Jannie –dijo Ali–. ¿Tan difícil es de entender?

–¿Jannie está llorando? –pregunté.

–Será mejor que subas y hables con ella –dijo mi abuela–. Cree que se ha acabado el mundo.

Señalando a Ali con el dedo, dije:

–Tú y yo vamos a tener una charla sobre el respeto a los mayores. Mientras tanto, métete en la cocina y haz lo que te diga Nana Mama. Y hazlo sin rechistar y con educación. ¿Me has entendido, jovencito?

El labio inferior de Ali empezó a temblar, pero asintió y se levantó.

–Lo siento, Nana Mama –murmuró Ali cuando pasó a su lado–. Lo que sucede es que no me gusta oírla llorar.

–Pero eso no te da derecho a faltarme al respeto –contestó Nana Mama.

Subí al piso de arriba y llamé a la puerta de la habitación de Jannie.

–Vete –dijo Jannie.

–Soy papá.

Unos momentos después se abrió la puerta. Jannie cojeaba cuando retrocedió sosteniéndose en las muletas. Se sentó y se echó a llorar.

–Eh, eh, ¿qué pasa? –le pregunté entrando en la habitación y rodeándola con el brazo.

–Mira mi pie –dijo ella sollozando–. Mira cómo se ha hinchado después de haber estado media hora en la bicicleta estática sin haber hecho apenas presión.

Me incliné y vi la hinchazón en el medio del pie.

–Eso no tiene buena pinta –dije.

–¿Qué voy a hacer? –dijo Jannie–. Mi fisioterapeuta cree que ahí hay algo más. Me ha dicho que lo que hemos hecho no debería haber provocado una reacción como esta.

–De acuerdo –le dije después de pensar unos momentos–. Comprendo que estés preocupada. Yo también lo estaría si estuviera en tu lugar.

–Papá, ¿y si es algo grave de verdad? –dijo Jannie echándose a llorar de nuevo–. ¿Y si se trata de algo tan grave que nunca me permita volver a correr?

–¡Vamos vamos! –dije–. No hay que pensar en eso. Nunca. Iremos paso a paso. ¿Tienes el nombre de tu fisio y su número de teléfono?

Jannie asintió y se acurrucó en mi pecho.

–Sí –dijo.

Frotándole el hombro, le dije:

–No te pongas en lo peor, ¿vale? Iremos a ver al mejor especialista en pies del país. Estoy seguro de que tu entrenador sabrá quién es, y haremos que ese médico le eche un vistazo al tuyo y nos diga lo que hay que hacer. ¿De acuerdo?

Jannie asintió y resopló.

–No quiero que mi sueño acabe antes de haber empezado.

–Yo tampoco –dije, y la abracé con fuerza.

CAPÍTULO 73

NANA MAMA ESTABA MIRANDO cómo Ali barría el suelo cuando entré en la cocina. Mi hijo me miró con los ojos llorosos.

–¿Es verdad que Jannie nunca volverá a correr?

–¿Qué? No.

–No dejo de decirle que eso no es cierto –dijo Nana Mama–. Pero no me escucha.

–Es lo que ha dicho Jannie –me dijo Ali.

–Estaba angustiada –dije–. Que todo el mundo se calme. Tiene el pie hinchado, pero no está pudriéndose.

–¡Puf! –exclamó Ali, pero sonrió.

–Tú termina de barrer –dijo Nana Mama y me miró–. Chuletas de cerdo fritas con un poco de grasa de cerdo y recubiertas con una sabrosa compota de cebolla, salsa de manzana y chili fermentado.

–Eso suena genial –le dije–. Y huele que alimenta.

Mi abuela sonrió.

–Son las cebollas caramelizadas –explicó–. ¿Diez minutos? Ya he preparado la compota.

–Diez minutos es perfecto –dije.

Cogí una cerveza del frigorífico y me dirigí al salón.

Me senté y saqué el móvil para leer el mensaje de Judith Noble. El teléfono sonó antes de que pudiera hacerlo.

–Soy Dolores. Fender y Hobbes han contestado.

Dejé la cerveza encima de la mesa y dije:

–Cuénteme.

–Les interesa, pero me han dicho que están ocupados en el extranjero hasta el lunes. A partir de entonces están disponibles para cualquier oferta.

–¿Lo cual significa que...?

–Que estarán ocupados durante unos días.

–Entonces, ¿podría haber un ataque en los próximos días?

–Supongo que podría interpretarlo así –dijo Dolores–. ¿Cómo está Nick?

–No lo sé. Mahoney lo mantiene oculto en algún lugar de Virginia.

–Entonces, ¿qué les digo a Hobbes y a Fender?

Después de pensarlo, contesté:

–Dígales que esperamos tener noticias suyas lo antes posible.

–Eso puedo hacerlo –dijo Dolores, y colgó.

Oí a Bree entrando en casa. Eran las siete pasadas. Tenía peor aspecto que yo.

–No me preguntes –dijo.

–Trato hecho. ¿Una cerveza?

–Un vino tinto. *Pinot noir*. ¿Qué es eso que huele tan bien?

–Nana Mama está en racha –dije, y fui a por una botella de su vino preferido.

Se lo serví justo cuando mi abuela estaba terminando de preparar las chuletas de cerdo cortadas en finas lonchas y las dejaba en la mesa junto con su misteriosa salsa. Jannie pasó a su lado apoyada en las muletas. Cogidos de la mano, bendecimos la mesa.

El nuevo plato de Nana Mama fue todo un éxito. Cada bocado tenía seis sabores diferentes, pero era tan picante que te obligaba a gritar: «¡Fuego!». Bree y yo lavamos los platos. A la hora de acostarse, hablé con Ali sobre el respeto a los ancianos.

–¿Le faltarías al respeto a Neil deGrasse Tyson?

–No –respondió Ali–. Pero Nana Mama no es...

–No sigas por ahí –le dije moviendo un dedo–. Este argumento no funciona. En esta casa, en este universo, Nana Mama es Neil deGrasse Tyson y mucho más.

Aunque quería rebatirme, Ali acabó asintiendo.

–Vale. Lo siento.

–Disculpas aceptadas –dije inclinándome y dándole un beso en la frente.

Entré en nuestra habitación y vi que Bree ya se había metido en la cama. Tenía las rodillas levantadas y estaba leyendo su nuevo libro. Unos minutos después me acosté y mi mundo me pareció mucho mejor que cuando había llegado a casa. Me sentía lo bastante bien y soñoliento como para quedarme dormido.

CAPÍTULO 74

VESTIDO COMPLETAMENTE DE NEGRO, desde las botas Wolverine hasta la chaqueta de cuero y el casco Bell, John Brown le dio gas a la moto mientras avanzaba por un camino rural en una noche sin luna. Cass iba detrás de él.

–Aún sigo pensando que podríamos haber ido en coche –se quejó Cass a través del minúsculo auricular de Brown.

–No hay coche en el mundo capaz de seguir el ritmo de esta moto –dijo Brown–. Puede que necesitemos esta velocidad para salir de aquí con vida.

La luz del faro iluminó los coches aparcados junto al camino y los focos del recinto de altos muros.

–¿Hobbes? –dijo Brown.

–Te recibo –contestó Hobbes.

–Acércate despacio a unos quinientos metros. Fender también.

–Entendido.

–Estamos llegando –dijo Brown cambiando de marcha y reduciendo la velocidad cuando pasó junto a los dos guardias que flanqueaban la puerta abierta.

La moto retumbó cuando Brown dio un giro de ciento ochenta grados y se metió en el hueco que había entre un Mercedes-Benz y un Cadillac Escalade, con la rueda delantera apuntando hacia el recinto.

–Y ahora, confianza –dijo apagando la moto.

–Toda la confianza del mundo, querido –dijo Cass apeándose.

Brown desmontó y se quitó el casco despacio, consciente de los guardias pero con cuidado de no tirar demasiado fuerte de la barba postiza que se había pegado a la cara. Colgó el casco en el acelerador y miró a Cass. Ella vestía una chaqueta de cuero roja con flecos, una peluca rubia platino y una gorra de los Atlanta Braves. Sostenía un maletín de piel negro esposado a la muñeca.

–Trescientos metros –murmuró Brown a través del micrófono que llevaba pegado debajo de la barba.

–Trescientos –dijo Fender.

Brown levantó la cabeza como si fuera el dueño del mundo y avanzó por el camino en dirección a la puerta y los guardias. Cass iba justo detrás de su hombro izquierdo.

–Bonita moto –dijo en ruso el guardia que estaba a la izquierda.

–La mejor –respondió Brown en ruso, con un acento perfecto de San Petersburgo.

–¿Qué velocidad alcanza? –preguntó el guardia de la derecha.

–Trescientos cinco kilómetros por hora –contestó Brown sonriendo y mirando a ambos hombres a los ojos–. La aceleración te deja sin aliento. ¿Llego tarde?

–Estábamos a punto de cerrar el acceso, pero no –dijo el guardia de la izquierda–. La invitación, por favor.

Brown sonrió, ladeó la cabeza y, en un inglés con mucho acento, dijo:

–¿Dónde está la invitación, Leanne?

–La he guardado aquí por seguridad, cariño –dijo Cass con un marcado acento sureño. Dio la vuelta, se colocó de espaldas a los guardias y enfrente de Brown y le tendió el maletín–. Tendrás que desbloquearlo, jefe.

Fingiendo exasperación, Brown rebuscó en su bolsillo, sacó una llave, miró a los guardias y, en ruso, dijo:

–No es una científica espacial, pero, ¡oh, Dios mío!, en la cama es toda una yegua, muchachos.

Los guardias se echaron a reír. Cass miró a Brown como si no tuviera ni idea de lo que acababa de decir. Brown abrió la esposa y puso la combinación en los cierres del maletín. A continuación los abrió, levantó la tapa y cogió las dos pistolas Glock con silenciador que había en su interior. Les dio la vuelta, las desplazó hasta los extremos del maletín y Cass y él dispararon a la cabeza de los dos guardias casi a quemarropa.

Ambos se inclinaron hacia atrás y se desplomaron en el suelo.

Cass tiró el maletín. Brown le lanzó una de las pistolas. Ella la cogió y se pusieron manos a la obra. Agarraron a los guardias muertos por el cuello de la camisa, los arrastraron hasta el otro lado de la entrada para que nadie los viera, cerraron la puerta y la bloquearon. Después de quitarles las radios a los guardias, se adentraron en las sombras para cubrirse la cabeza y la cara con sendas capuchas negras.

–Estamos dentro –dijo Brown a través de su micrófono, y se alejaron trotando por el camino de entrada en dirección a los edificios con vistas a la bahía.

Brown oyó música de *jazz*, el tintineo de las copas de cóctel y las risas de los ladrones y los dueños de esclavos. Cuando vieron la enorme mansión de estilo anterior a la guerra de Secesión que dominaba el lugar, Brown dijo:

–Preparados.

Brown se imaginó las zódiacs deslizándose hacia la orilla. El barullo de la fiesta amortiguaría el ruido de los motores. Sintiéndose como un fanático, como si Dios y la historia estuvieran de su parte, Brown corrió por el césped sumido en las sombras en dirección al porche.

–Vamos, Reguladores –dijo–. Rabia contra la noche.

CAPÍTULO 75

PODÍA VER LOS CUERPOS DESDE EL AIRE, siete en total, cinco hombres y dos mujeres, tendidos en una terraza iluminada en la parte posterior de una mansión de estilo anterior a la guerra de Secesión que se elevaba junto al agua, cerca de la entrada de la bahía de Mobjack. Eran las tres de la madrugada.

–La misteriosa mujer que te llamó no mentía, Ned –dijo Sampson, que iba sentado a mi lado en la parte trasera del helicóptero del FBI.

–Es otro baño de sangre –dijo Mahoney desde el asiento delantero mientras el helicóptero estaba aterrizando.

–¿Seguro que no están? –preguntó Sampson.

–Me dijo que se habían ido casi una hora antes de que llamara, y colgó –explicó Mahoney–. Eso fue hace una hora, o sea que nos llevan dos horas de ventaja.

–¿Llamó desde la casa? –pregunté cuando el helicóptero hubo aterrizado.

–No habló el tiempo suficiente con el operador del 911 para que pudiéramos comprobarlo.

Bajamos, avanzamos bajo las hélices del rotor y nos

detuvimos para ponernos el calzado esterilizado y los guantes. En el caso de que fuéramos los primeros en llegar a la escena del crimen, no queríamos contaminarla mientras esperábamos al equipo forense.

–¿Cómo se llama el ruso que es el dueño de todo esto? –preguntó Sampson.

–Antonin Guryev –dijo Mahoney–. Amasó su fortuna con el transporte marítimo y, por lo que sabemos, de forma limpia. Tenemos a agentes del Grupo de Respuesta a Incidentes de Quantico estudiándolo, pero hasta el momento su nombre no les suena de nada.

Salir a la terraza y ver los cadáveres fue una experiencia extraña. A juzgar por la forma en que estaban agrupados y por sus respectivas posiciones, las víctimas parecían haber sido abatidas por sorpresa.

En un extremo de la terraza había una barra surtida con las mejores bebidas alcohólicas; detrás, tendido en el suelo, había un fornido camarero. Otro hombre se había desplomado cerca del piano. Los demás habían muerto en dos pequeños grupos, como si estuvieran charlando cuando les dispararon.

En el interior, las luces estaban encendidas. Entramos en la casa por unas puertaventanas; estaba lujosamente decorada y contrastaba con el estilo exterior: había mucho mármol, cromo, recubrimientos dorados y espejos.

–Por el amor de Dios, esto parece una discoteca de Moscú –dijo Mahoney.

A nuestra izquierda se extendía una mesa larga repleta de comida; a su alrededor había cuatro cadáveres más. A nuestra derecha había un enorme salón y una cocina.

–Creo que conozco a este tipo –dijo Sampson, que se había agachado al lado de un hombre vestido con traje y con el pelo plateado pulcramente peinado.

Rondaba los cincuenta años y, a pesar de la herida que tenía en la garganta, me resultó vagamente familiar.

–Creo que yo también sé quien es, pero no consigo ubicarlo –dije.

Con mucho cuidado, Sampson metió la mano en el bolsillo del pecho de la víctima y sacó su cartera. Cuando la abrió, emitió un silbido.

–Aquí tenemos a nuestro primer político corrupto. Es el congresista Rory McMann.

–Mierda –dijo Mahoney–. La Justicia lleva años intentando pillar a este tipo.

McMann, republicano de Virginia Beach, Virginia, había sido investigado en varias ocasiones, pero ningún fiscal había logrado presentar cargos contra él. Era un buen chico al que le gustaba ir detrás de las faldas y el alcohol. Esos vicios casi habían conseguido que fuera censurado por la Cámara de Representantes, pero se las arregló para librarse también de eso. Y ahora, ahí estaba, una víctima de los justicieros.

–Nos llevará días analizar este sitio e identificar a todas las víctimas –dije apabullado por la carnicería.

–Yo puedo decirle quiénes son –dijo una mujer en voz alta y con un marcado acento ruso.

Sobresaltados, miramos a nuestro alrededor.

Sin embargo, salvo nosotros, no había nadie más con vida en el salón.

CAPÍTULO 76

—SE LO CONTARÉ TODO, pero... quiero entrar en el programa de protección de testigos –dijo la mujer.

Nos dimos cuenta de que nos estaba hablando a través de unos altavoces de Bluetooth instalados en la parte superior de los rincones de la sala.

–¿Quién es usted? –preguntó Mahoney–. ¿Dónde está?

–Soy Elena Guryev –dijo–. Estoy en la habitación del pánico.

–¿Cómo podemos llegar hasta allí? –preguntó Sampson.

–Se lo diré cuando esté en el programa de protección de testigos.

Miré a Mahoney y dije:

–Con tantas víctimas, no creo que sea pedir mucho.

–No puedo entregarle la documentación en este momento, señora Guryev –respondió Mahoney–, pero le doy mi palabra.

Hubo unos segundos de silencio.

–Para mi hijo también.

Mahoney lanzó un suspiro.

–Para su hijo también. ¿Dónde está?

–Aquí, conmigo. Está durmiendo.

–¿Y su marido?

Esta vez, el silencio fue más largo.

–Está muerto.

–Deje que la saquemos a usted y a su hijo de aquí –dijo Mahoney.

–Vayan a la bodega que hay en el sótano. Tiene una puerta, como la de un granero. Entren. Dentro hay una cámara. Muéstrenme sus placas y sus identificaciones.

La casa era muy grande, y nos equivocamos un par de veces de dirección antes de encontrar la escalera del sótano. La puerta de la bodega era de madera sin tratar. La abrimos y entramos en una estancia con suelo de ladrillo en la que había miles de botellas de vino colocadas en unas repisas.

Todos mostramos nuestras placas e identificaciones a una cámara que había en el techo.

Un momento después oímos cómo unas enormes barras de metal eran retiradas y se deslizaban hacia atrás. Una parte de la pared posterior de la bodega se abrió con un mecanismo hidráulico. Elena Guryev nos observaba desde un espacio cuyas dimensiones eran la de dos celdas de una cárcel.

Era una mujer alta y esbelta, de treinta y tantos años, con el pelo claro y una constitución y unos labios que habrían dejado extasiado a cualquier director de revista. Llevaba un vestido de noche negro, medias negras y zapatos de tacón. Lucía pendientes, pulseras y un collar con unos enormes diamantes.

Aunque sus ojos de color avellana estaban hinchados e inyectados en sangre, su actitud no era la de una mujer angustiada. En realidad, allí de pie, con los brazos cruzados, delante de una litera, parecía exudar una voluntad de acero. En la cama inferior había un niño de unos diez años que estaba durmiendo, acurrucado debajo de una manta, con la cabeza vendada con gasas.

Al otro lado de la litera, seis pequeñas pantallas mostraban seis imágenes distintas de la casa y la propiedad.

–Señora Guryev –dijo Mahoney con voz pausada.

–Dimitri no puede oírnos –dijo ella–. Está completamente sordo y ha tomado medicamentos para el dolor. Hace dos días le realizaron un implante coclear en el Johns Hopkins.

–¿Quiere que lo vea un médico? –le pregunté.

–Soy médica –contestó–. Está bien; es mejor que duerma.

–¿Se encuentra usted bien? –le pregunté.

–No –respondió ella llevándose los dedos a los labios y mirando al suelo, como si estuviera contemplando el horror–. No sé qué le voy a decir sobre su padre.

Un momento después, levantó la cabeza y ese pensamiento se esfumó.

–¿Qué quieren saber?

Sampson señaló las pantallas.

–¿Vio lo que ocurrió?

–En parte –contestó la mujer.

–¿Ha quedado grabado? –preguntó Mahoney.

–Sí, pero esa gente sabía dónde estaba el disco duro y se lo llevaron.

–Otra vez escaparon sin dejar rastro –se quejó Sampson.

–Solo creen que se fueron sin dejar rastro –dijo la señora Guryev acercándose a la litera–. Pero yo me aseguraré de que paguen por lo que han hecho.

Entonces, sosteniendo un iPhone con la mano como si fuera una pistola, dijo:

–Los grabé, a dos de ellos sin capucha.

CAPÍTULO 77

UNAS HORAS MÁS TARDE, en la pantalla del despacho de Bree contemplamos la precisión con que una fuerza militar masacraba a las víctimas que habíamos encontrado en la casa, incluido su dueño, Antonin Guryev, que suplicó por su vida y ofreció millones de dólares a los asaltantes antes de ser asesinado a tiros en su dormitorio.

En ese momento la cámara del iPhone se volvió loca y se podía oír a Elena Guryev jadeando y gritando en ruso. La imagen mostró sus zapatos mientras lloraba durante varios minutos y luego volvió a la pantalla de su dormitorio.

–Ahora –dije.

El pistolero que mató a Guryev se arrodilló junto a la cama. Metió la mano debajo de ella y sacó el disco duro en el que se almacenaban todas las imágenes de las cámaras de seguridad de la propiedad. Se lo colocó debajo del brazo, se quitó la capucha y se secó el sudor de la frente antes de desaparecer del plano.

Retrocedí la grabación y congelé la imagen en el momento en el que el hombre se quitaba la capucha; ya había visto antes ese rostro, el que era una mezcla de Asia y África.

–Este es Lester Hobbes –dijo Sampson.

Bree se inclinó hacia delante.

–No me digas –dijo.

–Espera –dije–. Está a punto de aparecer el segundo.

La cámara del iPhone se movió a otra de las pantallas de la habitación del pánico; tras enfocar la imagen, se podía ver a los seis pistoleros encapuchados limpiando su rastro mientras abandonaban el salón, recogiendo los casquillos e incluso aspirando alrededor de los cadáveres. Cuando llegaron a las puertaventanas que daban a la terraza, uno de ellos desbloqueó la parte posterior de la aspiradora, retiró la bolsa que contenía el polvo y se dio la vuelta al mismo tiempo que se quitaba la capucha.

La cámara la captó fugazmente: era una mujer de pelo rubio. Hubo que hacer un par de intentos para conseguir congelar la imagen de su rostro de perfil, de cerca, en la pantalla del ordenador.

–¿Quién es? –preguntó Bree.

–De momento, no tenemos ni idea –contestó Sampson.

–Además del congresista, ¿quiénes son las otras víctimas? –preguntó Bree.

–Mafiosos rusos, representantes del cártel de Sinaloa, dos banqueros de Nueva York y sus esposas y alguien a quien no nos esperábamos.

–¿Quién?

–Lo veremos ahora mismo –dije.

Le explicamos a Bree que, según Elena Guryev, la fiesta en realidad era una especie de reunión de la junta de emergencia de una difusa alianza de criminales que traficaban con todo, desde narcóticos a personas.

–¿De qué se habló en esa reunión? –preguntó Bree.

–Irónicamente, de los justicieros –respondió Sampson–. Todos los objetivos que atacaron, las fábricas de cristal y el convoy, formaban parte de los negocios de la alianza.

–Y entonces irrumpieron los justicieros y acabaron con sus líderes –dijo Bree.

–Fue como cortar todas las cabezas de la hidra a la vez –dije.

–¿Cómo se implicó Guryev?

Le contamos lo que nos había dicho Elena Guryev: hacía unos años, su marido había invertido más de lo debido y tenía muchos problemas de dinero. Algunos miembros de la alianza le ofrecieron una salida a su situación, el contrabando, y su empresa de transporte marítimo creció rápidamente con beneficios invisibles.

Elena Guryev afirmaba que no sabía en qué se había metido su esposo hasta que fue demasiado tarde. Cuando descubrió el alcance de sus actividades criminales le dijo que quería el divorcio.

–Dice que él la amenazó con matarla a ella y a su hijo si intentaba abandonarlo o denunciarlo a la Policía –dije–. Eso fue hace tres meses.

Bree reflexionó.

–¿Por qué estaba en la habitación del pánico?

–Su hijo, Dimitri, había sido intervenido dos días antes y necesitaba dormir en un lugar donde no lo molestaran –expliqué–. Ella se dejó ver al principio de la fiesta y luego bajó para quedarse con su hijo. Estaba allí cuando empezó el ataque.

–¿Reconoció a Hobbes o a la mujer?

–Dijo que nunca había visto antes a ninguno de los dos.

–¿Dónde están Elena y su hijo ahora?

Me encogí de hombros.

–Mahoney los mantiene ocultos en un lugar seguro. Sospecho que la interrogará durante días, por no decir semanas, antes de que entre en el programa de protección de testigos. Lo que nos lleva de vuelta a ese tipo.

Le mostré a Bree una fotografía que tenía en mi móvil de un hombre muerto que rondaría los cuarenta años, atractivo, con un tupido mechón de pelo oscuro y un agujero de bala en el pecho.

–¿Quién es?

–Según Elena Guryev, su nombre es Karl Stavros y es el propietario, entre otros negocios, del Club Phoenix.

–Espera –dijo Bree–. ¿El club donde trabajaba Edita Kravic?

–El mismo –dije–. Dime, ¿cuáles son las posibilidades de que Tommy McGrath anduviera tras alguna actividad criminal que tuviera lugar en el club del que le habló Edita?

–Diría que muchas –respondió Bree–. Muchísimas.

–Creo que la respuesta de quién mató a Tommy está en ese club –dijo Sampson.

–Necesitaremos una orden judicial –dijo Bree.

–Los federales están en ello –dije–. Ned nos prometió que formaríamos parte de cualquier registro, pero no será hoy.

Bostecé. Y Sampson también.

–Tenéis un aspecto horrible –dijo Bree–. Iros a casa. Dormid un poco.

Sampson se levantó y se fue sin discutir.

Yo levanté las manos.

–No, estoy bien. Una taza de café y estaré como nuevo.

–Es una orden, detective Cross. Te vas a casa, te echas una siesta, y apostaría a que Nana Mama te agradecería que esta tarde acompañaras a Ali a la entrevista para el colegio concertado Washington Latin.

–¿Es hoy?

–Sí. A las cinco.

–Entonces me iré a casa como me has ordenado, jefa Stone. ¿Te veo a la hora de cenar?

–Con un poco de suerte, sí –dijo–. Te quiero.

–Yo también te quiero –le dije.

Salí de su despacho fantaseando con mi cama y una siesta de dos horas.

CAPÍTULO 78

BREE MIRÓ A ALEX mientras él salía de su despacho. Se sentía un poco engañada por no ser parte activa en la investigación del asesinato de Tommy McGrath, o por no ser parte de ella en absoluto.

Si Alex y Sampson estaban en lo cierto con respecto al Club Phoenix, ahora el caso estaba prácticamente en manos del FBI. Aunque Mahoney había prometido que la Policía Metropolitana de Washington D. C. intervendría en cualquier registro, sería el FBI quien tendría la sartén por el mango.

Bree intentó ahuyentar esa idea de su mente y enfrentarse a la lluvia de papeleo que dominaba su vida profesional. Tras diez minutos echando un vistazo a una serie de notas administrativas, no fue capaz de soportarlo más.

Tenía que hacer algo que activara su mente, algo que no resultara tedioso, algo que fuera útil. ¿O acaso ser policía no consistía en eso? ¿En ser útil?

Bree empujó el montón de papeles a un lado y encontró copias de los informes de los asesinatos de Tommy McGrath, Edita Kravic y Terry Howard. Empezó a revisarlos de nuevo, intentando desestimar cualquier idea preconcebida que tuviera sobre el caso, tratando de considerarlo todo desde cero, con la mente de un principiante.

Mientras revisaba las notas de la investigación y los informes forenses, se dio cuenta de que todo el mundo había abordado el caso como unos asesinatos por algún tipo de venganza, cometidos por Howard o por otra persona que había tenido problemas con McGrath y puede que también con Edita Kravic.

Conscientemente, Bree intentó eliminar ese filtro de su mente y considerar otros posibles motivos. Empezó preguntándose quién podría beneficiarse con la muerte de Tommy McGrath. O, para el caso, con la de Edita Kravic.

Alguien del Club Phoenix, supuso. ¿Karl Stavros? Él era el dueño. Si Stavros pensaba que McGrath iba tras él, puede que hubiera matado a Tommy y a Edita para protegerse a sí mismo y a la alianza.

Bree empezó considerando la lista de las pruebas halladas en sus respectivos apartamentos, y después de que fueran liberados, en los discos duros de sus ordenadores. Durante casi una hora y media, estudió cada ítem y trató de verlo como una ventaja o una desventaja para un asesino. Buscó el Club Phoenix en el disco duro de McGrath pero no encontró nada. También hizo una búsqueda en el de Edita Kravic con idéntico resultado.

Entonces revisó la situación financiera de McGrath. Tenía trescientos veinticinco mil dólares en su plan de pensiones, doce mil en su cuenta corriente y no tenía ninguna deuda. McGrath no era propietario de ninguna casa, había pagado su coche al contado y había liquidado todos los meses sus pagos con tarjeta de crédito.

Su testamento, que había redactado cuatro años atrás, era breve. Bree se sorprendió al ver que había nombrado a Terry Howard único heredero. Si Howard no estaba vivo en el momento de la muerte de McGrath, su modesta herencia sería para Vivian, su esposa.

Bree estuvo pensando en ello. Tommy McGrath aún se preocupaba lo bastante por su exesposa como para dejarle su dinero. ¿Era posible que Howard lo supiera y que lo hubiera matado para heredar? ¿O quizás Vivian había...?

Bree desestimó la idea. La exmujer de McGrath estaba forrada, era multimillonaria. ¿Por qué iba a matar a Tommy por algo más de trescientos mil dólares?

Pasó a la última página del testamento y en el apéndice vio una referencia a un documento que le llamó la atención. Bree se sumergió más a fondo en los archivos financieros y encontró el documento que estaba buscando. Lo hojeó, se detuvo en un artículo y pensó: «Esto podría ser algo por lo que merece la pena matar o morir».

Bree cogió el documento y recorrió el pasillo hasta la mesa de Muller. Se dio cuenta de que el detective no iba desaliñado como de costumbre, sino que llevaba un elegante traje y los zapatos recién pulidos.

–Kurt –dijo Bree mostrándole el documento–. ¿Le habíamos echado un vistazo a esto?

Muller cogió el documento, lo examinó y asintió.

–No ha sido reclamado, al menos en los últimos dos días. Reviso cosas como esta muy a menudo.

Bree se vino arriba pensando que había encontrado algo, algo que se les había pasado por alto, y por un momento tuvo la sensación de que estaba haciendo algo útil.

Pero Muller tenía las cosas bajo control.

Parte de su decepción debía ser evidente, porque el detective le dijo:

–Lo resolveremos, jefa. Siempre lo hacemos. Pero ahora debo irme. Tengo una cita.

Bree sonrió.

–Hace años que no tienes una cita.

–Y que lo digas –contestó Muller ajustándose la corbata.

–¿Quién es la afortunada?

–La divina señorita Noble –dijo Muller guiñándole el ojo.

Bree se echó a reír y aplaudió sintiéndose mejor de lo que se había sentido en todo el día.

–Allí, en el laboratorio, me pareció que había saltado la chispa entre los dos.

–Una chispa crepitante –dijo Muller andando al lado de Bree con una sonrisa–. No dejaba de chisporrotear.

CAPÍTULO 79

NANA MAMA LE SONRIÓ A ALI.

–¿Quieres el postre antes de la cena? –le preguntó mi abuela–. ¿Tarta de arándanos con helado?

Ali me miró desconcertado por este cambio en la rutina.

–Sí, por favor, Nana –dijo Ali–. ¿Y menos coles de Bruselas para cenar?

–No tientes a la suerte –contestó mi abuela sacando la tarta de una caja de rejilla–. Las coles de Bruselas son un gran alimento.

–Un poco amargas –dijo Ali.

Nana Mama lo miró entornando los ojos.

–Es una forma de hablar –añadió Ali.

Mi abuela lanzó un suspiro, cortó un buen trozo de tarta de arándanos, colocó a su lado una cucharada de helado de vainilla francesa y puso el plato delante de Ali.

–Cualquier muchacho capaz de convencer a la junta de admisiones de una buena escuela se merece esto –dijo Nana Mama y le dio una cuchara a Ali.

Era cierto. La directora y los profesores de Matemáticas, Ciencias e Inglés de la escuela Washington Latin nos estaban esperando cuando entramos. La directora se presentó a sí misma y a los profesores y le preguntó a Ali que hacía en su tiempo libre, cuando no estaba en la escuela. Eso lo llevó a describir su épico intento de hablar con Neil deGrasse Tyson.

–Me di cuenta de que lo admitirían dos minutos después de que empezara a hablar –dijo Nana Mama–. Creo que se quedaron muy impresionados por la cantidad de borradores de esa carta que ha escrito.

–Aunque en algún momento debería enviarla –dije.

–Pronto –dijo Ali con la boca llena de tarta de arándanos y helado.

–¿Podrías hacerme un favor, cariño? –me dijo mi abuela–. Coge veinte dólares de mi cartera y ve a la tienda de Chung para apostar mis números de la lotería.

–El próximo sorteo no es hasta dentro de dos días –dije.

–El bote está subiendo –dijo mi abuela–. Prefiero hacerlo antes de la estampida.

–¿Ansiosa por ganar dinero? –dije sonriendo.

–Solo quiero apostar con tiempo, eso es todo. ¿Y ahora piensas echar una mano a una anciana o no, Alex Cross?

–Sabías la respuesta en cuanto me lo preguntaste –le dije cogiendo el dinero de su cartera.

Salí a la calle contento. La siesta de dos horas había ayudado. Solo estábamos a principios de septiembre, pero había llegado un frente frío. Era agradable pasear, e hice todo lo posible por no pensar en nada salvo en poner un pie delante del otro.

En mi profesión, en la que a menudo me bombardean con detalles y estoy expuesto a lo peor de la vida, debo aclarar mi mente al menos una vez al día. De lo contrario, todo acaba en estresantes conversaciones, en interminables series de preguntas, teorías, discusiones, dolorosos recuerdos y remordimientos. Puede resultar abrumador.

Cuando llegué a la tienda me sentía incluso mejor que antes de salir de casa. En el interior, como de costumbre, hacía un frío glacial.

–Alex Cross, ¿dónde te habías metido, hombre? –gritó la mujer que estaba detrás del mostrador–. Ayer os estuve esperando todo el día a ti y a Nana Mama.

Chung Sun Chung, una estadounidense de origen coreano que rondaba los cuarenta años, estaba sentada detrás de un cristal en forma de arco a prueba de balas. Sun, como le gustaba que la llamaran, llevaba un abrigo acolchado y unos mitones. Era capaz de sostener un cigarrillo electrónico entre los labios sin dejar de mostrar una amplia sonrisa.

Me dirigí hacia ella.

–Hemos estado ocupados.

–¿Qué tal le va a Damon en la universidad?

–Le encanta.

–He visto a tu Jannie en YouTube.

–Una locura, ¿verdad?

–Esa niña va a ser famosa. ¿Cuántas oportunidades tendrá Nana Mama para ganarse un futuro sin limitaciones hoy?

–¿Ese es tu trabajo?

–Un buen trabajo, ¿eh?

Sun sonrió y aspiró su cigarrillo electrónico.

–Pues diez apuestas en Powerball y diez en Mega Millions –dije entregándole el dinero.

Mi abuela solo jugaba a la lotería cuando había grandes sumas dinero que ganar. «Puestos a soñar, mejor hacerlo a lo grande», le gustaba decir.

–¿Los mismos números? –me preguntó Sun.

–Claro. ¡Espera! ¿Sabes qué? Dame cinco boletos con sus números y a los otros cinco les sumas uno al último número.

Sun me miró.

–A Nana Mama no le va a gustar.

–Ni siquiera lo mirará –dije.

–¿Te gusta jugarte el pellejo?

Ambos nos echamos a reír. Aún nos estábamos riendo cuando salí de la tienda.

Cuando volvía a casa para cenar con mi familia, pensé que aún quedaban buenas personas en el mundo, como Chung Sun Chung. Supongo que necesitaba recordarlo después de las dos últimas semanas que había vivido.

Me sentía angustiado al pensar en la violencia acumulada y el derramamiento de sangre provocado por los justicieros. Cuando subí las escaleras del porche delantero de mi casa y me llegó el olor del pastel que Nana Mama había horneado, no pude quitarme de encima la sensación de que la violencia no había terminado, de que, de algún modo, Hobbes, Fender y el resto de justicieros solo estaban dando sus primeros pasos.

CAPÍTULO 80

JOHN BROWN SE INCLINÓ hacia delante en su silla, con los ojos pegados a la enorme pantalla de televisión donde se veía a una reportera de la NBC de pie delante de la propiedad de Antonin Guryev.

–Esta es la cuarta masacre en menos de un mes –dijo–. Hasta ahora, los asesinos habían dejado pocas pruebas. Sin embargo, Ned Mahoney, el agente especial del FBI, afirma que esto ha cambiado, que han cometido errores.

En el salón, detrás de Brown, se oyó un murmullo de voces. Muchos de sus seguidores se miraban unos a otros.

–¿Errores? –dijo Hobbes dejando su cerveza sobre la mesa–. Ni hablar.

–¿Por qué no te callas y escuchas? –le dijo Cass moviéndose de un lado a otro mientras miraba la pantalla.

En la siguiente imagen apareció Mahoney delante de un montón de micrófonos.

–Hemos confirmado que ha habido diecisiete víctimas mortales –dijo Mahoney con gravedad–. Y también hemos confirmado que tenemos un testigo, un superviviente que pudo ver muchos de los asesinatos a través de las cámaras de seguridad en una habitación del pánico secreta que hay en el sótano de la casa. Este testigo pudo ver con claridad los rostros de dos de los asesinos cuando se quitaron las capuchas.

–¡Una habitación del pánico secreta! –exclamó Fender–. ¿Y quién diablos se quitó la capucha?

–Yo –dijo Hobbes–. Hacía mucho calor y tenía el disco duro de las cámaras de seguridad.

–¿Quién más incumplió el protocolo? –gritó Brown.

Cass, con expresión apesadumbrada, dijo:

–Yo. Hacía calor y... Pensé que no pasaba nada. Y llevaba un peinado distinto. Y mis ojos también eran diferentes.

En la pantalla, los periodistas no paraban de preguntarle a gritos a Mahoney: «¿Quién es el testigo? ¿Sería capaz de identificar a los asesinos?».

–De momento no vamos a revelar la identidad del testigo –dijo Mahoney–. Aunque creemos que puede identificar a los asesinos. Mañana seguiremos informando.

La imagen volvió a mostrar a la reportera que estaba de pie frente a la casa.

–El FBI parece estar seguro de que esta es la oportunidad que necesitaban para llevar a los justicieros ante la Justicia.

Fender miró fijamente a Hobbes. Brown miró fijamente a Cass, que parecía estar destrozada.

–Todo esto son tonterías –dijo Hobbes cogiendo el mando a distancia y apagando el televisor–. ¿Qué van a conseguir del testigo? En el mejor de los casos, un retrato de un dibujante.

Brown estaba a punto de estallar, pero entonces su móvil de prepago empezó a zumbar y contestó a la llamada.

–¿Lo has visto? –dijo.

–Pues claro que lo he visto, joder –le gritó el hombre que le hablaba al otro lado de la línea–. El testigo es la mujer de Guryev.

–Eso no es bueno –dijo Brown.

–No, maldita sea, no lo es. Nuestro barco tiene una brecha. Tienes que taparla.

Brown se sonrojó furioso.

–¿Y cómo demonios se supone que voy a hacer eso?

–Sé dónde está y cómo entrar.

–¿Atacar un sitio seguro del FBI? –dijo Brown–. No sé si eso es...

–¿Quieres llevar esto al siguiente nivel o no?

El siguiente nivel. Brown sintió que lo abandonaban todas las dudas y dijo:

–Sabes que es la única solución a largo plazo. Si no lo hacemos, nada de lo que hemos hecho importará.

–Exacto. Así que ponte las pilas y deshazte de Elena Guryev.

CAPÍTULO 81

A LAS OCHO Y MEDIA DE LA MAÑANA siguiente a la masacre, Ned Mahoney y yo corríamos por la calle Monroe, en Columbia Heights. Varios coches patrulla y una ambulancia la bloqueaban con las luces de emergencia encendidas.

Mostramos las insignias. El oficial de la patrulla señaló la puerta abierta de una casa adosada. La llamada al 911 se había producido hacía tan solo veinte minutos. Yo iba de camino al trabajo y me desvié hacia allí. Mahoney se dirigía a la sede del FBI, escuchó la llamada y también había ido directamente.

Después de ponernos los guantes y el calzado esterilizado, entramos en la casa y vimos el cadáver de un hombre en la entrada, tendido boca abajo, y otro un poco más allá.

–Simms y Frawley –dijo Mahoney furioso–. Dos buenos agentes. Agentes con mucha experiencia.

–Les han disparado por la espalda –dije.

–Estaban relevando al equipo nocturno –explicó Mahoney–. Los asesinos deben de haber entrado justo detrás de ellos.

Las ubicaciones de los lugares seguros del FBI constituyen uno de los secretos mejor guardados en el cumplimiento de la ley, por lo que di por sentado que los asesinos debían tener a algún infiltrado en los servicios de inteligencia. Mahoney tenía un traidor en sus filas, y ambos lo sabíamos.

Pasamos junto a los agentes muertos y entramos en un salón con un televisor a nuestra izquierda y una alfombra manchada de sangre. En la cocina había un tercer agente del FBI muerto. Dos técnicos de Emergencias Médicas estaban atendiendo a un cuarto hombre, George Potter, el agente especial de la DEA de la oficina de Washington D. C.

La cara de Potter estaba cubierta de sangre a causa de una grave herida en el cuero cabelludo. Le habían quitado la camisa y le habían colocado una venda en el pecho. Tenía puesta una vía y le estaban administrando oxígeno.

–¿Cómo está? –le preguntó Mahoney a uno de los técnicos de Emergencias.

Potter abrió los ojos y dijo:

–Viviré.

–¿Cómo está? –volvió a preguntar Mahoney.

–Una bala le ha perforado el pulmón derecho, y tiene una herida muy grave en la cabeza –dijo el técnico–. Pero ha tenido suerte. Vivirá.

–¿Qué ha pasado? –pregunté.

–Tenemos que llevarlo al hospital –dijo el técnico.

–Espera, necesitan saberlo –dijo Potter mirándome–. Ned me pidió que viniera con los agentes del siguiente turno y que hablara con la señora Guryev.

Miré a Mahoney, que asintió.

–Cuando entré, todo parecía ir bien –continuó Potter–. Avancé por el pasillo; Simms y Frawley iban detrás de mí. No sé desde dónde empezaron los disparos con silenciador. Tres. Rápidos. A mi me alcanzó el tercero. Me metí en la sala de la televisión, me eché en el suelo y me golpeé la cabeza contra una mesita. Cuando recuperé el conocimiento, llamé al 911. ¿Qué ha ocurrido? ¿Alguien ha subido arriba a echar un vistazo?

–No –respondió Mahoney con expresión sombría.

–Nos vamos –dijo el técnico con contundencia–. Podrá hablar con él en el Centro Médico George Washington.

–Luego hablaremos –dije.

Potter levantó el pulgar y cerró los ojos mientras se lo llevaban en una camilla.

Por la expresión de Mahoney me di cuenta de que temía subir al piso de arriba tanto como yo. Encontramos a un cuarto agente muerto en el rellano y a Elena Guryev en uno de los dormitorios: estaba en camiseta y bragas, tendida en el suelo. Había muerto de una sola herida de bala en la frente.

Vimos la puerta del baño abierta. Estaba vacío. Y la única otra puerta del primer piso, cerrada.

Me preparé, giré el pomo y empujé la puerta.

Dimitri Guryev, de diez años, estaba sentado en una cama individual; a través de la venda que le envolvía la cabeza se veía un pequeño círculo rosado de sangre seca. Tenía un iPad en el regazo y estaba viendo una película subtitulada de Harry Potter.

El chico debió vislumbrar mi sombra, porque levantó la vista, me vio y retrocedió asustado.

–No pasa nada –le dije, aunque sabía que no podía oírme.

Le enseñé las manos abiertas y luego mi placa. Al verla, con una extraña voz nasal que era difícil de entender, dijo:

–¿Qué quiere? ¿Dónde está mi madre? ¿Dónde está mi padre?

Noté un nudo en el estómago.

Me di la vuelta y vi a Mahoney de pie junto a la puerta, con expresión compungida por la pérdida del muchacho.

–Cubrid los cadáveres con sábanas –dije–. Y cerrad la puerta de la habitación de su madre. No quiero que vea nada de todo esto.

CAPÍTULO 82

UNAS HORAS MÁS TARDE, Bree levantó la vista de una nota que estaba escribiendo. Alex entró en su despacho, cerró la puerta y se dejó caer en una silla.

–A veces odio mi trabajo –dijo Alex–. A veces me supera.

Bree raramente lo veía tan abatido.

–¿Qué ha pasado? –preguntó en voz baja.

–He tenido que decirle a un niño de diez años que está completamente sordo que su madre y su padre han sido asesinados y que se ha quedado huérfano –dijo Alex con los ojos llorosos–. No sé si era debido a su sordera, Bree, pero los sonidos de dolor que emitió no se parecían a nada que hubiera oído hasta este momento, eran simplemente desgarradores. No podía dejar de pensar en Ali mientras sostenía a ese pobre chico.

Alex se inclinó hacia delante y colocó la cabeza entre las manos.

–¡Dios! Ha sido muy duro.

Bree se levantó, rodeó el escritorio y lo abrazó.

–Puede que estés destinado a enfrentarte a situaciones duras, Alex. Puede que hayas sido elegido para ayudar a la gente en momentos terribles como ese.

–No pude ayudar a ese niño –respondió Alex–. No pude comunicarme con él. Después de mostrarle la nota que decía que su madre y su padre estaban muertos, no leyó nada más de lo que le escribí. No leerá nada de lo que le escriban. Está sufriendo en silencio absoluto, totalmente aislado.

Bree lo abrazó con más fuerza.

–A veces tus sentimientos te superan.

–No puedo evitarlo –dijo Alex.

–Lo sé. Pero necesitamos que te recuperes y sigas adelante.

Alex la abrazó con fuerza y enseguida la soltó.

–Habrías sido una gran asistente en un combate de boxeo.

–Limpiarlos, vendarlos y mandarlos de vuelta al *ring* con vaselina en las cejas –dijo Bree–. Esa soy yo.

Alex le dio un beso y dijo:

–Gracias por ser tú.

Una vez más, Bree fue consciente de lo mucho que lo quería. Le gustaba todo de él. Incluso cuando estaba herido, Alex la llenaba por completo.

Entonces sonó el teléfono de Bree.

–¿Sí? –contestó.

–Soy Ned –dijo Mahoney.

–Siento mucho tus pérdidas –dijo Bree.

El agente del FBI sonaba triste y angustiado.

–Gracias, Bree. Eran cuatro de mis mejores hombres.

–¿Puedo ayudarte en algo?

–Un juez federal de Alexandria ha emitido nuestras órdenes. Sal para Vienna lo antes posible si aún estás interesada. Vamos a registrar el Club Phoenix.

CAPÍTULO 83

BREE, SAMPSON Y YO nos reunimos con Mahoney y un equipo de diez agentes del FBI en el aparcamiento de Wolf Trap. Había vuelto el calor y estábamos sudando mientras nos poníamos los chalecos antibalas, ordenábamos los documentos y nos dirigíamos hacia el Club Phoenix.

Basándose en una vista aérea de Google Earth de la propiedad, Mahoney repartió el trabajo. Cinco agentes se situarían en el bosque que había en la parte de atrás del edificio para evitar que alguien huyera. El resto entraríamos por la puerta principal.

–Un barrio muy elegante –dijo Bree echando un vistazo a las mansiones–. Pensaba que donde vive Vivian McGrath había gente con mucho dinero.

–Ella pertenece al club de los millonarios –dijo Sampson–. Esto es para multimillonarios.

Mahoney se detuvo a unos cuatrocientos metros del club. Vimos a los cinco agentes del FBI avanzando por el camino de entrada de una enorme mansión de estilo Tudor y desapareciendo en el bosque.

–Vamos allá –dijo Mahoney a través de la radio, y volvió a poner el coche en marcha.

Avanzamos hasta la entrada y tomamos el largo camino. Cuando vimos la puerta, esta empezó a abrirse para dejar que saliera un Range Rover blanco.

Mahoney bloqueó el paso. La ventanilla del lujoso todoterreno se bajó y un tipo con el pelo peinado hacia atrás con unas gafas de sol de quinientos dólares y un traje de cinco mil gritó:

–¡Muévete, por el amor de Dios! Llego tarde a una reunión muy importante en el Pentágono.

–Dígaselo a alguien que le importe –le contestó Mahoney bajándose del coche con la mano en su pistola.

–Joder, ¡soy miembro fundador de este club! –gritó el hombre.

–Y yo soy agente del FBI –dijo Mahoney, y entonces se dirigió a sus hombres–: Detenedlo para interrogarlo.

–¿Cómo? ¡No! –dijo el hombre.

Su tono pasó de ser beligerante a aterrorizado. Entonces el mismo guardia que Sampson y yo habíamos visto en nuestra anterior visita salió de su caseta.

–¿Qué ocurre? –preguntó.

–Tengo una orden federal para registrar las instalaciones –dijo Mahoney blandiendo un montón de papeles.

–No pueden entrar aquí por las buenas –dijo el guardia agitado–. Es un club privado.

–Ya no –le contestó Mahoney, y le hizo una seña a su equipo para que siguiera avanzando.

El hombre del traje y el pelo peinado hacia atrás del Range Rover aprovechó ese momento para saltar de su vehículo y echar a correr colina arriba. Sampson fue inmediatamente tras él y lo agarró por el cuello a medio camino.

–¿Adónde diablos cree que va? –le dijo Sampson.

–Por favor –contestó el hombre gimoteando–. Los ayudaré en lo que quieran, pero mi nombre no puede relacionarse con este sitio.

–Si estuviera en su lugar, señor miembro fundador, mantendría la boca cerrada –le dijo Sampson esposándolo.

Bree, Mahoney y yo seguimos ascendiendo por el camino, dejando atrás los árboles y los jardines llenos de flores. Doblamos una esquina y vimos la sede del club, un enorme edificio de dos plantas cuyo diseño y colores suaves recordaban a los de una posada del sur de Francia. A nuestra derecha había pistas de tenis. A la izquierda, una alta cerca de madera blanca flanqueaba una piscina y un patio. Junto a la cerca de madera empezaba un seto de alrededor de un metro de altura que se extendía hasta el camino y seguía hacia el bosque, dividiendo el patio delantero en dos, una zona de césped muy bien cuidado y una terraza interior con jardines llenos de flores que rodeaba el club. De la piscina llegaba música de piano y el ruido de gente riéndose.

–Al parecer, puede que estemos interrumpiendo una fiesta –dije pasando a través de un hueco que había en el seto.

Se oyeron varios disparos. Las balas impactaron en el suelo, a nuestro alrededor.

CAPÍTULO 84

ME DI LA VUELTA, salté sobre Bree y la arrastré hasta el otro lado del seto antes de que dispararan otra ráfaga desde el edificio. La caída fue dura. Bree se había quedado sin aliento, pero seguíamos vivos. Y también Sampson y Mahoney, que respondían a los disparos desde detrás del seto, al otro lado del camino.

Poniéndome de rodillas, les grité:

–¿Dónde están?

–¡En la segunda planta! –gritó Sampson.

Había gente gritando junto a la piscina.

–Algunos han echado a correr –dijo un agente del FBI a través de nuestros auriculares–. Mujeres en biki-ni y hombres con el pecho desnudo con toallas blancas alrededor de la cintura.

¿Qué diablos era ese sitio?

–Disparadles si van armados y detenedlos si no llevan armas –dijo Mahoney.

Pasaron diez segundos. Y luego veinte. Bree contuvo la respiración y se sentó a mi lado. Aunque en el patio de la piscina seguía cundiendo el pánico, no hubo más disparos desde el club. ¿Por qué? Los tiradores tenían que saber dónde nos habíamos escondido. Tenían que habernos visto mientras nos poníamos a cubierto.

Algo no encajaba. Habíamos estado a tiro en el hueco que había en el seto. Si hubiesen querido matarnos, podrían haberlo hecho, y sin embargo...

Pensé en el diseño de la propiedad y en la foto del satélite del lugar que habíamos visto. Rebusqué en mi bolsillo y la consulté en mi iPhone. Solo había una forma de entrar, lo que significa que solo había una forma de salir, ¿no?

Estaba a punto de guardar el teléfono cuando vi algo. Más allá del muro de seguridad norte, a unos treinta metros del bosque, había un camino pavimentado en curva que enlazaba con el camino de entrada de la mansión contigua. Amplié la imagen, me fijé en el punto en que el camino desaparecía entre los árboles y vi una mancha oscura del tamaño del ancho del pavimento.

–Ha sido una maniobra de distracción –dije poniéndome de pie.

–¡Alex! –gritó Bree.

–Hay una salida subterránea –dije.

Eché a correr hacia el camino. Sampson, Mahoney y Bree iban detrás de mí.

–¡Eh! –exclamó el hombre esposado del traje cuando pasé corriendo–. Quiero entrar en el programa de protección de testigos.

–Eso no le servirá de nada –dijo Sampson mientras esquivaba el Range Rover y el coche de Mahoney.

Mientras corría por el largo camino seguía mirando hacia el norte a través de los árboles con la esperanza de ver a alguien. Pero cuando llegué a la calle no había nadie.

Cuando me di la vuelta para informar a los demás, oí el ruido de un motor acelerando y de unos neumáticos chirriando. Entonces un Chevy Suburban negro salió de la finca a toda velocidad hacia el norte. Derrapó y aceleró dirigiéndose hacia mí. Por el rabillo de ojo vi llegar a Sampson, Mahoney y Bree.

–¡Alto! –grité cuando el coche estaba a menos de cincuenta metros.

Los cuatro abrimos fuego contra el lado derecho del parabrisas, que se hizo añicos antes de que tuviéramos que lanzarnos a la cuneta.

El Suburban pasó junto a nosotros, viró bruscamente, se salió de la calzada, se precipitó a la cuneta y chocó contra una enorme roca de granito.

CAPÍTULO 85

BREE STONE SE DIRIGIÓ hacia un grupo de mujeres jóvenes que llevaban albornoces y fumaban cigarrillos junto a la piscina en forma de riñón. La miraban con los ojos entornados y llenos de desconfianza.

«¿Por qué deberían confiar en mí?», pensó Bree.

Sergei Bogrov y los otros tres tipos que iban en el Suburban las habían abandonado intentando huir. El conductor había muerto. Brogov estaba herido de gravedad. Y los otros dos no decían nada, al igual que los diez miembros del club a los que el FBI había detenido cuando intentaban alejarse del recinto.

Eso solo dejaba a esas mujeres.

Bree ya había recorrido todo el Club Phoenix. Había inspeccionado una cocina *gourmet*, una bodega y un bar muy bien surtidos, un gimnasio muy bien acondicionado, una sauna de vapor y una sauna finlandesa, una sala de masajes y ocho habitaciones diseñadas para satisfacer una amplia variedad de perversiones y fetichismos.

Había una habitación de sadomaso, una habitación con espejos en las paredes y el techo, una habitación con una bañera en la que se podían nadar unos largos y otra con muebles diseñados para posturas sexuales que desafiaban a la gravedad. También había un almacén donde los hombres de Mahoney encontraron varios kilos de cocaína y de cristal cuyo aspecto era muy parecido al que se fabricaba en el laboratorio donde había tenido lugar la primera masacre.

Bree se detuvo delante de las mujeres. Una de ellas, con un atractivo lunar a la derecha de sus labios pintados con carmín, encendió un cigarrillo y dijo algo en un idioma extranjero. Otras se rieron entre dientes, aunque amargamente.

–Algunas de vosotras debéis hablar mi idioma –dijo Bree–. Si es así, debéis saber que ya no estais en peligro.

La mujer del lunar chasqueó la lengua y dijo:

–Usted no sabe nada.

–Sé que Stavros está muerto –dijo Bree–. Sé que Bogrov está esposado.

Eso provocó un intenso murmullo entre las mujeres.

Bree esperó unos instantes y habló directamente con la señorita Lunar.

–Soy Bree Stone, jefa de detectives de la Policía Metropolitana de Washington D. C. Os estoy diciendo la verdad. Ya no corréis peligro.

La señorita Lunar curvó el labio superior.

–Nosotras sabemos lo más importante. Ha cogido a algunos, pero no a todos. Le estoy diciendo la verdad. Esto es mucho más grande de lo que usted se imagina. Entonces, ¿qué es lo más inteligente que puedo hacer? ¿Qué podemos hacer? No hablar con nadie. Vendrá un abogado. Siempre lo hacen.

–Sé por lo que has pasado –dijo Bree–. Te dijeron que deberías trabajar durante cuatro o cinco años para pagar tu deuda por conseguir que entraras clandestinamente en América. Sé que otras como tú viajaron en camiones frigoríficos y vieron morir a gente congelada, y que os trajeron aquí para explotaros sexualmente. ¿No es así?

Muchas de las mujeres no miraban a Bree. Ninguna de ellas dijo nada.

Bree estaba a punto de rendirse, pero entonces, señalando la mansión, dijo:

–¿Eso? Eso es asunto del FBI. Yo estoy aquí por otros motivos, por alguien que puede que fuera amiga vuestra. Estoy aquí por Edita Kravic.

Eso consiguió que muchas de las mujeres, incluida la del lunar, levantaran la cabeza.

–¿Por Edita? ¿Por qué? –preguntó la chica del lunar–. ¿La ha visto?

–Lo siento –dijo Bree detectando anhelo en sus ojos y acercándose más a ella–. Edita está muerta. Ha sido asesinada.

La chica reaccionó como si la hubieran abofeteado. Se llevó la mano a la boca y empezó a sollozar.

Bree se situó delante de ella.

–¿Conocías a Edita?

–Soy su hermana –dijo la chica llorando–. Su hermana pequeña, Katya.

CAPÍTULO 86

KATYA KRAVIC SE SUMIÓ EN EL DOLOR. Bree dio un paso atrás cuando sus amigas se acercaron a ella para consolarla. Cuando Katya se tranquilizó, con los ojos hinchados y enrojecidos, encendió un cigarrillo con manos temblorosas.

–¿Puedes ayudarme? –le preguntó Bree.

–¿Puede usted ayudarme a mí? –le respondió Katya–. ¿Puede ayudarnos a todas?

–Lo intentaré.

–Nos van a echar del país –dijo Katya–. Se supone que no deberíamos estar aquí. Al menos, no según los ordenadores de Inmigración.

–En una gran parte depende de vuestra colaboración –dijo Bree–. Cuanto más colaboréis, más probable será que un juez dicte a vuestro favor.

Katya reflexionó. Habló con una de sus amigas, que asintió con la cabeza.

–¿Qué quiere saber? –dijo.

–Háblame de Edita.

Katya dijo que su hermana mayor vino primero, hacía casi ocho años. Los términos del acuerdo al que

Edita llegó con el ruso eran parecidos a los que le había referido a Alex la mujer que habían rescatado de los camiones frigoríficos tras la masacre de los cobertizos de tabaco.

A cambio de cinco años de su vida, Edita consiguió documentos falsos y una oportunidad en los Estados Unidos. Estuvo viajando de un sitio a otro por la costa este durante dos años antes de encontrar un puesto fijo en el Club Phoenix.

Según Katya, el club no era un burdel de grandes dimensiones. Los miembros pagaban cincuenta mil dólares para ingresar y una cuota de diez mil dólares al año. A cambio de eso, tenían acceso al club, a sus instalaciones, a todo el alcohol y drogas que quisieran y a la compañía de mujeres.

–¿Qué pasó cuando Edita cumplió el acuerdo de los cinco años? –preguntó Bree.

–Le devolvieron su pasaporte e incluso le dieron el permiso de residencia. Y le dijeron que tenía dos opciones –dijo Katya–. Marcharse y empezar una nueva vida o formar parte de la gerencia del club.

–Y optó por la gerencia.

–No, Edita es..., era una chica inteligente –continuó Katya–. Encontró un apartamento en Washington y trabajaba allí. Se ocupaba del club por las noches, y Stavros y Bogrov le pagaban mucho dinero. Ella invertía ese dinero en ser abogada.

Katya lo dijo con tanto orgullo que Bree se emocionó.

–¿Mencionó alguna vez a un hombre llamado Tom McGrath?

La expresión de Katya se ensombreció.

–¿Es el hombre que la mató?

–No, murió con ella. Thomas McGrath.

–¿Tommy? –dijo Katya con una expresión si cabe más sombría–. Sí, Edita me hablaba de Tommy. Me hablaba demasiado de Tommy.

Edita conoció a McGrath cuando él acudió a su clase para hablar de Derecho penal. Ella era diez años mayor que el resto de estudiantes; él era guapo y divertido, y recientemente su esposa lo había echado de casa y le había dicho que ya no lo quería. Edita y McGrath fueron a tomar una copa después de clase y cenaron juntos a la noche siguiente.

–Eran amantes –dijo Katya–. Nunca había visto a Edita tan feliz. Nunca. Al menos durante un mes.

–¿Qué pasó después?

Katya dijo que McGrath verificó los antecedentes de Edita; descubrió que su permiso de residencia era falso y que en el Servicio de Inmigración no había ningún registro de que Edita Kravic hubiese solicitado la ciudadanía.

–Mienten –dijo Katya–. Bogrov y los demás. Vendieron una mentira a Edita.

Tras descubrir el fraude, dijo Katya, McGrath obligó a Edita a sincerarse y a que se lo contara todo. Cuantas más cosas le contaba ella sobre el Club Phoneix, más quería saber él. Tommy le pidió a Edita que le hiciera copias de lo que había en los ordenadores del club.

Katya se interrumpió y levantó la vista, furiosa.

–Tommy decía que amaba a Edita, pero ella tenía que demostrarle a él que lo quería. De modo que él no dejaba de presionarla; ella lo amaba, pero la última vez que la vi estaba muy enfadada. Tommy no escuchó lo que ella le contó sobre Bogrov y Stavros, que eran malos, que estaban locos. Si usted me pregunta, creo que Tommy hizo que mataran a mi Edita, y consiguió que también lo mataran a él.

Quinta parte

UN DIRIGIBLE A LA DERIVA

CAPÍTULO 87

EL SOL SE ESTABA PONIENDO cuando John Brown terminó su sesión informativa con una descripción del objetivo de esa noche y de los futuros planes.

Brown miró a los quince hombres y mujeres reunidos en su sala de estar. En algunos de sus rostros detectó cierta conmoción, y en otros una profunda inquietud. Lo comprendía. Su plan era temerario y audaz, tan audaz que...

–Es una locura –dijo Hobbes con los brazos cruzados.

–Nos van a fusilar o a ahorcar –dijo Fender.

–Sabíais desde el principio de qué iba todo esto –respondió Brown con frialdad–. ¿No fuiste tú, Hobbes, quien dijo que la gente tendría que hacer limpieza para dejar paso a la revolución en este país?

–Lo dije, pero...

–Pero nada. Estás en esto para hacer limpieza y ver cómo estalla la revolución o no lo estás. Fender, tú también estuviste de acuerdo con esta estrategia. ¿O me equivoco?

Hobbes se retorció en su silla, pero no dijo nada. Fender miró a Brown.

Brown estaba punto de perdirles a todos que votaran cuando Cass dijo:

–¡Mierda!

Brown la observó y la vio mirando fijamente la CNN en la pantalla de televisión sin sonido. El agente especial Ned Mahoney se dirigía a un montón de micrófonos; detrás de ellos, una pared con el enorme emblema del FBI. En la parte inferior de la imagen podía leerse: «El FBI lleva a cabo una redada en un club de sexo que cree relacionado con las matanzas de los justicieros».

–Pon el volumen –dijo Brown bruscamente.

Cass cogió el mando a distancia y pulsó la tecla de silencio.

–Luego hablaré del Club Phoenix de Vienna, pero antes nos gustaría difundir las fotografías de dos personas que creemos que forman parte del grupo de justicieros.

La pantalla se dividió en dos para mostrar los rostros de Hobbes y Cass sin capucha en el interior de la casa de la bahía de Mobjack del fallecido Antonin Guryev.

–¡Dios mío, estamos jodidos! –exclamó Fender furioso.

Los rostros de Hobbes y de Cass, pétreos, palidecieron.

La imagen volvió a mostrar al agente especial Mahoney.

–Hasta el momento desconocemos cuál es el nombre de la mujer, pero el hombre es Lester Hobbes, un mercenario y sicario. Solicitamos a cualquier persona que tenga alguna información sobre Hobbes o sobre esta mujer que se ponga en contacto con nosotros y nos ayude a localizarlos.

–¿Cómo saben que Hobbes y la mujer forman parte de los justicieros? –preguntó un periodista.

–Elena Guryev utilizó su iPhone para grabar en vídeo las imágenes de varias cámaras de seguridad durante el ataque.

Esto provocó un frenesí ente los reporteros, que preguntaron dónde estaba la señora Guryev.

El agente del FBI se volvió estoico y reservado.

–Varios hombres armados irrumpieron esta mañana en un lugar seguro del FBI y asesinaron a cuatro de mis mejores hombres. También hirieron de gravedad a un agente de la DEA y mataron a tiros a la señora Guryev, dejando huérfano a su hijo sordo. Y sí, creemos que esos hombres tienen relación con los justicieros, o los Reguladores, como se llaman a sí mismos. En cuanto a la redada de Virginia...

Fender cogió el mando a distancia y quitó el volumen.

–¿Los Reguladores? –dijo mirando a su alrededor–. ¿Cómo pueden saber eso? ¿Quién empleó...?

–Da igual –dijo Hobbes mirando a Cass–. Estamos jodidos.

–Vosotros dos nos habéis jodido –dijo Fender poniéndose en pie con aspecto de tener ganas de empezar a romper cosas–. Por quitaros la capucha. Por romper las reglas del compromiso. ¿Qué me decís de eso?

La gente que rodeaba a Brown empezó a vociferar acusaciones y exigencias.

Brown se levantó.

–¡Basta! –bramó.

Los quince Reguladores se callaron, todos con la cara roja y jadeando.

–Ha ocurrido –dijo Brown con brusquedad–. Van a por nosotros. Sabíais que acabarían haciéndolo. Ya está. ¿Qué pensáis hacer al respecto? ¿Vais a tiraros los trastos a la cabeza? ¿Vais a salir huyendo? ¿O vais a contraatacar, a demostrar un poco de temple, a creer en un futuro mejor, fruto de vuestros sacrificios y los míos?

Brown dejó que sus palabras calaran y dijo:

–Levantad la mano si estáis conmigo.

Al cabo de unos instantes, las manos empezaron a levantarse. En total, trece, incluida Cass. Fender se quedó lívido, pero al final levantó la mano. Por último, Hobbes también lo hizo.

Después de la rueda de prensa, la pantalla de televisión ofreció la información meteorológica.

Brown cogió el mando a distancia, volvió a conectar el volumen y prestó atención al pronóstico. El Servicio Nacional de Meteorología anunciaba fuertes vientos durante toda la noche.

–Bueno, al menos una buena noticia –dijo Brown–. La previsión no podría ser mejor. Poneos los trajes y mantened la cabeza en su sitio. Salimos a las nueve de la noche.

CAPÍTULO 88

A LA MAÑANA SIGUIENTE, cuando bajé a la cocina, Nana Mama le estaba preparando tortitas a Ali.

–¿Tortitas? –dije acariciándole la cabeza a Ali–. ¿Qué has hecho bien esta vez?

–Ha metido la carta para el doctor deGrasse Tyson en un sobre –dijo mi abuela señalándome un sobre con un sello y la dirección que había en la encimera–. En mi opinión, no dejar algo a medias merece unas tortitas con jarabe de arce real.

Ali sonrió cuando mi abuela colocó un plato delante de él.

–¿Crees que me responderá?

–Nunca lo sabrás si no lo intentas –le dije–. ¿Dónde está Bree?

–Se levantó temprano y se ha ido hace mucho –contestó Nana Mama–. Tenía un montón de papeleo que revisar y quería quitárselo de encima. ¿Tienes hambre?

–Es tentador, pero creo que voy a pasar de las...

–¡Eh, papá, mira! –exclamó Ali señalando el pequeño televisor que había sobre la encimera.

Eché un vistazo y vi la extraña imagen de un hombre

barbudo conduciendo un carro amish; miraba al cielo contemplando un dirigible de color blanco que volaba a poca altura y que arrastraba un grueso cable de acero a lo largo de más de un kilómetro a través de campos y arboledas.

El locutor dijo que en algún momento, durante la noche, el dirigible se había soltado de su amarre en las instalaciones del Ejército en Aberdeen Proving Ground, Maryland, donde los militares efectuaban pruebas con todo, desde munición para cañones hasta armas químicas. El dirigible formaba parte de un sistema secreto de vigilancia aérea que estaba siendo evaluado. El Ejército creía que el cable del dirigible se había roto debido a los fuertes vientos que habían soplado durante la noche en la costa de Maryland.

–Yo he visto eso –dije–. El dirigible. La semana pasada, un par de veces, desde la costa este.

El locutor explicó que el pesado cable ya había provocado daños en líneas de alta tensión y en varias viviendas y edificios. El Ejército tenía comandos siguiendo al dirigible y trataba de encontrar un modo de hacer que descendiera de forma segura.

–Un dirigible fuera de control –dijo Nana Mama sacudiendo la cabeza.

–Es algo que no se ve todos los días –dije sirviéndome un poco de café.

Antes de que pudiera tomar un sorbo, mi móvil emitió un zumbido para avisarme de que había llegado un mensaje de texto, luego otro y finalmente un tercero. Molesto, dejé el café encima de la mesa y saqué el teléfono del bolsillo.

«Llámeme».

«Kerry Rutledge».

«Es urgente».

Llegó un cuarto mensaje. Un número de teléfono.

Me tomé el café, me dirigí al salón y llamé a la joven que había sobrevivido al tiroteo en la carretera.

–¿Doctor Cross? –dijo la joven.

–Sí, soy yo, Kerry –contesté–. ¿Qué es tan urgente?

–Me dijo que lo llamara si recordaba algo más. Y lo he recordado. Es decir, lo recuerdo.

Parecía haberse quedado sin aliento, casi presa del pánico.

–Muy bien –dije–. Cálmese y dígame qué le pasa. ¿Dónde está?

–En un centro de rehabilitación, en... No recuerdo dónde –dijo Kerry y respiró hondo–. Pero ahora sí recuerdo que la moto era una Honda de color oscuro, grande, con cúpula y un salpicadero con luces.

–¿Cómo sabe que era una Honda?

–Estaba escrito en el depósito de gasolina. Pude verlo gracias a las luces del salpicadero.

–¿Algo más?

–Sí, pero seguramente no sea importante.

–Déjeme que sea yo quien decida eso –dije.

–Había algo en la cúpula, una pegatina, en la esquina inferior derecha. Era cuadrada y creo que en ella se veía un ancla y una cuerda.

–¿Un ancla y una cuerda en una pegatina? –dije. Y entonces lo recordé y el corazón empezó a latirme un poco más deprisa–. ¿Una pegatina parecida a un adhesivo de aparcamiento?

CAPÍTULO 89

BREE ESTABA SENTADA A SU MESA, tomándose su segunda taza de café y leyendo un informe de quejas contra uno de sus detectives. Intentaba prestar mucha atención a los detalles del informe y a las respuestas del detective, buscando diferencias y similitudes. Odiaba tener que cuestionar a un policía que había reaccionado impulsivamente, pero si pretendía hacer bien su trabajo, debía estudiar la situación antes de emitir un juicio.

Aunque se concentró en la tarea, pronto su atención se dispersó y pensó en lo que Katya Kravic le había dicho sobre Edita y McGrath. ¿La había presionado demasiado McGrath? ¿Los habían asesinado Stavros o Bogrov?, y luego... ¿qué? ¿Habían dejado el arma en casa de Terry Howard haciendo que su muerte pareciera un suicidio?

Estas preguntas sin respuesta solo planteaban más preguntas sin respuesta, por lo que Bree respiró profundamente, se dijo que debía compartimentar los problemas y trató de concentrarse de nuevo en el informe disciplinario.

Entonces llamaron a la puerta. Bree lanzó un suspiro y levantó la vista. Vio a Kurt Muller de pie, otra vez con esa sonrisa tonta en la cara.

–¿Debo deducir que la cita de la otra noche con la señorita Noble fue bien? –le preguntó Bree recostándose en su silla.

–Mejor que bien –respondió Muller–. Estoy enamorado.

Bree se echó a reír.

–Me di cuenta en el momento en que la conociste. Y ella, ¿está enamorada?

–Me da la sensación de que sí –dijo Muller ensanchando su sonrisa.

–Me alegro por ti. Y ahora vuelve a tu trabajo para que yo pueda volver al mío.

Muller se puso serio.

–En realidad, quería decirte que puede que hayamos tenido suerte... o puede que no.

Muller dijo que había estado pendiente de la póliza del seguro de vida de Tommy McGrath durante varios días después de su muerte y que su beneficiario no se había presentado para reclamarla. Sin embargo, esa misma mañana, cuando había llamado, descubrió que un liquidador del departamento de reclamaciones de la compañía de seguros se había enterado del asesinato del jefe de detectives y había intentado contactar con el beneficiario, pero lo habían remitido al abogado de este.

–Así pues, ¿el beneficiario no se ha puesto en contacto con la compañía? –preguntó Bree decepcionada.

–La vida es injusta –dijo Muller hojeando un cuaderno de notas–. El abogado se llama... Lance Gordon... Trabaja en McLean. El liquidador de seguros dijo que Gordon había hablado con su cliente, que de entrada se negó a hacer la reclamación. Pero tres horas más tarde Gordon volvió a llamar y presentó la reclamación, diciendo que su cliente iba a donar el dinero a una organización benéfica.

–Esto lo complica todo, ¿no? –dijo Bree volviéndose hacia su ordenador para buscar a Lance Gordon en Internet.

Encontró su bufete de abogados, consultó la pestaña dedicada a los socios en la web y clicó en Gordon. Se abrió una fotografía de un cuarentón atractivo, alto, delgado y con un traje muy elegante.

Aunque había algo en el rostro de Gordon que le resultaba familiar, Bree no fue capaz de ubicarlo al instante. Pero enseguida se acordó; fue en otro momento y en otro lugar: se vio a sí misma volviéndose hacia Gordon y olfateando. Aquel hombre olía a algo, pero ¿a qué?

–¿Jefa?

Bree se sobresaltó y miró a Muller.

–Te estaba preguntando cómo quieres manejar esto.

–Dame un segundo –contestó Bree.

Quería establecer una conexión en su cabeza. Abrió un cajón del escritorio y lo revolvió hasta encontrar lo que buscaba: un frasquito de color marrón con una etiqueta amarilla. Lo abrió y lo olió.

Bree visualizó de nuevo a Gordon mentalmente, ahora con más claridad. Volvió a olfatear, y un montón de piezas de un rompecabezas distorsionado encajaron.

Bree le sonrió a Muller y dijo:

–Cierra la puerta, detective. Tenemos trabajo.

CAPÍTULO 90

LA HONDA BLACKBIRD del coronel Jeb Whitaker estaba en la misma plaza de aparcamiento de la Academia Naval que la otra vez cuando Sampson y yo llegamos allí alrededor de las dos de la tarde. Sampson pasó junto a la potente moto, fingió admirarla y le colocó un dispositivo de rastreo GPS en el guardabarros trasero.

Ya sabíamos muchas más cosas sobre Whitaker, y al igual que le había ocurrido a Tommy McGrath con el Club Phoenix, cuanto más sabíamos, más queríamos saber.

En primer lugar, el coronel Whitaker tenía un récord estelar. Se graduó entre los primeros de su promoción y le concedieron la Cruz de la Armada al valor; puso su vida en peligro en repetidas ocasiones para rescatar a los marines heridos de las calles de la ciudad de Faluya, devastada por la guerra. Después un artefacto explosivo improvisado casi le amputó una pierna, y puso fin a su período de servicio activo.

Más tarde, el coronel se doctoró en el War College y empezó a impartir clases de Estrategia y Guerra anfibia en la Academia Naval. Se le consideraba un profesor carismático y era muy valorado por los alumnos según varias páginas web de la facultad que habíamos consultado en la red.

Sobre el papel, Whitaker no parecía alguien a quien debiéramos estar investigando. Pero habíamos descubierto que su esposa murió hacía tres años en un accidente automovilístico cuando chocó frontalmente contra un conductor borracho de veintidós años que no solo iba a más velocidad de la permitida sino que lo hacía mientras mandaba mensajes de texto.

La Honda Blackbird de Whitaker era la moto más rápida que se fabricaba en el mundo, capaz de superar la velocidad de un Maserati. Y Whitaker sabía cómo manejarla. Había conducido motos desde que era muy joven.

Sampson y yo habíamos discutido la posibilidad de llamar al coronel para interrogarlo, pero al final decidimos seguirlo para descubrir más cosas sobre él antes de abordarlo. Whitaker nos facilitó las cosas apareciendo cuarenta minutos después de estar vigilando su Blackbird. Cojeando, se montó en la moto, se puso el casco y arrancó.

Seguimos el recorrido de Whitaker durante más de un kilómetro a través de un iPad conectado vía satélite al transmisor GPS. Pensamos que el coronel iría hacia el norte, a su casa en la bahía de Chesapeake, pero se dirigió al oeste hasta el Centro Médico de la Universidad de Washington, en el D. C.

Dejó la moto en el aparcamiento de los visitantes. Llegamos justo a tiempo de ver a Whitaker dirigiéndose al hospital. Bajé del coche y fui trotando detrás de él.

Debido a su cojera, no era difícil seguirlo. Sin embargo, una vez entramos en el hospital, tuve que rezagarme y perdí a Whitaker cuando se metió en un ascensor. Antes de que se cerraran las puertas, le oí decir a alguien que iba a la uci.

Esperé unos instantes. Mi móvil emitió un zumbido avisándome de que había recibido un correo electrónico de Judith Noble, la especialista en armas del FBI. Asunto: «Remington del calibre 45».

Pulsé el botón para llamar al ascensor, abrí el correo electrónico y lo leí. Volví a leerlo tratando de asimilar las conclusiones de Noble. «Hijo de perra», pensé. ¿Cómo era posible?

Sonó el timbre del ascensor y se abrieron las puertas. Subí hasta la uci pensando en todas las repercusiones del correo electrónico que acababa de leer.

Una parte de mí quería echarse atrás, llamar a Mahoney y hacerme a un lado, dejar que los federales llevaran a cabo su trabajo. Pero lo que hice fue acercarme al mostrador de las enfermeras, enseñarle mi placa a una de ellas y preguntarle si había entrado un oficial de la Marina que cojeaba. Me dijo que había enfilado el pasillo hasta la tercera puerta a la derecha.

–¿De quién es esa habitación?

–Del señor Potter –dijo la enfermera–. George Potter.

Con los ojos entornados, dije:

–¿El agente herido de la DEA?

–Sí.

–Últimamente, George y yo hemos trabajado juntos bastante a menudo. Creo que le haré una visita para ver cómo está.

CAPÍTULO 91

A VECES VALE LA PENA ECHARSE A UN LADO. Y otras vale la pena intervenir.

No llamé a la puerta, sino que entré con sigilo en la habitación de Potter. El coronel Whitaker estaba sentado junto a la cama del agente especial de la DEA. El paciente tenía el rostro ceroso y cetrino, pero estaba consciente. Los dos estaban absortos en una acalorada conversación cuando Potter me vio. Poniéndose tenso, dijo:

–¿Alex?

–He venido a ver cómo estabas, George –dije ignorando su reacción–. La última vez que te vi te retorcías de dolor.

–Aún me duele bastante –se quejó Potter moviéndose en la cama–. ¿Conoces a mi viejo amigo Jeb?

Miré al coronel y actué como si lo conociera de algo pero no fuera capaz de ubicarlo.

–Nos hemos visto una vez, doctor Cross –dijo Whitaker levantándose de la silla–. En el aparcamiento de la Academia Naval.

Chasqueé los dedos, lo señalé y dije:

–Eso es. Usted es el coronel...

–Whitaker. Jeb Whitaker.

–El mundo es un pañuelo –dije–. Por lo que veo, conoce a George.

–El coronel Whitaker era mi comandante en Irak –dijo George–. El mejor oficial de combate que he conocido.

Whitaker hizo un gesto desdeñoso con la mano.

–Los que hablan son los analgésicos. George fue muy valiente al recibir un disparo así.

–Por todo el bien que hizo Elena Guryev –dijo el agente de la DEA alicaído.

No dije nada, solo miré a Potter y luego al coronel Whitaker.

Potter se lamió los labios y preguntó:

–¿Habéis descubierto algo nuevo?

Tras pensarlo un momento, respondí:

–Cuando mataron a ese francotirador, Condon, encontramos una Remington del calibre 45 en el portaequipajes de su moto. Esta mañana nos ha llegado un informe que vincula esa Remington a una serie de tiroteos mortales en la carretera.

Whitaker era un tipo frío, endurecido en el campo de batalla. Encajó la información con calma, incluso con indiferencia.

Sin embargo, Potter, de repente, parecía perdido en sus pensamientos.

–Bueno –dije consultando con desmedido interés mi reloj–. Tengo otras citas, pero quería saber cómo te encontrabas, George.

Potter volvió a la realidad, sonrió tímidamente y dijo:

–No creo que a corto plazo pueda correr un maratón. Gracias por venir, Alex.

–Que te mejores. Esperamos verte de nuevo en el trabajo –le dije–. ¿Coronel Whitaker? Hasta que el destino vuelva a reunirnos.

–Hasta entonces –respondió Whitaker.

No les mostré más que una expresión de buena voluntad, y después de estrecharles la mano, me fui.

Esperé fuera a que Sampson se acercara con el coche y contemplé el hospital pensando en lo mucho que me gustaría ser una mosca en la pared allí arriba, en la uci.

CAPÍTULO 92

LOS PENSAMIENTOS DE JEB WHITAKER se volvieron confusos cuando Alex Cross salió de la habitación. El cerebro del genio de la estrategia elaboró tres planes de respuesta diferentes en los pocos segundos que pasaron hasta que los pasos de Cross se desvanecieron y George Potter habló.

–Vaya coincidencia –dijo.

Whitaker supo de inmediato de qué le estaba hablando el agente de la DEA, pero reaccionó como si no lo supiera.

–¿Qué? –dijo el coronel dirigiéndose al cuarto de baño.

–¿Incriminamos a Condon con diagramas de los ataques y dejamos una pistola que resulta pertenecer a ese asesino de la carretera?

–Increíble –dijo Whitaker metiéndose en el baño–. Dame un segundo. Voy a mear.

Unos momentos después se sonrojó y se lavó las manos. Cuando salió del baño, se las estaba secando con una toalla de papel.

Potter lo estudió.

–¿Está siguiendo un plan concreto, coronel?

Whitaker aplastó con la mano la toalla de papel.

–No –respondió acercándose a la cama del agente herido y observando los cables que conectaban a Potter a varias máquinas.

–Ha estado matando a conductores como ese gilipollas que mató a Lisa –susurró Potter con gravedad–. Puso esa pistola en el portaequipajes de la moto de Condon para quitárselos de encima.

Whitaker pensó que era Mercury y dijo:

–¿Y qué si lo he hecho? ¿No es de eso de lo que se trata, George? ¿De limpiar lo que hay que limpiar y de seguir adelante con una vida mejor para todos?

–¿Y quién dice que Cross no anda tras usted por esos asesinatos en la carretera? –dijo Potter balbuceando.

–Es imposible.

–No, debemos tener en cuenta los sospechosos de Cross –dijo el agente de la DEA–. Ordene a todos que destruyan los teléfonos y los ordenadores. Dígales que…

Whitaker pensó que era John Brown y dijo:

–¿Quién te ha concedido el mando de esta operación, Potter?

–Yo, señor –contestó Potter–. Recibí esa maldita bala para asegurarme de que la zorra de Guryev mantenía la boca cerrada. Su venganza secreta ha sido una amenaza para todos nosotros, para todo el movimiento Regulador. A partir de ahora soy yo quien está al mando, coronel.

Whitaker miró fijamente a Potter, parpadeando despacio, se pasó la bola que había hecho con la toalla de papel de una mano a otra y la lanzó por encima de Potter apuntando a la papelera. Potter la siguió con los ojos hasta que cayó en su interior.

Un lanzamiento perfecto.

Cuando Potter se volvió, Whitaker lo estaba mirando compasivamente.

Clic. Clic.

El coronel pulsó el botón que el agente de la DEA utilizaba para controlar el goteo del sedante. Whitaker había utilizado uno igual en centenares de ocasiones después de su herida de guerra.

Clic. Clic.

–Te estoy administrando una monstruosa dosis de morfina, George. Ayudará a que todo sea más rápido.

Potter miró con desconcierto hasta que vio la mano derecha de Whitaker. El coronel sostenía una jeringa vacía con una aguja hipodérmica; la había cogido de un contenedor de desechos médicos que había en el cuarto de baño. El coronel tiró hacia atrás del émbolo de la jeringa y clavó la aguja en el cable de la vía del agente de la DEA.

–¿Qué coño está haciendo? –le preguntó Potter a pesar de que el sedante actuó enseguida y empezó a marearse y a mascullar–: ¿Qué hay en esa... jeringa, coronel?

–Aire –dijo Whitaker empujando el émbolo hacia abajo.

CAPÍTULO 93

BREE STONE Y KURT MULLER APARCARON delante del Club del Rifle y la Pistola de Cumberland, Maryland. Después de los vientos que habían soplado la noche anterior, era un día tranquilo de finales de verano, una tarde perfecta para el campeonato regional clasificatorio de tiro con pistola.

El lugar estaba sorprendentemente lleno. Había veinte autocaravanas o más aparcadas en el Morningside Range. Con todas las tiendas de campaña, banderas, puestos de comida y de otros productos, podría haber sido una feria del condado a no ser por el ruido de las municiones procedentes del campo de tiro.

Bree y Muller se pusieron tapones de espuma en los oídos y gafas de sol. Fingiendo ser parte del público, avanzaron entre la multitud hasta donde podían ver competir a los participantes.

Un tirador con una sofisticada pistola personalizada acababa de terminar, y su puntuación aumentó en un marcador digital situado junto a la mesa de los jueces. Un aplauso de cortesía dio a entender que su resultado era tan solo regular a pesar de su arma tuneada.

El siguiente era un policía del estado de Pensilvania; utilizó su pistola reglamentaria y disparó bien, derribando dos siluetas metálicas desde una distancia de treinta metros y evitando darle a un objetivo civil. Pero cuando la competición le exigió que se moviera lateralmente mientras disparaba, se puso de manifiesto su punto débil, y al final consiguió menos puntos que el participante anterior.

Bree seguía la competición con interés. Ella había entrenado con una pistola de combate, y aunque obtuvo bastante buena puntuación en los primeros exámenes, el nivel del campeonato que presenciaban era muy superior. Durante los siguientes cuarenta minutos vio a varios tiradores excelentes, aunque ninguno espectacular, nada que rozara la perfección.

Luego compitió un tipo alto y flaco que llevaba una gorra de béisbol de Shooters Connection, unas orejeras negras y unas gafas de sol con cristales de color rosa. Bree estaba hablando con Muller y no escuchó el nombre del tirador, pero sí oyó que utilizaba una pistola CK Arms Hardcore del calibre 45 con mira holográfica.

Cuando sonó el timbre, el tirador sacó la pistola, se acercó a la primera línea y disparó dos veces. Dos siluetas metálicas se inclinaron a treinta metros de distancia. Le dio al delincuente que había en la ventana de un edificio. Esquivó a dos objetivos civiles y le dio al resto de blancos que aparecieron ante él sin problemas. Cuando le puso el seguro a la pistola después del último objetivo en el marcador apareció una puntuación casi perfecta.

La multitud enloqueció, e incluso el tirador parecía

sorprendido por su habilidad. Retrocedió sonriendo, moviéndose con elegancia y sin perder el equilibrio.

Bree apenas escuchó los comentarios del locutor; solo se quedó mirando al tirador, maravillada por la habilidad que acababa de demostrar.

–Es lo mejor que he visto en mi vida –dijo Muller.

–Creo que se merece la enhorabuena –dijo Bree.

Avanzaron entre los espectadores hacia el tirador alto, que se había detenido junto a la mesa de los jueces. Se quitó las gafas de sol y entregó su arma para una breve inspección. Le estrechó la mano a uno de los jueces, bromeó con otro, volvió a coger su arma y abandonó la zona.

Bree y Muller lo siguieron mientras se dirigía hacia una hermosa mujer rubia entre la multitud. Ella le dio una palmadita en el brazo y le sonrió. Juntos se dieron la vuelta y se alejaron hacia la salida.

Bree y Muller esperaron hasta que la pareja llegó a la zona donde estaban los puestos de comida y de otros productos.

Cuando estaban cerca, Bree gritó:

–¿Señora McGrath? Me ha parecido que era usted.

CAPÍTULO 94

LA VIUDA DE TOMMY MCGRATH parecía sorprendida.

–¿Detective Stone? ¿Kurt? ¿Qué están haciendo aquí?

–Vivian, ahora es la jefa Stone –dijo Muller.

Vivian le sonrió a Bree.

–Ya había oído que ha ocupado el puesto de Tommy. Se sentiría muy orgulloso.

–Gracias –dijo Bree.

–¿Están compitiendo?

–Solo hemos venido a apoyar a algunos amigos del trabajo –contestó Bree–. ¿Y usted?

–He venido a ver al señor Lance Gordon. Mi abogado.

–Es usted un magnífico tirador –le dijo Bree a Gordon–. ¿De dónde le viene ese talento?

Gordon se encogió de hombros y dijo:

–Mi padre daba clases de tiro con pistola en la Escuela de Rangers de Fort Benning. Supongo que podría decirse que me crie entre pistolas.

–Eso lo explica todo –dijo Bree antes de volverse hacia Vivian–. La compañía de seguros de Tommy nos ha notificado que ha reclamado la póliza de su seguro de vida.

Vivian lanzó un suspiro y dijo:

–Sinceramente, ni siquiera sabía que Tommy tuviera esa póliza, jefa Stone. No hasta que el señor Gordon me llamó para decirme que me había nombrado su beneficiaria.

–Cuatro millones de dólares –dijo Bree.

–Al principio no tenía ninguna intención de reclamar el dinero –dijo Vivian levantando la barbilla–. Pero entonces al señor Gordon se le ocurrió la idea de que podría dedicarlo a fundar una organización benéfica, algo para honrar a Tommy.

–¿Y ya existe esa organización? –preguntó Muller.

–Tengo a algunos socios que están trabajando en ello en este preciso momento –respondió Gordon.

–Estupendo, entonces –dijo Bree sonriendo–. Eso está bien. Pero solo para atar otro cabo suelto, ¿a cuánto asciende su fortuna actualmente, señora McGrath?

–No tiene por qué responder a eso, Vivian –dijo Gordon–. No es asunto suyo.

–Lo es si la respuesta está relacionada con una investigación por asesinato –dijo Bree.

–¿Me está preguntando si necesito cuatro millones de dólares? –dijo Vivian–. Decididamente, la respuesta es no.

–Perfecto... Pregunta respondida –dijo Muller–. Lamento que hayamos tenido que preguntárselo.

–Señor Gordon, pasó a mi lado el día que hablamos por primera vez con la señora McGrath. Usted se iba cuando llegamos.

–Sí, lo recuerdo.

–Me llegó un olor extrañamente familiar cuando se alejó.

Gordon parecía confundido.

–¿Cómo?

–No pude identificar ese olor hasta ayer –dijo Bree–. Era de Hoppe's 9. El disolvente para limpiar armas. Tiene un olor muy peculiar.

–¿Y?

–Ese olor me dio a entender que maneja usted armas. Pero entonces una pequeña investigación reveló que es un tirador increíble. Desde el principio, teniendo en cuenta la forma en que fueron tiroteados Tommy y Edita Kravic, pensábamos en un tirador muy bien preparado, en alguien con una gran habilidad. Alguien, en fin, como usted, señor Gordon.

Gordon miró a Vivian con incredulidad y de nuevo a Bree.

–¿Qué motivo podría...?

–Usted y Viv son amantes secretos –dijo Bree–. Esa es la verdadera razón de la falta de pasión en el matrimonio McGrath y de que Vivian le pidiera a Tommy que se fuera de casa mientras ella consideraba la posibilidad de divorciarse.

–Es no es cierto –dijo la viuda de McGrath–. ¡Nada de lo que ha dicho es cierto!

–Lo disimula usted bastante bien –dijo Bree–. No hay demostraciones públicas de afecto, pero sí muchas llamadas nocturnas y apasionados encuentros clandestinos.

–No tenemos por qué escuchar estas tonterías –dijo Gordon–. Nos vamos.

Bree dio un paso al frente y se interpuso en su camino.

–Dígame, señor Gordon, ¿qué balas dispara con esa sofisticada pistola que tiene?

El abogado frunció el ceño.

–No lo sé. Cualesquiera que me manden mis patrocinadores.

–¿Bear Creek RNHB recubiertas de molibdeno, de trece gramos?

–No –contestó Gordon, aunque su labio inferior se contrajo.

Muller se volvió hacia Vivian y dijo:

–Y estás mintiendo sobre tu situación financiera. Conseguimos una orden judicial y revisamos tus inversiones. Has perdido más de diecinueve millones de dólares desde que la economía china se hundió, lo cual ocurrió justo antes de que le pidieras a Tommy que se fuera.

–Comprendimos que se enteró de que tenía una póliza de un seguro de vida y decidió que ya que Tommy se iba de todos modos, conseguiría beneficios asegurándose de que se iba para siempre. Evidentemente, lo ocultaría todo tras la fachada de una fundación que podría saquear para recuperar su fortuna. ¿Suena bien, verdad?

La viuda de McGrath trató de mantener el equilibrio, pero sus ojos se volvieron vidriosos. Movió los labios pero no consiguió decir nada antes de desmayarse.

Vivian se desplomó y se dio un fuerte golpe en la cabeza contra el suelo de cemento. Bree se arrodilló a su lado.

Gordon puso su pistola de competición en la nuca de Bree y dijo:

–Ahora, usted y yo, jefa Stone, vamos a salir de aquí muy tranquilos.

CAPÍTULO 95

GORDON AGARRÓ A BREE POR LA SOLAPA de su chaqueta y la obligó a levantarse y a ponerse entre él y Muller, que estaba a punto de desenfundar su pistola.

–No lo haga –dijo Gordon sin dejar de apuntar a la nuca de Bree–. Tire el arma.

Muller estaba furioso, pero obedeció.

–La otra pistola.

–No llevo más armas.

–Vamos –dijo Gordon empujando a Bree–. Salgamos de aquí.

Gordon condujo a Bree a través de un laberinto de coches aparcados. Notó que él se relajaba un poco cuando perdieron de vista a Muller.

–Está cometiendo un gran error –dijo Bree.

–No, no es así –respondió Gordon.

Bree se echó hacia atrás con rapidez, empleando todas sus fuerzas. Golpeó al abogado en el pecho y sacó su pistola reglamentaria. Él apartó la pistola de la cabeza de Bree, le dio la vuelta, la agarró por el cañón y utilizó la culata para golpearle la muñeca.

El dolor fue insoportable. El arma de Bree cayó al

suelo. Gordon volvió a apuntar con el arma a la cabeza de Bree antes de que ella fuera consciente de que era muy probable que tuviera la muñeca rota.

–Nunca saldrá de aquí con vida –dijo Bree jadeando.

–En eso se equivoca –contestó Gordon arrastrándola.

–Tenemos un equipo de SWAT rodeando este lugar –dijo Bree.

El abogado se detuvo en seco y tiró de Bree con fuerza hacia él.

–Vamos, llame a esos aficionados –dijo–. Los veré desplomarse uno detrás de otro, empezando por usted, jefa Stone.

–¿Va a dispararme a sangre fría?

–Igual que lo haría usted.

Bree notó que la presión del cañón del arma en su cabeza era más fuerte, y pensó en Alex, en los niños y en Nana Mama. Eso la destrozó.

–No –dijo Bree gimoteando–. No lo haga. Por favor.

–Para morir con las botas puestas tienes que empezar por alguna parte –dijo Gordon.

–¡Tire el arma, Gordon! –gritó Muller.

Bree vio al viejo detective por el rabillo del ojo. Estaba agazapado en la postura del caballo entre dos coches, a unos quince metros, apuntando a Gordon con un revólver Magnum Colt Python del calibre 35.

–No soy ni de lejos un tirador tan bueno como usted, señor Gordon, pero a esta distancia no puedo fallar –dijo Muller con calma–. Y no dudaré en matar a un asesino de policías. Así que tire el arma, señor Gordon. Suéltela muy despacio y entréguese.

Más tarde, Muller diría que vio que los hombros de Gordon se relajaban y que su mirada se apaciguaba, como si se hubiera metido dentro de sí mismo, preparándose para lo que pudiera ocurrir.

Bree notó que la presión de la boca de la pistola aumentaba, como si Gordon estuviera apretando el gatillo. Pero entonces se relajó; y Gordon bajó lentamente el arma de su sien y apuntó a Muller.

Los disparos sonaron casi al mismo tiempo, ensordecedores, confusos.

Bree se tambaleó hacia delante. Le zumbaban los oídos. Pasaron varios segundos antes de que fuera consciente de que Muller aún estaba de pie y de que en el suelo, junto a ella, Lance Gordon estaba muerto, con un agujero de bala entre los ojos.

CAPÍTULO 96

ERA DE NOCHE. Había aviso de tormenta. Sampson y yo estábamos sentados en una furgoneta Dodge camuflada aparcada en un campo, a un kilómetro escaso, junto al camino que conducía a la casa del coronel Jeb Whitaker. Habíamos seguido la señal del GPS que habíamos colocado en su moto cuando regresó a su domicilio.

Llamamos a Mahoney y nos enteramos de que George Potter había muerto a causa de una embolia. El coronel Whitaker estaba allí y llamó a las enfermeras, pero cuando llegaron ya era demasiado tarde.

Mahoney tardó una hora y cuarenta minutos en llegar con el primero de sus veinte agentes del FBI armados hasta los dientes. Durante ese tiempo, diez vehículos diferentes habían pasado por la carretera y habían desaparecido siguiendo el camino hasta la casa de Whitaker.

Los hombres de Mahoney ya estaban abriéndose paso para tomar posiciones alrededor de los seis acres de bosques entre los que vivía coronel. Mahoney había pedido la participación de dos investigadores de la Armada de los Estados Unidos, ya que tendrían jurisdicción sobre el coronel de la Marina, e incluso había llamado a una patrullera de la Guardia Costera para bloquear el remanso de agua que rodeaba la propiedad de Whitaker.

–Tengo que estirar las piernas –dijo Sampson cuando mi móvil empezó a sonar.

–Los tenemos –dijo Bree–. A los asesinos de Tommy.

–Bien por ti –dije sonriendo–. Cuéntamelo todo.

Después de que Bree me contara todo lo sucedido en el club de tiro, dije:

–¿No crees que deberías haber ido allí con más efectivos?

–Muller estaba conmigo, y diez policías del estado de Maryland tenían el recinto acordonado. Tenía la situación controlada hasta que Vivian se desmayó.

No insistí más.

–Lo importante es que estás bien, que has detenido a los asesinos de Tommy y que vas a ver a Vivian entre rejas. Lo mires como lo mires, es un trabajo bien hecho, jefa Stone.

–Gracias –dijo Bree. La tensión había desaparecido de su voz–. Te quiero.

–Por siempre jamás, cariño.

–¿Cuándo vas a entrar?

–Pronto.

–Ten cuidado.

–No entraré solo, si es lo que temes. Lo haré con un montón de hombres alrededor.

Bree lanzó un suspiro.

–Llámame cuando todo haya terminado –dijo.

Colgué el teléfono, preguntándome de nuevo si Bree y Muller no habrían actuado con temeridad. Gordon era un tirador excepcional. Solo Dios sabía la carnicería que podría haber provocado con su arma de última generación y los seis cargadores que llevaba encima.

Mahoney se acercó a la ventanilla de mi coche.

–Ya han tomado posiciones –dijo–. En el patio todo está tranquilo. Al parecer, la reunión se celebra dentro.

–¿Estáis comprobando las matrículas que os hemos dado? –le pregunté a Mahoney ocupando de nuevo el asiento del conductor.

El agente del FBI asintió.

–Algunas –dijo–. ¿El Suburban negro? Hobbes. ¿El Range Rover? Fender, que es un siniestro hijo de puta.

–Eso hemos oído –dije–. ¿Cuándo llamo?

–Ahora –contestó Mahoney.

Pulsé el número del coronel Whitaker en el móvil, cortesía de la Academia Naval, y lo puse en manos libres. Contestó después del segundo tono.

–Whitaker.

–Soy Alex Cross, coronel.

Hubo una larga pausa antes de que el coronel dijera:

–Sí. ¿En qué puedo ayudarle, doctor Cross?

–Puede entregarse junto a sus seguidores, los Reguladores.

Después de otra pausa más larga, Whitaker se rio por lo bajo y dijo:

–¿Y por qué íbamos a hacer algo tan cobarde?

–Porque están rodeados y queremos evitar un innecesario derramamiento de sangre –le dije.

–Siempre tan noble, ¿verdad, doctor Cross? –contestó Whitaker–. Bueno, los Reguladores no nos rendimos. Estamos preparados para luchar hasta el final.

–¿Por qué? –dije.

–Pregúnteselo a John Brown –repuso Whitaker–. Sus objetivos son nuestros objetivos.

–Le buscan por asesinato y traición, coronel. Las órdenes de captura ya han sido firmadas y están listas para ser cumplidas. Esto no tiene por qué acabar con un tiroteo.

–Pero así será, doctor Cross –dijo Whitaker–. Un combate a muerte es la forma en que empiezan todas las rebeliones de esclavos.

Whitaker colgó.

Mahoney cogió una radio y ordenó a su equipo táctico que se acercara un poco más, buscara bombas trampa y tratara de obtener imágenes infrarrojas de la casa. Cinco minutos después llegó el mismo informe desde todos los lados de la casa de Whitaker: las luces estaban encendidas, pero las cortinas estaban corridas y las persianas bajadas. Las imágenes infrarrojas mostraban a quince personas en el interior; catorce estaban sentadas en la sala de estar frente a otra, que les estaba hablando.

–Nadie ha entrado en la casa, y en el exterior no hay nadie apostado –dijo a través de la radio el agente táctico al mando.

–Todos en una misma habitación –dijo Mahoney–. Hay que ir a por ellos antes de que se dispersen.

–Entendido. Vamos a entrar.

El sedán azul de Mahoney, que iba delante de nosotros, no tardó en salir del campo donde nos habíamos apostado y tomar el camino de tierra que conducía a la casa de Whitaker. Nos detuvimos delante de la entrada, bloqueando cualquier salida. Nos bajamos del coche empuñando nuestras armas antes de que se apagaran las primeras granadas cegadoras.

–Le prometí a Billie que no me haría el héroe –dijo Sampson.

–Y no lo vas a hacer –le contesté–. Estamos actuando de forma racional, dejando que los profesionales se encarguen de la parte más peligrosa.

Avanzamos al trote por el camino esperando que en cualquier momento estallara la Tercera Guerra Mundial, pero lo único que oímos después de las granadas fue el ruido de puertas y ventanas rotas y voces que gritaban: «Despejado».

El viento había vuelto a soplar con fuerza, y empezó a llover mientras seguíamos a Mahoney hasta la casa. Vimos a los quince maniquíes dispuestos en el salón en distintas posiciones.

Todos estaban conectados a líneas eléctricas a través de unos enchufes incrustados en sus talones. Su piel de plástico era cálida al tacto.

CAPÍTULO 97

TRAS EFECTUAR UN RÁPIDO REGISTRO de la casa descubrimos una armería totalmente equipada en el sótano, cajas de municiones vacías, cajas de cartón vacías para componentes de fusiles de asalto AR y repisas vacías para armas de un increíble arsenal.

Ya fuera, donde el viento soplaba con más fuerza y la lluvia arreciaba, averiguamos cómo habían huido. El barco de pesca de Whitaker aún seguía en su grúa cuando bajamos al muelle, pero en el granero vimos varios remolques de embarcaciones vacíos y latas de gasolina de cuarenta litros también vacías.

–Se dirigieron a las balsas en cuanto llegaron –dije.

Sampson asintió.

–Y huyeron, probablemente con un motor eléctrico silencioso y luego con un fueraborda. Seguramente ya estaban lejos de Chesapeake incluso antes de que la Guardia Costera recibiera la notificación.

–¿Adónde demonios creen que van? –dijo Mahoney–. Es decir, la foto de Whitaker estará por todas partes en cuestión de horas. Lo van a localizar. No pueden escapar.

–Quizás no quieran escapar –le dije–. Quizá deberíamos tomarnos sus palabras al pie de la letra: un combate a muerte es la forma en que empiezan todas las rebeliones de esclavos.

–Entonces, ¿por qué no se ha quedado aquí? –preguntó Mahoney.

–Quiere que el combate tenga lugar en otra parte –dije.

–Lo que no entiendo es por qué –dijo Sampson–. Alex, ¿qué comentó Whitaker por teléfono sobre John Brown?

–Que tenían los mismos objetivos que él.

–¿Liberar esclavos? –dijo Mahoney.

Pensé en eso y realicé una búsqueda rápida en Google en mi móvil. Después de echar un vistazo al primer enlace que apareció, dije:

–Brown fue un abolicionista, un radical que creía que los esclavos solo podían ser liberados mediante una insurrección armada. Asaltó un arsenal militar de los Estados Unidos en Harpers Ferry, Virginia Occidental, quería robar miles de armas que pensaba entregar a los esclavos para que iniciaran una rebelión.

–Entonces, ¿qué? –dijo Sampson–. ¿Whitaker te estaba diciendo que va a asaltar unas instalaciones del Ejército y va a robar armas para entregarlas?

–Ya disponen de suficientes armas para un pequeño ejército –dijo Mahoney.

–Cualquier rebelión necesita más –le dije–. De modo que si esa es su intención, ¿cuál es el objetivo?

–Harpers Ferry no –dijo Mahoney–. Allí ya no hay ningún arsenal.

–¿La Academia Naval? –dijo Sampson–. ¿La base de la Guardia Costera? ¿O Norfolk? No está tan al sur, y con una zódiac grande con un buen motor se podría llegar hasta allí.

–Sobre todo si hay exmiembros de las Fuerzas Especiales al timón –dije–. Esos tipos son como los *ninjas*. Y no podemos tratar de dar con ellos desde helicópteros con reflectores en un área tan grande como Chesapeake.

–Tendremos que esperar a que actúen –dijo Mahoney–. Al menos, hasta el amanecer. Informaré al Pentágono para que refuercen la seguridad en todas las instalaciones militares en ochocientos kilómetros a la redonda.

–¿No podrían activar uno de esos dirigibles de vigilancia como el que se soltó el otro día? –preguntó Sampson.

–Todos los dirigibles aterrizaron después de que ese se soltara –explicó Mahoney pulsando un número en su móvil.

Recordé la imagen de ese amish con barba en su carreta mirando al cielo y el dirigible blanco fuera de control, y entonces se me ocurrió la idea.

–Ned –le dije un poco mareado.

–Espera –dijo–. El oficial de servicio del Pentágono está…

Separé su mano y el móvil de su oído y le dije:

–¿Qué sabes sobre ese dirigible del Ejército que se soltó?

Molesto, Mahoney dijo:

–Un viento muy fuerte rompió el cable. Un auténtico desastre. Fue hacia el norte, en dirección a Pensilvania, y dejó sin suministro eléctrico a trescientas mil personas antes de que el Ejército consiguiera derribarlo en un campo enorme.

–¿Y si cortaron el cable intencionadamente, Ned? –dije–. ¿Y si Whitaker o uno de sus seguidores lo hicieron para que pudieran llegar a las instalaciones militares de Aberdeen Proving Ground sin ser detectados?

CAPÍTULO 98

EL VIENTO SOPLABA a noventa kilómetros por hora o más. La lluvia caía de lado y azotaba el parabrisas del Humvee del Ejército de los Estados Unidos en el que íbamos Sampson, Mahoney y yo, conducido por el mayor Frank Lacey.

El mayor Lacey era el oficial de servicio esa noche en Aberdeen. Cuando llegamos, nos estaba esperando en el Humvee delante de la puerta principal, en Hartford Boulevard.

–¿Qué creen que anda buscando Whitaker? –preguntó Lacey cuando subimos al todoterreno.

–¿Qué guardan ustedes aquí? –dijo Sampson.

–Sería mejor decir qué no guardamos aquí –contestó Lacey–. Tenemos de todo, desde armas pequeñas hasta cañones de barco, e incluso cosas bastante peligrosas en laboratorios y en instalaciones que ocupan más de treinta y cinco kilómetros cuadrados de superficie.

Yo iba en el asiento trasero con Mahoney.

–¿Qué es lo más peligroso que guardan aquí? –pregunté.

–Las armas químicas –contestó el mayor sin pensárselo dos veces–. Los restos del arsenal de Edgewood: gas mostaza, cloropicrina y fosgeno. Y también agente naranja y los gases nerviosos más letales.

Pensé en Whitaker siguiendo los pasos de John Brown, tratando de iniciar una rebelión. Podría conseguir armas automáticas ligeras, ametralladoras del calibre 50 y puede que incluso granadas propulsadas por cohetes y lanzamisiles.

Sin embargo, todas esas armas resultaban incómodas para moverlas en grandes cantidades, y Whitaker y sus seguidores no podrían robar o cargar las suficientes como para que mereciera la pena irrumpir en unas instalaciones del Ejército de los Estados Unidos. De modo que el coronel debía ir tras algo que pudiera transportar y...

–¿Cuál es el gas nervioso más mortal que tienen aquí? –pregunté.

–Probablemente una mezcla de VX y sarín –dijo el mayor Lacey, me miró por encima del hombro y añadió–: ¿No estará pensando que Whitaker...?

–Sí –dije con el estómago revuelto–. Así es.

–Nunca conseguirá entrar. Este sitio es una fortaleza –dijo Lacey, pero detuvo el Humvee y cogió el micro de una radio de onda corta.

Pidió que le pusieran en contacto con el oficial de guarda de Edgewater 9.

Unos instantes después el teniente Curtis, el oficial que estaba de servicio en la sede de la base, informó:

–No recibimos respuesta de Edgewater 9, mayor.

–Ya han entrado –dijo Sampson.

–Eso es imposible –espetó el mayor Lacey, pero acto

seguido conectó el micrófono–. Curtis, movilice cinco pelotones con trajes de protección hacia el sur hasta el acceso de Edgewater 9 en Old Baltimore Road. Llame a la Guardia Costera. Quiero que bloqueen Romney, Cold y Bush Creeks. Quiero...

La radio empezó a emitir un pitido largo y fuerte; parecía el principio de uno de esos simulacros de los sistemas de alerta de emergencia.

El mayor se quedó mirando fijamente la radio.

–¡Hijo de perra!

–¿Qué diablos es eso? –preguntó Mahoney en tono imperativo.

El mayor lo ignoró. Tras arrancar de nuevo el Humvee y enfilar hacia el sur por Michaelsville Road, Lacey habló por radio a gritos:

–¡Informe!

Curtis habló de nuevo.

–Las bodegas de almacenamiento uno, tres y cuatro de Edgewater 9 acaban de abrirse sin autorización, señor.

Lacey vaciló y gritó:

–¡Cierre de emergencia, Curtis! Repito, cierre de emergencia. Que nadie entre ni salga. Orden de alerta de acceso no autorizado en el sector químico. Movilice a la Policía Militar para que bloquee Old Baltimore Road entre Abbey Point y Palmer. Y se ordena a todo el personal de ese sector que se traslade inmediatamente hacia el norte.

–¿Hago sonar la alarma general, mayor?

–Afirmativo –dijo Lacey.

–¿Qué hay en esos almacenes? –pregunté.

–El gas nervioso VX –contestó Lacey–. Imagínese un pesticida, pero para humanos.

El sistema de alerta de Aberdeen Proving Ground empezó a ulular y bramar a nuestro alrededor. No se parecía a nada que hubiera escuchado antes, era como una explosión de dos tonos y un estruendo procedente de la trompeta más profunda y ruidosa que se pueda imaginar. Unos enormes amplificadores instalados por toda la base militar difundían la alarma. El sonido parecía vibrar en el interior del Humvee y de nuestros cuerpos cuando llegamos a Palmer y luego a Old Baltimore Road.

Mientras nos dirigíamos hacia el sur en el Humvee fuimos azotados por un viento y una lluvia cada vez más fuertes. Las luces azules de la Policía Militar parpadeaban a nuestras espaldas a medida que nos aproximábamos a Edgewater 9 y a las letales reservas de VX del país.

Insípido. Inodoro. Un arma de destrucción masiva. Un pesticida para humanos. Las sustancia más mortal del mundo.

¿Qué demonios podía empujar a Whitaker a dar un paso tan drástico?

¿Y por qué demonios me dirigía yo a Edgewater 9 para detenerlo?

CAPÍTULO

99

CON LAS ALARMAS ULULANDO a su alrededor, Lester Hobbes miró a través de una lupa de joyero y desactivó una carga explosiva de la década de 1960.

Tres de las cargas explosivas ya habían sido desactivadas. Cuatro latas de acero selladas que contenían casi cuatro litros de VX ya estaban dentro de la mochila del coronel Whitaker.

«Cuatro litros ya», pensó Whitaker. Se imaginó la destrucción que podía provocar una gota de VX. Pensó en lo que un solo litro podía provocar en el D. C.

Si iban a hacer limpieza, debían empezar por los políticos y los miembros de los *lobbies*, ¿verdad? La calle K y Capitol Hill. «Los lacayos de los esclavistas –pensó Whitaker–. La guarida de los esclavistas. Van a probar sus propias armas. Con nuestro sacrificio, el país se verá obligado a reiniciar y a empezar de nuevo...».

–Lo tengo –dijo Hobbes extrayendo la quinta lata de VX y lanzándosela a Fender, que la cogió y la metió en su mochila.

Whitaker no estaba satisfecho. Había planeado controlar cada gota del agente nervioso personalmente, pero no tenía tiempo para discutir.

–Vámonos –dijo–. Tenemos que aprovechar la marea.

Dejaron a los guardias del Ejército atados y amordazados en el suelo de cemento del almacén y salieron del edificio bajo una lluvia torrencial. Moviéndose en grupo, con Whitaker en el centro, corrieron a toda velocidad. La rodilla del coronel empezó a palpitar de inmediato. Whitaker apretó los dientes y siguió avanzando. Ya nada iba a detenerlo.

–¿Quieres que lleve la carga? –le preguntó Cass.

–No –contestó Whitaker–. Es mía.

El primer disparo llegó desde el bosque que había junto al acceso de Old Baltimore Road. Uno de los hombres de Whitaker se desplomó. Dos disparos más. Otro también cayó al suelo.

Hobbes, Fender y Cass se dieron la vuelta y abrieron fuego, disparando contra los enemigos invisibles que había entre los árboles.

CAPÍTULO 100

DISPARÉ. Mahoney disparó. Y Sampson también.

Todos alcanzamos a nuestros objetivos antes de que un moderno John Brown y sus seguidores respondieran a nuestros disparos. Tuve que tirarme detrás de un tronco para protegerme la cabeza. Lo único que teníamos eran pistolas y el M4 del mayor Lacey. Y ellos tenían rifles como el de Lacey y un arma de destrucción masiva.

El mayor Lacey no parecía inmutarse por la idea de tener que enfrentarse a ese tipo de arma. Saltó, apuntó y volvió a disparar, atacando a los Reguladores en retirada con ráfagas cortas que derribaron a otros tres hombres de Whitaker. Sampson y Mahoney irrumpieron en el césped que rodeaba las instalaciones.

Corrí tras ellos pegado a Lacey justo cuando, por fin, dejó de llover. Uno de los soldados de Whitaker se dio la vuelta y disparó. La bala alcanzó a Mahoney en el brazo izquierdo rompiéndole un hueso. Se desplomó en el suelo.

–¡Vete! –me gritó cuando fui en su ayuda.

Vi un rifle AR junto a uno de los Reguladores muertos, lo cogí y corrí a toda velocidad hacia Sampson, que estaba inspeccionando la esquina del edificio. También tenía un rifle AR, y cuando llegué junto a él me dijo que acababa de ver al coronel y a una mujer corriendo hacia la marisma que había detrás de los almacenes.

Cuando dobló la esquina, Sampson apretó el gatillo del AR. Lo seguí a tiempo de ver cómo Whitaker desaparecía en el pantano. La mujer, sin embargo, se tambaleó y tropezó antes de desaparecer detrás del coronel.

–Creo que le has dado –dije.

Encendí mi linterna Maglite y la agarré por debajo de la culata del rifle. Sampson y Lacey se unieron a mí. No tardamos en ver manchas de sangre en el césped. El rastro de sangre no era muy abundante, pero sí constante hasta que llegamos a un laberinto de cañas, espadañas y unos imponentes juncos.

Allí perdimos el rastro de sangre. Nos movimos de un lado a otro por la orilla del pantano; vimos dónde se había dividido el grupo y por dónde había entrado, aplastando las cañas. Cuando localizamos las que estaban más dobladas entre las espadañas, seguimos avanzando y retomamos el rastro de sangre.

El barro empapó nuestros zapatos durante los cien primeros metros, pero seguimos adelante mientras el mayor Lacey informaba de nuestra posición y dirección a través de la radio.

–La Guardia Costera tiene helicópteros sobrevolando la zona –dijo Lacey jadeando mientras intentábamos permanecer en el radio de alcance de la zona por la que estaba huyendo la banda de Reguladores de Whitaker.

–Aquí hay mucha sangre –dijo Sampson iluminando una mancha que había cerca de un junco de color marrón–. Y aquí hay más. Esa mujer está empezando a perder sangre de verdad.

CAPÍTULO
101

CASS ESTABA LUCHANDO POR SU VIDA. El coronel Whitaker podía oír el líquido en sus pulmones cada vez que respiraba.

–Déjame, Jeb –dijo ella–. No creo que lo consiga.

Entornando los ojos para ajustarse las gafas de visión nocturna, Whitaker la agarró por debajo del codo. Ignoró el dolor de su rodilla y avanzó entre la maleza siguiendo el mismo camino que habían recorrido antes entre los juncos, igual que Hobbes y Fender, que se les habían adelantado.

–Solo tenemos que llegar a las zódiacs, Cass –dijo Whitaker–. Aunque aparezca un guardacostas, no podrán bloquear toda la boca de esa ensenada. Nos escabulliremos con las embarcaciones utilizando los motores eléctricos y desapareceremos en medio de la tormenta.

Cass tropezó, cayó de rodillas al suelo y tosió. A través de las gafas de visión nocturna, Whitaker vio borbotones de sangre negra saliendo de su boca.

–¡Dios! –exclamó empezando a sentir pánico–. ¡Dios!

–Déjame, coronel –dijo Cass jadeando.

–No puedo hacerlo, capitán –contestó Whitaker tratando de levantarla.

–No te preocupes –dijo Cass–. Me encontrarán. Se asegurarán de que siga con vida.

Whitaker la soltó. Echó un último vistazo a Cass a través de la luz verde y borrosa de sus gafas, la apuntó con el rifle y le disparó en la cabeza.

CAPÍTULO
102

OÍMOS EL DISPARO DEL RIFLE tan cerca que nos ayudó a recuperar el rastro después de haberlo perdido. Tapé con la mano la linterna Maglite para que no vieran la luz y seguí adelante hasta que oí un grito ahogado a mis espaldas.

Me di la vuelta y vi a Sampson a unos seis metros, moviéndose con la pierna derecha sumergida en el lodo hasta la altura del muslo.

–Estoy atascado –dijo haciendo una mueca–. ¡Mierda! Creo que es una raíz. ¡Vete!

–Volveremos a por él –dijo Lacey tirando de mí al pasar.

Empezó a llover otra vez. El mayor y yo seguimos avanzando entre el mar de juncos, siguiendo los rastros de sangre dejados cada seis o siete metros hasta que encontramos a la mujer que habíamos visto en las imágenes de la masacre en la casa de Guryev. Ahora era rubia. Tenía un agujero de bala en el cráneo.

–Whitaker no puede andar lejos –dijo Lacey adelantándome otra vez.

Quería decirle que disminuyera la marcha y que no

dejara que su linterna frontal iluminara tanto el camino. Pero el mayor era un hombre con una misión, decidido a impedir que ese gas nervioso saliera de su base del Ejército.

Después de otros cien metros de zancadas, Lacey desapareció tras tomar una curva en zigzag en el camino pisoteado que se adentraba en el pantano. Cuando llegué a la curva, oí gritar al mayor:

–¡Tirad las armas o disparo!

Corrí hacia delante a tiempo de escuchar los disparos y ver cómo el mayor Lacey se desplomaba. Cayó en el camino, delante de mí, y se quedó inmóvil en el suelo.

Apagué la linterna y escuché.

–Le he dado a ese bastardo –oí decir a uno de los hombres.

–Bien hecho, Lester –dijo otro–. Salgamos de aquí.

–Fender, necesito esa quinta lata –dijo Whitaker.

–Cuando lleguemos a nuestro destino, coronel –respondió Fender.

Con la linterna aún apagada, busqué a tientas, como si estuviera leyendo en braille, palpando los muros de espadañas a ambos lados. Estuve a punto de tropezar con el cuerpo del mayor. Entonces se puso en marcha un potente motor fueraborda. Y luego otro.

–¡Utilizad los motores eléctricos! –dijo el coronel.

–Lo siento, coronel –dijo Hobbes–. Fender y yo queremos salir de aquí a toda velocidad, no con sigilo. Venga con nosotros. Deje esa balsa para los demás.

–Estoy justo detrás de vosotros –dijo Whitaker.

La primera balsa rugió y a través de la lluvia vi que no estaba muy lejos de mí. Daba la impresión de que Whitaker estaba guardando y sujetando el equipo, y aparentemente lo hacía a oscuras.

«Gafas de visión nocturna», pensé. Me alejé con cuidado de los juncos hasta un banco de arena bañado por unos pocos centímetros de agua de la marea.

El coronel gruñó y oí cómo se deslizaba la balsa.

Gruñó de nuevo y oí la balsa deslizándose por segunda vez sobre la arena, como un papel de lija gruesa sobre un trozo de madera blanda.

Por el ruido, Whitaker no podía estar a más de diez o quince metros de mí, de modo que me agaché, levanté la pistola y la linterna y silbé bajito.

Entonces encendí la linterna Maglite tratando de que iluminara directamente sus gafas de visión nocturna.

CAPÍTULO 103

EL CORONEL WHITAKER GRITÓ de sorpresa y de dolor. Levantó los brazos para proteger las gafas de mi cada vez más potente haz de luz.

Le apunté de cerca, sin dejar de enfocarle con mi linterna mientras se encogía, se quitaba las gafas de visión nocturna y las tiraba al suelo.

–No veo –dijo inclinándose hacia delante y frotándose los ojos–. ¡Dios, estoy ciego!

–Jeb Whitaker –le dije dando un paso al frente y acercándome un poco más–.Tírese al suelo y ponga las manos detrás de la cabeza.

–¡Le he dicho que estoy ciego!

–Me da igual. Está detenido por asesinato, traición y...

Whitaker se movió a tal velocidad que no tuve ni tiempo de disparar. Giró en espiral, dirigiéndose hacia mí, y me lanzó el cuchillo con fuerza y una gran destreza.

Vi venir el cuchillo Ka-Bar pero no pude moverme lo bastante deprisa para impedir que la hoja se hundiera profundamente en mi muslo derecho. Lancé un aullido de dolor. Mi arma y mi linterna perdieron de vista a Whitaker el tiempo suficiente para que él continuara su ataque.

Dos zancadas y lo tuve sobre mí. Me agarró la mano derecha, con la que empuñaba la pistola, y la retorció tan fuerte que el arma se escurrió entre mis dedos.

Los dos impactos consecutivos –ser apuñalado y la muñeca casi rota– fueron demasiado, y por un instante pensé que iba a sucumbir. Pero antes de que el coronel de la Marina pudiera arrebatarme la linterna, le di fuerte en la cabeza con el mango.

Lo conseguí.

Whitaker se tambaleó y me soltó la mano entumecida.

Fui tras él con la mano buena, la izquierda, y levanté la linterna para golpearlo. El coronel esquivó el golpe y me dio un puñetazo tan fuerte en la cara que vi las estrellas. Entonces me agarró por las correas del chaleco antibalas y me golpeó de nuevo en la cara.

–No va a detenerme, Cross –dijo dándome un tercer y un cuarto puñetazo que me rompieron la nariz–. Nada va impedirme fumigar a los insectos del D. C. que han destruido este gran país.

Mis piernas se doblaron. Me hundí y empecé a perder el conocimiento sumiéndome en la oscuridad.

«¡Pelea! –gritó una voz profunda dentro de mí–. ¡Pelea, Alex!».

Pero apenas mantenía la conciencia, y caí de rodillas en el agua.

–¿Cree que puede detener una rebelión, Cross? –preguntó Whitaker jadeando después de darme un quinto puñetazo–. ¿Un levantamiento?

El agua fría en mis piernas me espabiló lo suficiente como para murmurar:

–¿Utilizando un gas nervioso?

–Así es como se trata cualquier cáncer. Envenenando el cuerpo y eliminando los tumores.

–Está loco.

Whitaker soltó mi chaleco y me golpeó tan fuerte en la cara que me desmayé. Caí sobre el banco de grava inundado, pero incluso a pesar del contacto del agua fría, perdí un poco de tiempo.

Entonces me di cuenta de que estaba encima de mí, sentado a horcajadas sobre mi pecho. Aturdido, vi su silueta a la luz de la linterna, a la que había conseguido agarrarme. Él tenía mi pistola.

–Estoy harto de usted, Cross –dijo el coronel–. Tengo que seguir, avivar la siguiente fase de la rebelión.

Me apuntó con el arma.

Hice lo único que se me ocurrió.

Dejé caer la linterna, arranqué el cuchillo de Whitaker de mi muslo, apunté con él hacia arriba y lo giré trazando un arco descendente, dirigiendo la hoja hacia la parte posterior de su pierna izquierda, muy por debajo de las nalgas, y se lo clavé hasta la empuñadura.

Sentí que la punta golpeaba el hueso y giré el cuchillo.

Whitaker gritó y disparó mi pistola. Faltaron dos centímetros para que la bala me alcanzara en la cabeza. El coronel se retorció, tratando de sacarse el cuchillo.

Volví a girar el cuchillo. Whitaker soltó mi pistola y trató de detenerme.

Giré el cuchillo por tercera vez, se lo saqué y me quedé jadeando en la grava inundada.

–Ja –dijo Whitaker tambaleándose hacia atrás, salpicando cuando se detuvo–. ¿Lo ve? Aún sigo en pie, Cross. Con una rodilla ortopédica y aún sigo en pie.

–Es un hombre muerto que sigue en pie, coronel –dije con un gruñido, soltando el cuchillo y buscando la linterna sumergible que aún seguía brillando en el agua–. Acabo de clavarle el cuchillo en la arteria femoral.

Cuando volví a iluminarlo con la linterna, Whitaker ya no era un hombre seguro de sí mismo, sino un hombre confundido. Se había inclinado ligeramente y se tocaba la herida notando sin duda la sangre que debía brotar de ella. Pensé que el coronel se quitaría el cinturón para intentar hacerse un torniquete.

Pero no lo hizo. Whitaker enloqueció. Me atacó, propinándome dos patadas, antes de lanzarse sobre mí y agarrarme el cuello con las dos manos.

Mientras me estrangulaba, intenté otra vez golpearlo con la linterna o clavarle el cuchillo. Pero entre la sangre que había perdido y la paliza que había recibido, no podía luchar con él. Simplemente no podía.

Estaba jadeando, tratando de recuperar el aliento, pero no lo conseguía. Whitaker tenía un brillo salvaje en los ojos mientras mi visión se iba reduciendo a una oscuridad llena de manchas.

«Esto es el fin –pensé–. El fin...».

Noté que la presión de las manos del coronel en mi garganta disminuía. Respiré varias veces y recuperé la visión.

Whitaker estaba sentado en mi pecho. Su cabeza se balanceaba sobre la mía.

–No, Cross –dijo–. John Brown... Mercury nunca...

Entonces fue presa del pánico y trató de levantarse.

Mientras lo intentaba, Whitaker se retorció, tambaleándose, y se desplomó, muerto, sobre diez centímetros de agua fría.

CAPÍTULO 104

DOS DÍAS DESPUÉS aún tenía la cara hinchada y magullada. Aunque me habían suturado la herida del cuchillo, me dolía muchísimo. Bree había conseguido una mención por resolver el asesinato de Thomas McGrath. Y el ortopedista de Jannie había llamado para decir que su última resonancia magnética había mostrado que el hueso del pie se estaba curando bien.

–Tenemos mucho por lo que estar agradecidos –dije mientras nos sentábamos a cenar.

–Dice un hombre que parece haber peleado cuatro asaltos con Mike Tyson –dijo Nana Mama, y Ali se rio.

–Un hombre que peleó cuatro asaltos con Mike Tyson y sobrevivió –dije sonriendo y haciendo una mueca de dolor con el labio partido–. Estamos todos aquí. Estamos todos bien. Y estamos todos a salvo. Y yo doy las gracias por ello.

Nos cogimos de las manos, bendecimos la mesa y atacamos un pollo que Nana Mama había asado con mostaza de Dijon, cebollas perla y hierba de limón. Estaba delicioso, otro éxito de Nana Mama, a la que colmamos de elogios.

Mi abuela estaba contenta y en plena forma mientras cenábamos: bromeaba y contaba historias que había oído y amado hacía mucho tiempo. Mientras hablaba, yo pensaba en las consecuencias del ataque del coronel Whitaker a Edgewater 9. Cinco Reguladores habían muerto en el tiroteo mientras intentaban escapar. Dos habían sido detenidos por la Policía Militar y se les había asignado un abogado.

Hobbes y Fender esquivaron a la Guardia Costera y escaparon con una lata de VX, lo cual tenía al país en estado de alerta máxima. Las fotografías de los dos estaban por todas partes, y Ned Mahoney, que había sido intervenido quirúrgicamente con éxito, decía que solo era cuestión de tiempo que fueran localizados y capturados.

Ahora se creía que George Potter, el agente especial de la DEA, era la fuente de información de los Reguladores en las masacres cuyo objetivo era el supercártel de la droga.

La Academia Naval tenía dos ovejas negras en sus filas. El coronel Whitaker y la capitana de la Armada de los Estados Unidos Cassandra *Cass* Pope se habían graduado en Annapolis y daban clases en la Academia. Whitaker y Pope dejaron unas vitriólicas cartas en sus ordenadores diciendo que los esclavistas estaban destruyendo el país y que había llegado el momento de que los esclavos se armaran, se levantaran y lucharan.

Me estremecí al pensar lo que podría haberle pasado a Washington y a mi familia si hubieran conseguido liberar cuatro litros de VX en la capital del país. Pero lo importante era que los Reguladores, los justicieros o como se quisiera llamarlos ya no estaban actuando. Y el asesino de la carretera tampoco estaba. Y nadie había muerto desde...

Alguien llamó a la puerta principal.

Y entonces una mujer se puso a gritar.

CAPÍTULO 105

–¿ALEX? –gritó una mujer al mismo tiempo que tocaba el timbre–. ¿Nana Mama? ¿Estáis en casa?

Me levanté y estuve a punto de coger mi arma antes de mirar a través de la ventana y ver que era Chung Sun Chung. A pesar del calor, llevaba un abrigo acolchado largo y hacía sonar el timbre y golpeaba la puerta como alguien que estuviera tocando un xilófono de una sola nota y un bongó.

Avancé cojeando por el pasillo y abrí la puerta con determinación esperando encontrarme a una mujer traumatizada o en peligro. Pero Chung Sun Chung echó la cabeza hacia atrás y empezó a reírse a carcajadas como si estuviera loca.

–¿Qué ocurre, Sun?

–¿Que qué ocurre? –Sun reprimió la risa y se acercó a mí golpeándome suavemente el pecho con sus diminutos puños–. Nada malo.

Sun dejó de golpearme y se echó a reír de nuevo.

–Todo va bien. ¿Dónde está Nana Mama?

–Estoy aquí, Sun –dijo mi abuela, que apareció en el pasillo con el resto de la familia–. Por el amor de

Dios, con el escándalo que estás armando cualquiera pensaría que...

Hubo una pausa durante la que todo el mundo guardó silencio. Sun soltó un aullido, puso los brazos sobre la cabeza y ejecutó un bailecito.

–¿No has visto el sorteo? –dijo a gritos la dueña de la tienda empujándome para apartarme a un lado–. ¡Has ganado! ¡Has ganado el Powerball!

Mi abuela miró a Sun como si tuviera dos cabezas.

–No es verdad –dijo.

–¡Sí! –dijo Sun bailando hacia ella–. Hace nueve años que apuestas a los mismos números: 7, 12, 9, 6, 1, 11 y 3 en el Powerball. ¡He visto el sorteo!

Nana Mama frunció el ceño.

–¿Lo ves? Estás muy equivocada, Sun. Siempre apuesto un 2 en el Powerball, de modo que he ganado algo, pero...

–No, Nana –dije boquiabierto–. Cambié la mitad de tus boletos sumando uno al último número. Así que, en lugar de un 2, Sun marcó un 3.

–¡Exacto! –gritó Sun empezando a bailar de nuevo.

–¡Oh, Dios mío! –gritó Jannie.

Parecía que a mi abuela estuviera a punto de darle un síncope. Bree se dio cuenta y se le acercó para sujetarla.

–Bueno, nunca... –dijo Nana mirándonos maravillada a todos antes de volver a mirar a Sun–. ¿Estás segura?

–He corrido seis manzanas con este abrigo a pesar del calor –dijo Sun–. Estoy segura.

–¿Cuánto he ganado?

Sun se lo dijo. Jannie y Ali se pusieron a gritar.

Nana Mama se quedó allí un buen rato sacudiendo la cabeza, con la boca desencajada por la incredulidad, y luego, mirando al cielo, empezó a reírse a carcajadas, loca de alegría.

Esta primera edición de *Cruzando la línea*,
de James Patterson, se terminó de imprimir
en *Grafica Veneta S.p.A. di Trebaseleghe* (PD)
de Italia en noviembre de 2019. Para la composición
del texto se ha utilizado la tipografía Sabon diseñada
por Jan Tschichold en 1964.

Duomo ediciones es una empresa comprometida
con el medio ambiente. El papel utilizado para
la impresión de este libro procede de bosques
gestionados sosteniblemente.

Este libro está impreso con el sol. La energía
que ha hecho posible su impresión procede
exclusivamente de paneles solares.
Grafica Veneta es la primera imprenta
en el mundo que no utiliza carbón.

OTROS LIBROS DE LA SERIE

DE ALEX CROSS: